une forêt de symboles

la poésie

une forêt de symboles

de symboles

la poésie

une petite

anthologie

littéraire

Les Éditions du Carrousel

Nous remercions vivement Pierre Bourgeade pour sa participation à cet ouvrage.

Le texte de Pierre Bourgeade « Grand ciel de mots » a été publié pour la première fois dans la revue *Digraphe*, 1992.

Illustration de couverture :
Nicolas Poussin. *L'Inspiration du poète*. Musée du Louvres © RMN.

préface

La poésie est la parole du peuple.

Soit que celui-ci l'exprime par ces alliances de mots que Paul Éluard nommait « *Poésie accidentelle* [1] » et qui, de l'énoncé moral, amoureux, politique, aux innombrables formules vaguement axiomatiques florissant dans ou sur les mémoires, le matériel urbain, les calendriers de la Poste, la porte des lycées, des églises, des prisons, des usines,

> *Pas de ça, Lisette !*
> *Ralentir travaux*
> *Déviation obligatoire*
> *Emprunter le passage souterrain*
> *Nini je t'aime à bas le travail !...*

soit que celui-ci l'exprime par la voix de certains, capables d'opérer un savant décalage entre le familier et le subtil, le spontané et l'inspiré, accomplissant ainsi l'acte qu'Éluard nomme « *Poésie intentionnelle* »,

_____

1. Paul Éluard. *Poésie ininterrompue*, 1946, Gallimard.

préface

Un songe (me devrais-je inquiéter d'un songe?)
Je suis comme le Roi d'un pays pluvieux...
Puisque j'ai mis ma lèvre à ta coupe encor pleine...
Là tout n'est qu'ordre et beauté...
A noir, E blanc, I rouge, O bleu, U vert...

il devient l'instrument de sa propre langue... dont il est lui-même l'instrument, faisant de cette confusion inextricable à la fois sa poésie et son destin.

Les choses, pourtant, étaient, dès le début, pour lui, plus difficiles que pour d'autres (Anglo-saxons, Germains, Italo-espagnols, etc.) puisque sa propre langue allait se former au carrefour de ces civilisations contradictoires, sur le terreau gaulois, celte, parisis, occitan, on en passe, et, côté construction, soumis à la mécanique aussi rigide que concise de la phrase latine – main de fer se fermant sur une sorte de mercure verbal qui, de toute part, lui échappait.

Les fabliaux, les chansons de gestes, les chansons du trouvère et du troubadour, l'exquise souplesse amoureuse de la poésie moyenâgeuse furent, au prix de ces contraintes, qui eussent désespéré nos malheureux voisins (ces Anglais qui sifflent, ces Allemands qui grognent, ces Italiens qui chantent, ces Espagnols qui aboient – les Français étant les seuls qui parlent... pour reprendre la célèbre formule de Rivarol... toujours aussi exacte et mesurée...), un véritable Âge d'Or.

☆

« *Enfin, Malherbe vint!* » devait dire Boileau... *Hélas*, Malherbe vint! peut-on penser. Le fait est qu'à l'aube de la monarchie absolue vint Malherbe, résolu à mettre de l'ordre dans le désordre, sacrifiant la moitié du parler existant, jugé impur, et imposant : au reste une métrique auprès de laquelle les vieux rythmes infligés à la langue française par le contortionnisme latin semblait de la roupie de sansonnet puisque au rythme nouveau, non moins implacable, s'ajoutait la rime!

Désormais, ainsi que Claudel l'a superbement démontré, le poème français, fut-il d'un distique (deux vers) ou de la plus vaste ampleur dramatique, ne pourrait s'exprimer que selon le schéma

> *Ta-ta-ta-ta-ta / ta-ta-ta-ta-ta-ta*
> *Ta-ta-ta-ta-ta / ta-ta-ta-ta-ta-ta!* [1]

Quel peuple, quelle langue auraient pu y survivre? Nul, nulle, sauf les nôtres. Alors qu'aujourd'hui, mis en demeure d'appliquer les mêmes règles, peu d'entre nous seraient capables d'aligner une douzaine de vers, les Classiques se firent un jeu d'enfant d'édifier ces poèmes impossibles (*Le Cid*, *Phèdre*, *Tartuffe*), plaçant par le fait même de ce tour de force irréel la langue et la poésie française au-dessus de toutes les autres. Elle y resta.

☆

---

[1]. Paul Claudel. *Réflexions et Propositions sur le vers français*, 1928-1934, Gallimard.

préface

En France, la poésie est liée à l'Histoire.

Ce n'est pas le cas ailleurs, soit que l'Histoire y demeure immuable, soit qu'elle s'y déroule de manière si confuse (pays germaniques, Italie, Espagne) qu'à de rarissimes exceptions près la littérature en général, et la poésie en particulier, suivent une voie qui est seulement la leur.

Mais en France, littérature et poésie sont liées à l'Histoire du peuple qui, ayant renversé la Monarchie Absolue, s'affranchit, du même coup, des règles littéraires qui y avaient été élaborées, et entra corps et âme, si l'on ose dire, liberté et esprit, dans deux siècles de bouleversements, révolutions, guerres qui nous conduisent là où nous en sommes aujourd'hui.

À la Grande Révolution correspondit le Romantisme. La métrique de fer instaurée sous l'ancien régime sauta, et Hugo put affirmer : « *J'ai mis le bonnet rouge au vieux dictionnaire.* » Roman et poésie prirent un chemin nouveau… conduisant, vers la fin du siècle, à une impasse, que devait faire exploser un enfant de génie, Rimbaud. Baudelaire, certes, et le symbolisme l'avaient précédé – mais qui peut « annoncer » un tel poète ?

Rimbaud avait été marqué par la guerre de 1870. Quarante années après, la guerre suivante, qui devait être, au prix d'un million et demi de jeunes Français sacrifiés, la « der-des-der », provoqua cette révolution absolue qui se nomma Surréalisme. Pour la troisième fois en un peu plus d'un siècle, la poésie française repartait de zéro, mais remontant, par Breton, Éluard et les autres, dans le passé nié, anéanti, elle en faisait surgir les figures brûlantes de Rimbaud, Lautréamont et Sade, qui nous inspirent aujourd'hui !

☆

Du Surréalisme à ce jour, c'est notre vie. On sait comment le mouvement se divisa, entre ceux qui rompirent avec le communisme (Breton) et ceux qui lui restèrent fidèles (Aragon, Éluard), mais la nouvelle-dernière « der-des-der » survint, qui allait mettre tout le monde d'accord ! Sous la botte nazie, et par la souffrance du peuple, la poésie allait revenir à ses propres origines, remontant à la source des premières Chansons de geste, par sa fluidité nouvelle, sa passion intacte, sa perfection formelle souveraine – lyrisme, lutte, liberté.

On est là. À la fin de ce siècle, à l'approche du suivant, il est permis de dire que la poésie française trace, depuis l'origine, la ligne d'un feu incandescent, dont le Buisson Ardent serait Rimbaud. Cet enfant de seize ans s'avisa le premier de donner leur couleur aux voyelles signifiant que le poème était une connaissance « totale » fondée sur la confusion des sens. La poésie devenait synonyme de l'homme et de son rêve. Elle est notre peuple, notre histoire. Elle est à chacun, elle est à tous. Elle est de chacun, elle est de tous.

Pierre Bourgeade   11

chapitre I

Moyen-Âge

la chanson de roland

Anonyme

… Roland sent que la mort est près de lui :
par les oreilles lui sort la cervelle.
Pour ses pairs il prie Dieu qu'il les appelle,
puis pour lui il prie l'ange Gabriel.
Il prit l'olifant, pour n'en avoir de blâme,
et Durendal, son épée, dans l'autre main.
Plus loin que l'arbalète ne peut tirer un trait,
du côté de l'Espagne il va dans un guéret ;
il monte sur un tertre ; sous un bel arbre
il y a quatre perrons faits de marbre ;
sur l'herbe verte il tombe à la renverse.
Là il s'est pâmé, car la mort est proche.

Hauts sont les monts et très hauts sont les arbres.
Il est quatre perrons luisants de marbre.
Sur l'herbe verte le comte Roland se pâme.
Un Sarrasin cependant le regarde,
qui faisait le mort, gisant parmi les autres.

14

Il a souillé de sang son corps et son visage.
Il se dresse en pied, de courir se hâte.
Il était beau et fort, et de grande vaillance ;
par orgueil il fait une mortelle folie.
Il saisit Roland, son corps et ses armes,
et dit ce mot : « Vaincu est le neveu de Charles !
» Cette épée, je l'emporterai en Arabie ! »
À la tirer, le comte se reconnut un peu.

Roland sent qu'on lui prend son épée.
Il ouvrit les yeux et lui dit ces mots :
« À ma connaissance, tu n'es pas des nôtres ! »
Il tient l'olifant, qu'il ne voulait pas perdre,
le frappe sur le heaume aux gemmes serties d'or,
fracasse l'acier et la tête et les os,
lui fait jaillir les deux yeux de la tête,
et devant ses pieds l'a renversé mort.
Après lui dit : « Lâche païen, comment eus-tu
        [l'audace
» de me saisir, ou à droit ou à tort ?
» Nul ne l'entendra qui ne t'en tienne pour fol.
» Mon olifant en est fendu au gros bout,
» et le cristal et l'or en est tombé. »
Roland sent qu'il a perdu la vue,
il se met sur pieds, tant qu'il peut s'évertue ;
de son visage la couleur est perdue.
Devant lui est une pierre bise.
Il y frappe dix coups par douleur et rancune.
L'acier grince, ne se brise ni ne s'ébrèche.
« Eh ! dit le comte, sainte Marie, à l'aide !
» Eh ! Durendal, bonne, si malheureuse !
» Quand je me perds, de vous je n'ai plus charge.
» Tant de batailles avec vous j'ai vaincues,
» et tant conquis de larges terres
» que Charles tient, qui la barbe a chenue !

15

» Que nul ne vous ait qui devant un autre fuie !
» Un bon vassal vous a longtemps tenue.
» Jamais plus rien de tel en la France sacrée ! »

Roland frappe au perron de sardoine.
L'acier grince, ne se brise ni ne s'ébrèche.
Quand il voit qu'il ne peut la briser,
en lui-même il la commence à plaindre :
« Eh ! Durendal, que tu es belle et blanche !
» Comme le soleil que tu luis et flamboies !
» Charles était au val de Maurienne,
» Quand du ciel Dieu lui manda son ange
» Qu'il te donnât à un comte capitaine :
» donc il me la ceignit, le gentil roi, le Magne.
» Je lui en conquis Anjou et Bretagne,
» et lui en conquis Poitou et le Maine ;
» je lui en conquis Normandie la franche,
» et lui en conquis Provence, Aquitaine,
» et Lombardie et toute la Romagne ;
» je lui en conquis Bavière, toute la Flandre,
» et Bourgogne et toutes les Pouilles,
» Constantinople, dont il avait l'hommage,
» et en Saxe il fait ce qu'il demande ;
» je lui conquis Ècosse, Galles, Islande
» et Angleterre, qu'il disait son domaine ;
» je lui en ai conquis des pays, tant de terres
» que Charles tient, qui a la barbe blanche.
» Pour cette épée j'ai douleur et regret.
» J'aime mieux mourir que la laisser aux païens ;
» Dieu, père, n'en laissez honnir la France ! »

Roland frappe sur une pierre bise.
Plus en abat que je ne vous sais dire.
L'épée grince, ne se froisse ni ne brise ;
vers le ciel elle a rebondi.

Quand le comte voit qu'il ne la brisera pas,
très doucement il la plaint en lui-même !
« Eh ! Durendal, que tu es belle et sainte !
» Au pommeau d'or sont maintes reliques,
» la dent de saint Pierre et du sang de saint Basile,
» et des cheveux de Monseigneur saint Denis,
» et du vêtement de sainte Marie :
» il ne convient pas que des païens te tiennent ;
» par des chrétiens devez être servie.
» Que nul ne vous ait qui fasse une couardise !
» De vastes terres par vous j'aurai conquises
» que Charles tient, qui la barbe a fleurie,
» et l'empereur en est puissant et riche. »

Roland sent que la mort le saisit,
que de la tête sur le cœur elle lui descend.
Dessous un pin il est allé courant,
sur l'herbe verte s'est couché sur les dents,
dessous lui met l'épée et l'olifant,
tourna la tête vers la païenne gent :
et il l'a fait parce qu'il veut vraiment
que Charles dise, avec tous les siens,
que le noble comte est mort en conquérant.
Il bat sa coulpe à petits coups, souvent,
pour ses péchés tendit à Dieu son gant.

Roland le sent, sa vie est épuisée.
Vers Espagne il est sur un mont aigu,
et d'une main il bat sa poitrine.
« Dieu, *mea culpa* devant tes vertus
» pour mes péchés, les grands et les menus,
» que j'ai commis dès l'heure où je naquis
» jusqu'à ce jour qu'ici je suis atteint ! »
Son dextre gant il a vers Dieu tendu.
Les anges du ciel descendent à lui.

Le comte Roland gît dessous un pin ;
vers Espagne il a tourné son visage.
De maintes choses lui revient la mémoire,
de tant de terres que vaillant il conquit,
de douce France, des hommes de son lignage,
de Charlemagne, son seigneur, qui l'a nourri ;
il ne peut qu'il n'en pleure et soupire.
Mais son âme même il ne veut oublier,
il bat sa coulpe ; demande à Dieu merci :
« Père véritable, qui onques ne mentis,
» qui saint Lazare de mort ressuscitas
» et Daniel des lions défendis,
» défends mon âme de tous les périls
» pour les péchés que j'ai faits en ma vie. »
Son dextre gant à Dieu il tendit ;
saint Gabriel de sa main l'a pris.
Sur son bras il y tenait la tête inclinée ;
mains jointes il est allé à sa fin.
Dieu envoya son ange Chérubin
et saint Michel du Péril,
et avec eux saint Gabriel y vint.
L'âme du comte ils portent en paradis...

(extrait)

chanson

Colin Muset

Sire comte, j'ai viellé
Devant vous, en votre hôtel
Et ne m'avez rien donné
Ni mes gages acquittés :
   C'est vilainie !
Foi que dois à Sainte Marie,
Ainsi ne vous suivrai mie.
M'aumônière est mal garnie
Et ma bourse mal farcie.

Sire comte, vous commandez
De moi votre volonté.
Sire, s'il vous vient à gré,
Un beau don vous me donnez
   Par courtoisie !
Désir ai, n'en doutez mie,
De tournez à ma famille.
Quand j'y vais bourse dégarnie,
Ma femme ne me rit mie,

19

moyen-âge

Mais me dit : « Sire Engelé,
En quelle terre avez été,
Qui n'avez rien conquêté ?
(Trop vous êtes déporté)
    Aval la ville.
Voyez comme votre male plie !
Elle est bien de vent farcie !
Honnis soit qui a envie
D'être en votre compagnie ! »

Quand je viens à mon hôtel
Et ma femme a regardé
Derrière moi le sac enflé,
Et que je suis bien paré
    De robe grise,
Sachez qu'elle a tôt remise
La quenouille sans feintise ;
Elle me rit par franchise,
Ses deux bras au col me plie.

Ma femme va détrousser
Ma male sans demeurer ;
Mon garçon va abreuver
Mon cheval et le panser ;
Ma pucelle va tuer
Deux chapons pour préparer
    À la sauce ail.
Ma fille m'apporte un peigne
De sa main par courtoisie.
Lors suis à mon hôtel, sire,
En moult grand joie et sans ire
Plus que nul ne (le) pourrait dire.

la folie tristan

Béroul

tristan séjourne en son païs,
dolent, mornes, tristes, pensifs;
pourpense soi que faire puet,
car aucun confort lui estuet :
confort lui estuet de garir
ou, si ço non, mielz volt morir;
mielz volt morir a une foiz
que tous dis estre si destroiz,
et mielz volt une foiz morir
que tout tems en peine languir...
Peine, dolor, penser, ahan
tout ensement confond Tristan...
Or est il donc de la mort cert
quant il s'amour, sa joie pert.
Quant il pert la reïne Ysolt,
morir desire, morir volt,
mais seul tant que elle seüst
qu'il pour la sue amour morust;
car si Ysolt sa mort savoit,
siveus plus sœf en mourroit.
Vers toute gent se cele et doute,
ne ne volt descouvrir le doute;

il s'en cele, ce est la fin,
vers son compaignon Kaherdin ;
car ço cremoit, s'il li contast
de son pourpens, qu'il l'en ostast :
car ço pensoit et ço voloit
aller en Engleterre droit,
nient a cheval, mais tout à pié…
Car il i ert moult coneüz,
si seroit tost aperceüz ;
mais de povre home qu'a pié vait
n'en est tenu gueres de plait…
Il se pense si desguiser
et son semblant si remuer
que ja nuls hom ne conestra
que Tristan soit, tant nel verra.
Parent, prochain, pair ne ami
ne pot savoir l'estre de li.
Tant par se couvre en son courage
qu'a nul nel dit, si fait que sage…

(extrait)

chanson

Guillaume d'Aquitaine

Je ferai ces vers sur le pur Néant
Et ce ne sera sur moi ni personne,
Non plus sur amour ni sur la jeunesse
       Ni sur rien d'autre :
Ils me sont venus là tout en dormant
       Sur mon cheval.

Je ne sais pas à quelle heure fus né.
Je ne me sens allègre ni colère
Et je ne suis étranger ni privé
       Et n'en puis rien.
Si, une nuit, quelques fées me dotèrent
       Sur un haut puy.

Je ne sais quand je me suis endormi
Ni quand je veille, sauf si on me le dit.
C'est pour un rien que le cœur m'est parti
       D'un deuil cruel.
Je m'en soucie comme d'une souris.
       Par Saint-Martial !

le temps va et vient et vire...

Bernard de Ventadour

Le temps va et vient et vire
Par jours, par mois et par ans,
Et moi, las ! ne sais que dire,
Toujours même est mon désir,
Toujours même sans changer,
J'aime celle que j'aimais
Dont jamais je n'eus plaisir.

Elle n'en perd point le rire,
À moi revient dol et dam,
À ce jeu qu'elle m'inspire
Deux fois serai le perdant,
Il est bien perdu, l'amour,
Qui se donne à l'insensible,
S'il ne touche à sa cible.

Plus jamais ne chanterai,
Je n'écouterai plus Ebbe
Mes chants ne me valent rien,
Ni mes couplets ni mes airs,
Rien que je fasse ou que dise,
Je le sais, ne m'est profit,
Et ne vois pas de remède.

Si la joie m'est au visage,
Moult ai dans le cœur tristesse.
Vit-on jamais pénitence
Faire avant que de pécher ?
Plus je la prie, plus m'est dure ;
Si sous peu elle ne change,
En viendrai au départir…

Las, bon amour convoité,
Corps bien fait, si tendre et lisse,
Visage aux fraîches couleurs
Que Dieu de ses mains créa !
Toujours vous ai désirée
Aucune autre ne m'agrée,
D'un autre amour ne veut pas !

Douce femme bien apprise,
Que Celui qui vous forma,
Si gente, m'envoie la joie !

la mal mariée

Anonyme

En un verger, près d'une petite fontaine
Dont l'onde est claire et blanc le gravier,
S'est assise une fille de roi, la main à la joue.
Elle se rappelle son doux ami en soupirant :
   Ah! comte Gui, mon ami!
Mon amour pour vous m'ôte toute joie et gaieté.

« Comte Gui, mon ami, quelle cruelle destinée!
Mon père m'a donnée à un vieillard,
Qui m'a enfermée dans cette maison;
Je n'en puis sortir soir ni matin. »
   Ah! comte Gui, mon ami!
Mon amour pour vous m'ôte toute joie et gaieté.

Le mauvais mari a ouï la plainte,
Il entre au verger, il a détaché sa ceinture :
Il l'a tant battue qu'elle en est toute couverte de
        [bleus.
Peu s'en faut qu'il ne l'ait tuée à coups de pieds.
   Ah! comte Gui, mon ami!
26 Mon amour pour vous m'ôte toute joie et gaieté.

La belle est sortie de sa pâmoison,
Elle invoque Dieu avec ferveur :
« Seigneur Dieu, qui m'avez créée,
Faites-moi la grâce que je ne sois oubliée,
Que mon ami revienne avant le soir. »
   Ah! comte Gui, mon ami!
Mon amour pour vous m'ôte toute joie et gaieté.

Notre Seigneur l'a écoutée :
Voici son ami qui vient la consoler.
Ils se sont assis sous une ente feuillue :
Là il y eut beaucoup de larmes versées.
   Ah! comte Gui, mon ami!
Mon amour pour vous m'ôte toute joie et gaieté.

le lit
de la merveille

Chrétien de Troyes

Touchant le lit je ne fais aucune fable ;
à chacun de ses entrelacs
il y avait une clochette pendue :
sur le lit était étendue
une grande couette de samit,
et à chacun des poteaux
il y avait une escarboucle sertie
qui jetait une plus grande clarté
que quatre cierges allumés.
Le lit reposait sur de petits chiens
qui grimaçaient des joues,
et ces petits chiens sur leurs quatre roues
étaient si mobiles
qu'avec un seul doigt, par toute la chambre
d'un bout à l'autre, on aurait pu faire aller
le lit, si on l'avait poussé tant soit peu.
Tel fut le lit, pour dire le vrai,
que jamais pour un roi ou un comte
le pareil ne fut fait ni ne le sera jamais.

Le palais était entièrement couvert :
les parois étaient de marbre,
surmontées de verrières
si claires que si l'on y avait pris garde
on aurait vu à travers la vitre
tous ceux qui seraient entrés au palais
et auraient passé la porte.
Le verre était peint de couleurs
des plus belles et des meilleures
que l'on pût dire ou faire ;
je ne veux pas décrire
ni énumérer tous les détails ;
le palais avait bien quatre cents
fenêtres closes et cent ouvertes.
Messire Gauvain avec la plus grande attention
alla examiner le palais
du haut en bas et de tous côtés.
Quand il eut regardé partout,
il appela le nautonier
et lui dit : « Bel hôte, je ne vois
céans aucune raison
de craindre
qu'il y aurait péril à entrer dans ce palais.
Or dites-moi ce que vous entendiez
en me défendant si rigoureusement
d'y aller voir ?
Je veux m'étendre dans ce lit
et y reposer un moment,
car je n'en vis jamais un si riche.
— Ha ! beau sire, Dieu vous garde
d'aller de ce côté,
car si vous vous en approchiez,
vous mourriez de la pire mort
à laquelle chevalier fût jamais exposé.
— Que faire alors ?

— Sire, je vous le dirai,
puisque je vous vois soucieux
quand vous dûtes venir ici,
de conserver votre vie.
Je vous demandai chez moi
un don, mais vous ne sûtes lequel.
Maintenant je veux vous faire promettre
de retourner dans votre terre.
Vous raconterez à vos amis
et aux gens de votre pays
que vous avez vu un palais tel
que vous n'en connaissez pas de plus somptueux
et que nul autre n'en connaît.
— Alors je dirai que Dieu me hait
et avec cela je suis déshonoré.
Ce nonobstant, il me semble, mon hôte,
que vous parlez pour mon bien.
Mais je ne laisserai en aucune façon
d'aller m'étendre dans le lit
et de voir les pucelles
que je vis hier soir appuyées
aux fenêtres du palais. »
Celui qui recule pour mieux fuir
lui répond : « Vous ne verrez nulle
des pucelles dont vous parlez.
Retirez-vous
comme vous êtes venu,
car il n'est pas question pour vous
de les voir, dans votre propre intérêt.
Les pucelles et les reines
vous voient très bien
par les vitres des fenêtres,
ainsi que les dames
qui sont dans les chambres d'autre part.
— Au moins, fait messire Gauvain,

je veux m'étendre sur le lit,
si je ne puis voir les pucelles,
car je ne pense pas
qu'un tel lit ait été fait
sinon pour qu'y couchât
gentilhomme ou haute dame,
et je veux m'y reposer, sur mon âme,
quoi qu'il doive m'en avenir. »
L'hôte, voyant qu'il ne peut le retenir,
laisse tomber l'entretien.
Mais il ne veut pas s'attarder
au palais jusqu'à ce qu'il le voie
s'asseoir sur le lit; il poursuivit son chemin.
« Sire, dit-il, j'ai grand ennui
et grand chagrin au sujet de votre mort,
car jamais chevalier ne s'assit
dans ce lit qu'il ne mourût :
c'est, en effet, le Lit de la Merveille
où nul ne dort ni ne sommeille
ni se repose ni ne s'assoit
pour se lever ensuite sain ou vivant.
C'est grand dommage pour vous,
vous y laisserez la tête en gage
sans rachat et sans rançon.
Puisque mon amitié et mes efforts
n'ont pu réussir à vous emmener hors d'ici,
Dieu ait pitié de votre âme ! »
Sur ce, il sortit du palais,
et messire Gauvain s'installa
dans le lit avec son armure
et son écu pendu au cou.
Au moment où il se met au lit,
voici les cordes qui grincent,
et toutes les clochettes qui sonnent
si bien qu'elles assourdissent tout le palais,

et toutes les fenêtres s'ouvrent,
et les merveilles se découvrent
et apparaissent les enchantements.
Par les fenêtres se mirent à voler
carreaux et flèches dans la chambre,
qui atteignirent je ne sais combien de fois
Monseigneur Gauvain dans son écu;
mais il ne pouvait savoir qui l'avait frappé,
car l'enchantement était tel
que personne ne pouvait voir
d'où venaient les carreaux
ni les archers qui les tiraient;
vous pouvez aisément comprendre
que les arbalètes et les arcs
faisaient grand bruit en se détendant :
à ce moment, messire Gauvin
n'eût voulu être là, pour mile marcs.
Mais bientôt les fenêtres
se fermèrent sans que nul ne les poussât,
Messire Gauvain ôta
les carreaux qui étaient plantés
en son écu et qui l'avaient
blessé au corps en plusieurs endroits,
si bien que le sang en jaillissait.
Avant qu'il les eût tous tirés
lui tomba une nouvelle affaire :
un vilain frappa d'un pieu
à une porte, et la porte s'ouvrit,
et un lion extraordinairement
fort et farouche, et famélique,
sauta hors d'une voûte
et assaillit monseigneur Gauvain
en grande fureur;
tout comme dans la cire
il lui enfonce ses ongles

dans son écu, le jette à terre
et le fait mettre à genoux.
Gauvain se relève bientôt, tire
sa bonne épée du fourreau,
et frappe si bien qu'il lui coupe
la tête et les deux pieds de devant.
Messire Gauvain fut très content de voir
que les pieds restaient pendus
par les ongles en son écu
de telle manière que l'un pendait au-dehors
et l'autre sortait en dedans.
Quand il eut occis le lion,
il demeura assis sur le lit.
Bientôt son hôte revint au palais,
la mine joyeuse ;
il le trouva assis sur le lit,
et lui dit : « Sire, je vous garantis
que vous n'aurez désormais rien à craindre :
Ôtez votre armure,
car les merveilles du palais
ont pris fin à tout jamais
par vous qui êtes venu ici ;
céans des jeunes et des chenus,
vous serez servi et honoré
ce dont Dieu soit adoré. »
Alors vinrent des valets en foule :
tous, très bien vêtus de cottes,
se mettent à genoux,
et s'écrient : « Beau doux sire,
nous vous offons nos services
comme à celui que nous avons
longtemps attendu et désiré,
car vous avez beaucoup tardé à venir. »

(extrait de Perceval le Gallois)

complainte des tisseuses de soie

Chrétien de Troyes

Toujours draps de soie tisserons,
Jamais n'en serons mieux vêtues.
Toujours serons pauvres et nues,
Et toujours faim et soif aurons.
Jamais tant gagner ne saurons
Que mieux en ayons à manger.
Avons du pain à grand danger,
Peu le matin et au soir moins :
Jamais, de l'œuvre de nos mains,
N'aura chacune pour son vivre
Que quatre deniers de la livre.
Et de cela, ne pouvons pas
Avoir assez viandes et draps.
Car, qui gagne dans la semaine
Vingt sous, il n'est pas hors de peine.
Et bien sachez-le donc, vous tous,
Qu'il n'y a nulle d'entre nous

Qui ne gagne vingt sous, ou plus :
De cela, serait riche un Duc !
Et nous somme sen grand malheur.
S'enrichit de notre labeur
Celui pour qui nous travaillons.
Des nuits, grand partie nous veillons,
Et tout le jour, pour y gagner.
On nous menace, quand nous reposons,
C'est pourquoi, reposer n'osons.

le chèvrefeuille

Marie de France

D'eux deux il en était ainsi
Comme du chèvrefeuille était
Qui au coudrier se prenait
Quand il s'est enlacé et pris
Et tout autour le fût s'est mis
Ensemble peuvent bien durer
Qui les veut après désunir
Fait tôt le coudrier mourir
Et le chèvrefeuille avec lui.
Belle amie, ainsi est de nous :
Ni vous sans moi, ni moi sans vous.

le roman de la rose

Guillaume de Lorris
Jean de Meung

Quant j'eus un peu avant alé,
Si vis un vergier grant et lé,
Tout clos de haut mur bataillié,
Portrait dehors et entaillé
À maintes riches escritures.
Les images et les peintures
Du mur volentiers remirai.
Si vous conterai et dirai
De ces images la semblance,
Si com moi vient en remembrance.
Enz en le milieu vis Haïne,
Qui de courroz et d'ataïne
Sembla bien estre mouveresse ;
Courrouceuse et tençonerresse,
Et pleine de grant cuvertage
Estoit par semblant cele image ;
Si n'estoit pas bien atornee,
Ainz sembloit fame forsenee.
Rechignié avoit et froncié

Le vis, et le nés secorcié;
Hideuse estoit et roïlliee;
Et si estoit entortilliee
Hideusement d'une toaille.
   Une autre image d'autel taille
À senestre avoit delez lui;
Son nom dessus sa teste lui :
Appelee estoit Felonie.
Une image qui Vilenie
Avoit nom revis devers destre,
Qui estoit auques d'autel estre
Com ces deus et d'autel faiture;
Bien sembla male creature,
Et sembla bien estre outrageuse
Et mesdisant et ramponneuse;
Moult sut bien peindre et bien portraire
Cil qui sut tel image faire,
Qu'el sembloit bien chose vilaine;
Bien semblait estre d'afiz pleine
Et fame qui petit seüst
D'honorer ce qu'ele deüst.
Après fut peinte Convoitise;
C'est cele qui les genz attise
De prendre et de neient doner,
Et les granz avoir aüner;
C'est cele qui fait a usure
Prester mainz pour la grant ardure
D'avoir conquerre et assembler;
C'est cele qui semont d'embler
Les larrons et les ribaudiaus;
Si est grant pechiez et granz diaus,
Qu'en la fin maint en convient pendre;
C'est cele qui fait l'autrui prendre,
Rober, tollir et bareter,
Et bescochier et mesconter;

C'est cele qui les tricheors
Fait touz et les faux plaideors,
Qui maintes fois par leurs faveles
Ont a vallet et a puceles
Lor droites heritez tolues.
Recorbelees et crochues
Avoit les mains icele image :
Si fut droiz, que touz jourz enrage
Convoitise de l'autrui prendre ;
Convoitise ne set entendre
Fors que a l'autrui accrochier ;
Convoitise a l'autrui trop chier.

(extrait)

que sont mes amis devenus?

Rutebeuf

Mes gages sont tous engagés
Et de chez moi déménagés,
    Car sont passés
Trois mois que personne n'ai vu.
Ma femme un autre enfant a eu ;
    Un mois entier
Me revoilà sur le chantier.
Je gisais là endementier
    En l'autre lit,
Où j'avais fort peu de plaisir :
Jamais aussi peu ne m'a plu
    D'être couché ;
Car j'en ai le corps fatigué
    Jusqu'au fenir.
Le mal ne saurait seul venir :
Tout ce qui me devait venir
    M'est advenu.
Que sont mes amis devenus
Que j'avais de si près tenus
    Et tant aimés ?
Je crois qu'ils sont trop clairsemés

Ils ne furent pas bien semés
      Et ont failli.
De tels amis m'ont mal servi,
Tandis que Dieu m'a assailli
      De tous côtés,
N'en vis un seul en mon hosté
Je crois le vent les m'a ôtés
      L'amour est morte :
Ce sont amis que vent emporte,
Et il ventait devant ma porte
      Les emporta,
Nul jamais me réconforta,
Ni du sien rien ne m'apporta.
      Ici j'apprends :
Qui a un rien pour lui le garde,
Et qui trop a se met en garde
      D'avoir trop mis
De son avoir pour faire amis,
Et n'en trouve un, ni la demie
      Qui le secoure.
Laisserai fortune à son cours
À moi seul je ferai recours
      Si je le peux.
Me faut tourner vers les prudhommes
Qui sont courtois et gentils hommes
      Et m'ont nourri.
Mes autres amis sont pourris ;
Je les envoie à maître Orri
      Et les lui laisse :
On doit bien les abandonner
Et laisser ces gens aux relais
      Sans réclamer,
Qui n'en a rien eu à aimer,
En doit à l'amour appeler.
      Or prie Celui

Qui trois parties fit de lui-même,
Et refuser ne peut jamais
      Qui Le réclame,
Qui L'adore et Seigneur Le clame,
Qui contente tous ceux qu'Il aime,
      M'a contenté,
Qu'il me donne bonne santé,
Que je fasse sa volonté,
      Mais sans faiblir.
Mon Seigneur qui est fils de roi
Mon dit et ma complainte envoie,
      C'est mon métier.
Il m'a aidé bien volontiers.
C'est le bon comte de Poitiers
      Et de Toulouse;
Il saura bien qui ainsi glose
Et qui si hautement se plaint.

(Extrait de La Complainte Rutebeuf)

rondeau

Guillaume de Machaut

Ma fin est mon commencement
Et mon commencement ma fin.
Et teneüre vraiement.
Ma fin est mon commencement.

Mes tiers chants trois fois seulement
Se retrograde et einsi fin.
Ma fin est mon commencement
Et mon commencement ma fin.

ballade

Guillaume de Machaut

Je maudis l'eure et le temps et le jour,
La semainne, le lieu, le mois, l'année,
Et les II yeux dont je vis la douçour
De ma dame qui ma joie a finée.
Et si maudi mon cuer et ma pensée,
Ma loiauté, mon désir et m'amour,
Et le dangier qui fait languir en plour
Mon dolent cuer en estrange contrée.

Et si maudi l'accueil, l'attrait, l'atour
Et le regart dont l'amour engendrée
Fu en mon cuer, qui le tient en ardour;
Et si maudi l'eure qu'elle fu née,

Son faus samblant, sa fausseté prouvée,
Son grant orgueil, sa durté où tenrour
N'a ne pité, qui tient en tel langour
Mon dolent cuer en estrange contrée.

Et si maudi Fortune et son faus tour,
La planette, l'eür, la destinée
Qui mon fol cuer mirent en tel errour
Qu'onques de moy fu servie n'amée.
Mais je pri Dieu qu'il gart sa renommée,
Son bien, sa pais, et li acroisse bonnour
Et li pardoint ce qu'ocist à dolour
Mon dolent cuer en estrange contrée.

jeux à vendre

Christine de Pisan

Je vous vens la rose de may.
— Oncques en ma vie n'amay
Autant dame ne damoiselle
Que je fais vous, gente pucelle,
Si me retenez a ami,
Car tout avez le cuer de mi.

Je vous vens la violète
— De joye mon cuer volète,
Quant je voy vostre doulz vis
Sur tous bel a mon avis.

Je vous vens la marjoleine.
— Je tiens la dame a vilaine,
Se amant mercy lui crie
Et humblement la déprie,
De répondre durement
Et lui mettre a sus qu'il ment.

Je vous vens la fueille de houx.
— J'ay bel ami plaisant et doulx;
Dieu veuille qu'aussi bon soit-il
Comme il est bel, jeune et gentil.

moyen-âge

Je vous vens la rose d'Artois.
— Amez honneur, soiez courtois,
Bien servez en toute saison,
Et des biens arez a foison.
Je vous vens du rosier la branche.
— Oncques neige ne fu plus blanche,
Ne rose en may plus coulourée
Qu'est la beauté fine esmerée
De celle en qui entièrement
Me suis donné tout ligement.

(extraits)

la fille qui n'a point d'amis

Christine de Pisan

À qui dira-t-elle sa peine,
La fille qui n'a point d'ami?

La fille qui n'a point d'ami,
Comment vit-elle?
Elle ne dort jour ni demi
Mais toujours veille.
Ce fait amour qui la réveille
Et qui la garde de dormir.

À qui dit-elle sa pensée,
La fille qui n'a point d'ami?

Il y a en a bien qui en ont deux,
Deux, trois ou quatre,
Mais je n'en ai pas un tout seul
Pour moi ébattre.
Hélas! mon joli temps se passe,
Mon téton commence à mollir.

moyen-âge

À qui dit-elle sa pensée,
La fille qui n'a point d'ami?

J'ai le vouloir si très humain
Et tel courage
Que plus tôt anuit que demain
En mon jeune âge
J'aimerais mieux mourir de rage
Que de vivre en un tel ennui.

À qui dit-elle sa pensée,
La fille qui n'a point d'ami?

rondeau

Charles d'Orléans

Le temps a laissié son manteau
De vent, de froidure et de pluye,
Et s'est vestu de broderye,
De soleil luyant, cler et beau.

Il n'y a beste, ne oyseau,
Qu'en son jargon ne chante ou crye :
Le temps a laissié son manteau
De vent, de froidure et de pluye.

Rivière, fontaine et ruisseau
Portent, en livrée jolie,
Gouttes d'argent d'orfaverie,
Chascun s'abille de nouveau :
Le temps a laissié son manteau.

petit mercier

Charles d'Orléans

Petit mercier, petit panier !
Pourtant si je n'ai marchandise
Qui soit du tout à votre guise,
Ne blâmez pour ce mon métier.
Je gagne denier à denier,
C'est loin du trésor de Venise ;
Petit mercier, petit panier !
Pourtant si je n'ai marchandise...

Tandis qu'il est jour ouvrier,
Le temps perds quand à vous devise
Je vais parfaire mon emprise
Et parmi les rues crier :
Petit mercier petit panier !

la ballade des pendus

François Villon

Frères humains qui après nous vivez,
N'ayez les cuers contre nous endurcis,
Car, se pitié de nous povres avez,
Dieu en aura plus tost de vous mercis.
Vous nous voiez cy attachez cinq, six :
Quant de la chair, que trop avons nourrie,
Elle est pieça dévorée et pourrie,
Et nous, les os, devenons cendre et pouldre.
De nostre mal personne ne s'en rie ;
Mais priez Dieu que nous tous vueille absouldre !

Se frères vous clamons, pas n'en devez
Avoir desdaing, quoy que fusmes occis
Par justice. Toutesfois, vous sçavez
Que tous hommes n'ont pas bon sens rassis ;
Excusez nous, puis que sommes transsis,
Envers le fils de la Vierge Marie,
Que sa grâce ne soit pour nous tarie,
Nous préservant de l'infernale fouldre.
Nous sommes mors, âme ne nous harie ;
Mais priez Dieu que tous nous vueille absouldre !

moyen-âge

La pluye nous a debuez et lavez,
Et le soleil déssèchiez et noircis;
Pies, corbeaulx, nous ont les yeux cavez,
Et arrachié la barbe et les sourcis.
Jamais nul temps nous ne sommes assis;
Puis ça, puis là, comme le vent varie,
À son plaisir sans cesser nous charie,
Plus becquetez d'oiseaulx que dez a couldre.
Ne soiez donc de nostre confrairie;
Mais priez Dieu que tous nous vueille absouldre!

Prince Jhesus, qui sur tous a maistrie,
Garde qu'Enfer n'ait de nous seigneurie :
À luy n'avons que faire ne que souldre.
Hommes, icy n'a point de mocquerie;
Mais priez Dieu que tous nous vueille absouldre!

la ballade des dames du temps jadis

François Villon

Dites-moi où, n'en quel pays
Est Flora la belle Romaine,
Archipiades ne Thaïs
Qui fut sa cousine germaine;
Écho, parlant quand bruit on mène
Dessus rivière ou sur étang.
Qui beauté ot'trop plus qu'humaine?
Mais où sont les neiges d'antan?

moyen-âge

Où est la très sage Héloïs,
Pour qui fut châtré et puis moine
Pierre Esbaillart à Saint-Denis ?
Pour son amour ot cette essoine.
Semblablement, où est la roine
Qui commanda que Buridan
Fût jeté en un sac en Seine ?
Mais où sont les neiges d'antan ?

La roine Blanche comme un lis
Qui chantoit à voix de seraine,
Berthe au plat pied, Bietrix, Aliz,
Haramburgis qui tint le Maine,
Et Jeanne, la bonne Lorraine
Qu'Anglois brûlèrent à Rouen ;
Où sont-ils, où, Vierge souvraine ?
Mais où sont les neiges d'antan ?

Prince, n'enquerrez de semaine
Où elles sont, ne de cet an,
Qu'à ce refrain ne vous remaine :
Mais où sont les neiges d'antan ?

le débat du cœur et du corps

François Villon

Qu'est-ce que j'oy? — Ce suis-je. — Qui? — Ton
[cuer?
Qui ne tient mais qu'a ung petit filet :
Force n'ay plus, substance ne liqueur,
Quant je te voy retraict ainsi seulet
Com povre chien tapy en reculet.
— Pourquoy est ce? — Pour ta folle plaisance.
— Que t'en chaut il? — J'en ay le desplaisance.
— Laisse m'en paix! — Pour quoy? — J'y penseray.
Quant sera ce? — Quant seray hors d'enfance.
— Plus ne t'en dis. — Et je m'en passeray.

— Que penses tu? — Estre homme de valeur.
— Tu as trente ans : c'est l'aage d'un mulet;
Est-ce enfance? — Nennil. — C'est donc foleur
Qui te saisit? — Par ou? — Par le collet.
— Rien ne congnois. — Si fait — Quoi? — Mouche
[en let;

L'ung et blanc, l'autre est noir, c'est la distance.
— Est-ce donc tout? — Que veulx tu que je tance?
Se n'est assez, je recommenceray.
— Tu es perdu! — J'y mettrai resistance.
— Plus ne t'en dis. — Et je m'en passerai.

— J'en ai le deuil; toy le mal et douleur.
Se feusses ung povre idiot et folet,
Encore eusses de t'excuser couleur :
Si n'as tu soing, tout t'est ung, bel ou let.
Ou la teste as plus dure qu'un jalet,
Ou mieulx te plaist qu'onneur ceste meschance!
Que respondras a ceste consequence?
— J'en serai hors quant je trespasseray.
Dieu, quel confort! — Quelle sage eloquence!
— Plus ne t'en dis. — Et je m'en passeray.

— Dont vient ce mal? — Il vient de mon malheur.
Quant Saturne me feist mon fardelet,
Ces maulx y meist, je le croy. — C'est foleur;
Son Seigneur es, et te tiens son varlet.
Voy que Salmon, escript en son rolet :
« Homme sage, ce dit-il, a puissance
Sur planetes et sur leur influence. »
— Je n'en croy riens; tel qu'ils m'ont fait seray.
Que dis-tu? — Dea! Certes, c'est ma creance.
Plus ne t'en dis. — Et je m'en passeray.

Veulx tu vivre? — Dieu m'en doint la puissance!
— Il te fault… — Quoy? — Remors de conscience,
Lire sans fin. — En quoy? — Lire en science,
Laisser les folz! — Bien j'y adviseray.
— Or le retien. — J'en ay bien souvenance.
N'atten pas tant que tourne a desplaisance.
Plus ne t'en dis. — Et je m'en passeray.

ballade

François Villon

Dame du ciel, régente terrienne,
Emperière des infernaux palus,
Recevez-moi, votre humble chrétienne,
Que comprise sois entre vos élus,
Ce nonobstant qu'oncques rien ne valus.
Les biens de vous, ma dame et ma maîtresse,
Sont trop plus grands que ne suis pécheresse,
Sans lesquels biens âme ne peut mérir
N'avoir les cieux, je n'en suis jengleresse.
En cette foi je veux vivre et mourir.

À votre Fils dites que je suis sienne ;
Que de lui soient mes péchés absolus :
Pardonnez-moi comme à l'Égyptienne,
Ou comme il fit au clerc Théophilus,
Lequel par vous fut quitte et absolus,
Combien qu'il eût au diable fait promesse.
Préservez-moi, que je ne fasse cesse ;
Vierge, pourtant, me veuillez impartir
Le sacrement qu'on célèbre à la messe.
En cette foi je veux vivre et mourir.

moyen-âge

Femme je suis pauvrette et ancienne,
Ni rien ne sais; oncques lettre ne lus;
Au moutier vois dont suis paroissienne
Paradis peint, où sont harpes et luths,
Et un enfer où damnés sont boullus :
L'un me fait peur, l'autre joie et liesse.
La joie avoir fais-moi, haute Déesse,
À qui pêcheurs doivent tous recourir,
Comblés de foi, sans feinte ni paresse.
En cette foi je veux vivre et mourir.

Vous portâtes, Vierge, digne princesse,
Jésus régnant, qui n'a ni fin ni cesse.
Le Tout-Puissant, prenant notre faiblesse,
Laissa les cieux et nous vint secourir;
Offrit à mort sa très claire jeunesse;
Notre Seigneur tel est, tel le confesse.
En cette foi je veux vivre et mourir.

ysengrin pêcheur

Anonyme

C'était un peu avant Noël, quand on met les jambons dans le sel. Le ciel était clair et étoilé, et le vivier, où Ysengrin devait pêcher, était si gelé qu'on aurait pu danser dessus : il n'y avait qu'une ouverture que les vilains y avaient faite pour y mener leur bétail, chaque soir, se délasser et boire. Ils y avaient laissé un seau. Là vint Renart, à toute allure. Il regarda son compère : « Sire, fait-il, venez par ici ! c'est là qu'il y a du poisson en abondance, et voici l'engin avec lequel nous pêchons les anguilles et les barbeaux, et d'autres poissons bons et beaux. » Ysengrin dit : « Frère Renart, prenez-le donc, et attachez-le-moi bien fort à la queue ! » Renart prend le seau et le lui attache à la queue de son mieux. « Frère, fait-il, maintenant, il faut rester immobile pour faire venir les poissons. » Alors, il s'est blotti près d'un buisson, le museau entre les pattes, de façon à voir ce que fera Ysengrin. Et Ysengrin est sur la glace. Le seau est dans la fontaine, plein de glaçons, à volonté. L'eau commence à geler et enserre le seau qui était attaché à la queue. Il est pris dans la glace. La queue est dans l'eau gelée et

59

scellée dans la glace. Ysengrin s'efforce bien de se soulever et de tirer à soi le seau : il s'y essaie de cent façons et ne sait que faire ; il s'émeut. Il commence à appeler Renart car il ne peut plus se cacher, et déjà l'aube se met à poindre. Renart a levé la tête. Il le regarde, ouvre les yeux : « Frère, fait-il, laissez donc cet ouvrage ! allons-nous-en, beau doux ami, nous avons pris assez de poissons. » Et Ysengrin lui crie : « Renart, il y en a trop ! J'en ai tant pris que je ne sais comment faire ! » Et Renart se met à rire, puis lui dit sans détour : « Qui tout convoite perd le tout. »

La nuit passe, l'aube pointe : le soleil du matin se lève ; les routes étaient blanches de neige. Messire Constant des Granges, un vavasseur fort aisé qui habitait près de l'étang, s'était levé, avec sa maison-née pleine de joie et de liesse. Il prend son cor, appelle ses chiens, fait seller son cheval : sa maison-née pousse des cris et des huées. Renart l'entend et prend la fuite jusqu'à sa tanière où il se blottit. Et Ysengrin reste sur place : de toutes ses forces il secoue, il tire ; peu s'en faut que sa peau ne se déchire. S'il veut se sortir de là, il faudra qu'il aban-donne sa queue.

Tandis qu'Ysengrin se démène, voici venir au trot un valet tenant en laisse deux lévriers. Il voit Ysengrin tout gelé sur la glace avec son crâne pelé. Il le regarde, puis s'écrie : « Ah ! le loup ! le loup ! Au secours ! au secours ! » Les veneurs, l'entendant, bondissent hors de la maison avec leurs chiens, franchissent la haie. Ysengrin n'est pas à son aise, car sire Constant les suivait sur son cheval au grand galop et s'écriait : « Lâchez, vite, lâchez les chiens ! » Les valets découplent les chiens, et les braques étreignent le loup : Ysengrin est tout hérissé. Le veneur excite les chiens et les gronde durement.

Ysengrin se défend bien et les mord de toutes ses dents : mais que faire ? Il aimerait bien mieux faire la paix !

Sire Constant a tiré son épée : il s'apprête à bien frapper. Il descend de cheval et vient vers le loup, sur la glace. Il l'attaque par derrière, veut le frapper, mais il manque son coup. Le coup porte de travers, et sire Constant tombe à la renverse, si bien que la nuque lui saigne. Il se relève, à grand'peine. Plein de colère, il revient à la charge. Écoutez la belle bataille ! Il croit l'atteindre à la tête, mais c'est ailleurs qu'aboutit son coup : l'épée glisse vers la queue et la coupe tout ras, sans faute.

Ysengrin le sent bien : il saute de côté et détale, mordant tour à tour les chiens qui s'accrochent cent fois à sa croupe. Il leur laisse sa queue en gage ; cela lui pèse et le désole : peu s'en faut que son cœur, de rage, ne crève !…

Sans s'attarder, Ysengrin s'enfuit droit vers le bois à grande allure : il se regarde, par derrière ! Il parvient au bois ; il jure qu'il se vengera de Renart, et que jamais il ne l'aimera.

aucassin et nicolette

Anonyme

Aucassin était de Beaucaire,
Un château de beau séjour.
De Nicole la bien faite
Nul ne peut le détourner,
Car son père la lui refuse,
Et sa mère le menace :
« Allons ! fou, que veux-tu faire ?
Nicolette est jolie et gaie,
Elle fut enlevée de Carthage
Et achetée d'un Saxon.
Puisque tu veux prendre femme,
Prends femme de haut parage.
— Mère, je ne puis faire autre chose :
Nicolette est de bonne souche ;
Son corps charmant et son visage,
Sa beauté m'enflamment le cœur.
Il est juste que j'aie son amour
Car elle est la douceur même. »

… Quand le comte Garin voit
Que son enfant Aucassin
Ne pourra se séparer
De Nicolette au clair visage,
Il l'a emprisonné
Dans un cellier souterrain
Construit en marbre bis.
Quand Aucassin fut dedans,
Il fut plus triste que jamais.
Il se prit à se désoler
Ainsi que vous pourrez ouïr :

« Nicolette, fleur de lis,
Douce amie au clair visage,
Tu es plus douce que raisin
Ni que trempette en hanap.
L'autre jour je vis un pèlerin,
Natif du Limousin ;
Malade de l'avertin,
Il gisait dedans un lit.
Il était en triste état
Attaqué du haut mal.
Tu passas devant son lit,
Tu soulevas ta traîne
Et ton peliçon d'hermine,
La chemise de blanc lin
Tant qu'il aperçut ta jambe.
Le pèlerin fut guéri,
Et plus sain qu'il ne fut jamais.
Il se leva de son lit,
Il retourna dans son pays,
Sain et sauf et tout guéri.
Douce amie, fleur de lis,
Bel aller et beau venir,
Beau jouer, beau badiner,

moyen-âge

Beau parler, beau délecter,
Doux baiser et doux sentir,
Nul ne pourrait vous haïr !
Pour vous je suis en prison
Dans ce cellier souterrain
Où je fais mauvaise fin,
Car il m'y faudra mourir
Pour vous, amie ! »

« Étoilette, je te vois,
Que la lune attire à soi.
Nicolette est avec toi,
Mon amie aux blonds cheveux.
Dieu veut les avoir, je crois,
Pour que la lumière du soir
Soit par elle plus brillante.
Douce sœur, il me plairait
De pouvoir monter tout droit,
Quoi qu'il advînt de la chute,
Pour être avec toi là-haut !
Je te baiserais bien fort.
Quand je serais fils de roi,
Vous seriez digne de moi,
Sœur, douce amie. »

(extrait)

le cri du prince des sots

Pierre Gringoire

Sots lunatiques, sots étourdis, sots sages,
Sots de villes, de châteaux, de villages,
Sots rassotés, sots niais, sots subtils,
Sots amoureux, sots privés, sots sauvages,
Sots vieux, nouveaux et sots de tous âges,
Sots barbares, étrangers et gentils
Sots raisonnables, sots pervers, sots rétifs;
Votre Prince, sans nulles intervalles,
Le Mardi gras jouera ses jeux aux Halles.

Sottes dames et sottes damoiselles,
Sottes vieilles, sottes jeunes, nouvelles,
Toutes sottes aimant le masculin,
Sottes hardies, couardes, laides, belles,
Sottes frisques, sottes douces, rebelles,
Sottes qui veulent avoir leur picotin,
Sottes trottantes sur pavé, sur chemin,
Sottes rouge, maigres, grasses et pâles;
Le Mardi gras jouera le Prince aux Halles.

moyen-âge

Sots ivrognes aimant les bons lapins,
Sots qui crachent au matin jacopins
Sots qui aiment jeux, tavernes, ébats,
Tous sots jaloux, sots gardant les patins.
Sots qui chassent nuit et jour aux congnins,
Sots qui aiment fréquenter le bas.
Sots qui faites aux dames les choux gras,
Advenez-y, sots lavés et sots sales,
Le Mardi gras jouera le Prince aux Halles.

Mère sotte semond toutes ses sottes ;
Ne faillez pas à y venir, bigottes,
Car en secret faites de bonnes chères.
Sottes gaies, délicates, mignottes,
Sottes douces qui rebrassez vos cottes.
Sottes qui êtes aux hommes familières,
Sottes nourrices et sottes chambrières,
Montrer vous faut douces et cordiales,
Le Mardi gras jouera le Prince aux Halles.

Fait et donné, buvant à pleins pots,
En recordant la naturelle gamme,
Par le Prince des sots et ses suppôts ;
Ainsi signé d'un pet de prude femme.

belle doette

Anonyme

Belle Doette aux fenêtres s'assied,
Lit en un livre mais au cœur ne l'en tient;
De son ami Doon lui ressouvient,
Qu'en d'autres terres est allé tournoyer.
Et or en ai deuil.

Un écuyer aux degrés de la salle
Est descendu, a déposé sa malle.
Belle Doette les degrés dévale,
Ne cuide pas ouïr male nouvelle.
Et or en ai deuil.

Belle Doette aussitôt demanda :
« Où est messire que je n'ai vu de longtemps ? »
Il eut tel deuil que de pitié pleura.
Belle Doette aussitôt se pâma.
Et or en ai deuil.

Belle Doette s'étant redressée,
Voit l'écuyer, à lui s'est adressée ;
En son cœur est dolente et affligée
Pour son seigneur dont elle ne voit mie.
Et or en ai deuil.

Belle Doette (lui) prit à demander :
« Où est messire que dois tant aimer ? »
« Pour Dieu, dame, ne vous le puis celer :
Mort est messire, occi fut à la joute. »
Et or en ai deuil.

Belle Doette en son deuil vint à dire :
« Quel malheur, comte Do (on), franc, débonnaire,
Pour votre amour je vêtirai la haire,
Et sur mon corps n'aurai pelice de vair,
Et or en ai deuil.
Pour vous deviendrai nonne à l'église Saint-Paul.

Pour vous, je ferai une abbaye telle,
Que ce jour sera jour de fête nommé.
Si quelqu'un vient qui ait s'amour trompé,
Ja de ce moutier ne saura l'entrée.
Et or en ai deuil.
Pour vous deviendrai nonne à l'église Saint-Paul.

Belle Doette prit l'abbaye à faire,
Qui moult est grande et tôt sera plus grande ;
Tous ceux et celles veut y accueillir
Qui pour amour peines et maux endurent.
Et or en ai deuil.
Pour vous deviendrai nonne à l'église Saint-Paul.

chapitre II

seizième

Siècle

adieu aux dames de la cour

Clément Marot

Adieu la cour, adieu les dames,
Adieu les filles et les femmes,
Adieu vous dis pour quelque temps,
Adieu vos plaisants passetemps;
Adieu le bal, adieu la danse,
Adieu mesure, adieu cadence,
Tambourins, hautbois et violons,
Puisqu'à la guerre nous allons.
Adieu les regards gracieux,
Messagers des cœurs soucieux;
Adieu les profondes pensées,
Satisfaites ou offensées;
Adieu les harmonieux sons
De rondeaux, dizains et chansons;
Adieu, piteux département,
Adieu, regrets, adieu tourment,
Adieu la lettre, adieu le page,
Adieu la cour et l'équipage,

Adieu l'amitié si loyale,
Qu'on la pourrait dire royale,
Étant gardée en ferme foi
Par ferme cœur digne de roi.
Adieu ma mie la dernière,
En vertus et beauté première ;
Je vous prie me rendre à présent
Le cœur dont je vous fis présent,
Pour, en la guerre où il faut être,
En faire service à mon maître.
Or quand de vous se souviendra,
L'aiguillon d'honneur l'époindra
Aux armes et vertueux faits :
Et s'il en sortait quelque effet
Digne d'une louange entière,
Vous en seriez seule héritière.
De votre cœur donc vous souvienne,
Car si Dieu veut que je revienne,
Je le rendrai en ce beau lieu.

Or je fais fin à mon adieu.

rondeau à un poète ignorant

Clément Marot

Qu'on mène aux champs ce coquardeau
Lequel gâte, quand il compose,
Raison, mesure, texte, glose,
Soit en ballade, ou en rondeau.

Il n'a cervelle ni cerveau,
C'est pourquoi si haut crier j'ose :
Qu'on mène aux champs ce coquardeau.

S'il veut rien faire de nouveau
Qu'il œuvre hardiment en prose
J'entends s'il en sait quelque chose
Car en rime ce n'est qu'un veau
Qu'on mène aux champs.

chanson de la rose

Clément Marot

La belle Rose, à Vénus consacrée,
L'œil et le sens de grand plaisir pourvoit;
Si vous dirai, dame qui tant m'agrée,
Raison pourquoi de rouges on en voit.

Un jour Vénus son Adonis suivait
Parmi jardin plein d'épines et de branches,
Les pieds sont nus et les deux bras sans manches,
Dont d'un rosier l'épine lui méfait;
Or étaient lors toutes les roses blanches,
Mais de son sang de merveilles en fait.

De cette rose ai jà fait mon profit
Vous étrennant, car plus qu'à autre chose,
Votre visage en douceur tout confit
Semble à la fraîche et merveillette rose.

épistre au roy, pour avoir été dérobé

Clément Marot

J'avais un jour un valet de Gascogne,
Gourmand, ivrogne, et assuré menteur,
Pipeur, larron, jureur, blasphémateur,
Sentant la hart de cent pas à la ronde,
Au demeurant, le meilleur fils du monde…
      Ce vénérable hillot fut averti
De quelque argent que m'aviez départi,
Et que ma bourse avait grosse apostume ;
Si se leva plus tôt que de coutume,
Et me va prendre en tapinois icelle ;
Puis la vous mit très bien sous son aisselle,
Argent et tout, cela se doit entendre,

Et ne crois point que ce fût pour la rendre,
Car onques puis n'en ai ouï parler.
    Bref, le vilain ne s'en voulut aller
Pour si petit, mais encore il me happe
Saie et bonnet, chausses, pourpoint et cape ;
De mes habits, en effet, il pilla
Tous les plus beaux ; et puis s'en habilla
Si justement, qu'à le voir ainsi être
Vous l'eussiez pris, en plein jour, pour son maître.
Finablement, de ma chambre il s'en va
Droit à l'étable, où deux chevaux trouva ;
Laisse le pire, et sur le meilleur monte,
Pique et s'en va. Pour abréger le conte,
Soyez certain qu'au sortir dudit lieu
N'oublia rien, fors à me dire adieu.
    Ainsi s'en va, chatouilleux de la gorge,
Ledit valet, monté comme un saint George,
Et vous laissa Monsieur dormir son soûl,
Qui au réveil n'eût su finer d'un sou.
Ce Monsieur-là, Sire, c'était moi-même,
Qui, sans mentir, fus au matin bien blême,
Quand je me vis sans honnête vêture,
Et fort fâché de perdre ma monture ;
Mais, de l'argent que vous m'aviez donné,
Je ne fus point de le perdre étonné ;
Car votre argent, très débonnaire Prince,
Sans point de faute, est sujet à la pince.
    Bientôt après cette fortune-là,
Une autre pire encore se mêla
De m'assaillir, et chacun jour m'assaut,
Me menaçant de me donner le saut,
Et de ce saut m'envoyer à l'envers
Rimer sous terre et y faire des vers.
C'est une lourde et longue maladie
De trois bons mois, qui m'a toute élourdie

La pauvre tête, et ne veut terminer,
Ains me contraint d'apprendre à cheminer;
Tout affaibli m'a d'étrange manière,
Et si m'a fait la cuisse héronnière,
L'estomac sec, le ventre plat et vague...
    Que dirai plus? Au misérable corps
Dont je vous parle, il n'est demeuré fors
Le pauvre esprit, qui lamente et soupire,
Et en pleurant tâche à vous faire rire.
    Et pour autant, Sire, que suis à vous,
De trois jours l'un viennent tâter mon pouls
Messieurs Braillon, Le Coq, Akakia,
Pour me garder d'aller jusqu'à *quia*.
Tout consulté, ont remis au printemps
Ma guérison; mais, à ce que j'entends,
Si je ne puis au printemps arriver,
Je suis taillé de mourir en hiver;
Et en danger, si en hiver je meurs,
De ne voir pas les premiers raisins meurs.
Voilà comment, depuis neuf mois en çà,
Je suis traité. Or ce que me laissa
Mon larronneau, longtemps a l'ai vendu,
Et en sirops et juleps dépendu;
Ce néanmoins, ce que je vous en mande
N'est pour vous faire ou requête, ou demande:
Je ne veux point tant de gens ressembler
Qui n'ont souci autre que d'assembler;
Tant qu'ils vivront, ils demanderont, eux;
Mais je commence à devenir honteux,
Et ne veux plus à vos dons m'arrêter.
    Je ne dis pas, si voulez rien prêter,
Que ne le prenne. Il n'est point de prêteur,
S'il veut prêter, qui ne fasse un debteur.
Et savez-vous, Sire, comment je paye?
Nul ne le sait, si premier ne l'essaye;

Vous me devrez, si je puis, de retour ;
Et vous ferai encores un bon tour.
À celle fin qu'il n'y ait faute nulle,
Je vous ferai une belle cédule
À vous payer (sans usure, il s'entend)
Quand on verra tout le monde content ;
Ou, si voulez, à payer ce sera,
Quand votre los et renon cessera.

baiser souvent n'est-ce pas grand plaisir?...

Clément Marot

Baiser souvent n'est-ce pas grand plaisir?
Dites ouy, vous aultres amoureux;
Car du baiser vous provient le désir
De mettre en un ce qui estoit en deux.
L'un est très bon, mais l'aultre vault trop mieux :
Car de baiser sans avoir jouyssance,
C'est un plaisir de fragile asseurance;
Mais tous les deux alliez d'un accord
Donnent au cœur si grand esjouyssance,
Que tel plaisir met oubly à la mort.

au beau tétin

Clément Marot

Tétin refait, plus blanc qu'un œuf,
Tétin de satin blanc tout neuf,
Tétin qui fais honte à la rose,
Tétin plus beau que nulle chose,
Tétin dur, non pas tétin, voire,
Mais petite boule d'ivoire,
Au milieu duquel est assise
Une fraise ou une cerise,
Que nul ne voit, ne touche aussi.
Mais je gage qu'il est ainsi :
Tétin donc au petit bout rouge,
Tétin qui jamais ne se bouge,
Soit pour venir, soit pour aller,
Soit pour courir, soit pour baller
Tétin gauche, tétin mignon,
Toujours loin de son compagnon,
Tétin qui portes témoignage
Du demeurant du personnage,
Quand on te voit, il vient à maints
Une envie de dedans les mains,
De te tâter, de te tenir ;

Mais il se faut bien contenir
D'en approcher, bon gré ma vie !
Car il viendrait une autre envie.
Ô tétin ni grand, ni petit,
Tétin mûr, tétin d'appétit,
Tétin qui nuit et jour criez :
« Mariez-moi tôt, mariez ! »
Tétin qui t'enfles, et repousses
Ton gorgias de deux bons pouces.
À bon droit heureux on dira
Celui qui de lait t'emplira,
Faisant d'un tétin de pucelle,
Tétin de femme entière et belle.

rondeau

François Ier

Malgré moi vis, et en vivant je meurs ;
De jour en jour s'augmentent mes douleurs,
Tant qu'en mourant trop longue m'est la vie.
Le mourir crains et le mourir m'est vie :
Ainsi repose en peines et douleurs !

Fortune m'est trop douce en ses rigueurs,
Et rigoureuse en ses feintes douceurs,
En se montrant gracieuse ennemie
Malgré moi.

Je suis heureux au fond de mes malheurs,
Et malheureux au plus grand de mes heurs ;
Être ne peut ma pensée assouvie,
Fors qu'à rebours de ce que j'ai envie :
Faisant plaisir de larmes et de pleurs
Malgré moi.

ballade

François Ier

Triste penser, en prison trop obscure,
L'honneur, le soin, le devoir et la cure
Que je soutiens des malheureux soudards,
Devant mes yeux desquels j'ai la figure,
Qui par raison et aussi par nature
Devaient mourir entre piques et dards,
Plutôt que voir fuir leur étendards,
Quand de te voir j'ai perdu l'espérance.
Me font perdre de raison l'attrempance.

Toujours Amour par fermeté procure
Qu'à désespoir point ne fasse ouverture ;
Mais tous malheurs viennent de tant de parts
Qu'ils me rendent indigne créature,
Tant que d'erreur à mon chef fais ceinture.
Ces yeux baignés vers toi font les regards,
Ne faisant plus contre ennui le rempart ;
Si n'est avoir ton nom en révérence,
Quand de te voir j'ai perdu l'espérance.

Mais je ne sais pouquoi tourna l'augure
En mal sur moi : car ma progéniture
Eu tant de bien, qu'en tous lieux fut épars.
Plaisir pour deuil était lors leur vêture ;
Plaisant et douce y semblait nourriture
De leurs sujets gardant brebis és parcs,
Toujours battirent lions et léopards ;
Mais j'ai grand'peur n'avoir tel heur en France,
Quand de te voir j'ai perdu l'espérance.

Oh ! grande Amour, éternel, sans rupture,
Don l'infini est juste la mesure,
Dis-moi, perdrai-je à jamais ta présence ?
Donc, brief verras sur moi la sépulture :
L'esprit à toi, pour le corps pourriture,
Quand de te voir j'ai perdu l'espérance.

ballade

François Ier

Étant seulet auprès d'une fenêtre,
Par un matin comme le jour poignait,
Je regardais Aurore à main senestre
Qui à Phébus le chemin enseignait
Et, d'autre part, ma mie qui peignait
Son chef doré; et vis ses luisants yeux,
Dont me jeta un trait si gracieux
Qu'à haute voix je fus contraint de dire :
« Dieux immortels, rentrez dedans vos cieux,
Car la beauté de Ceste vous empire. »

Comme Phébé quand ce bas lieu terrestre
Par sa clarté la nuit illuminait,
Toute lueur demeurait en séquestre,
Car sa splendeur toutes autres minait ;
Ainsi ma dame en son regard tenait
Tout obscurci le soleil radieux,
Dont, de dépit, lui triste et odieux
Sur les humains lors ne daigna plus luire,
Pourquoi lui dis : « Vous faites pour le mieux,
Car la beauté de Ceste vous empire. »

Ô que de joie en mon cœur sentis naître,
Quand j'aperçus que Phébus retournait,
Déjà craignant qu'amoureux voulût être,
De la douceur qui mon cœur détenait.
Avais-je tort? Non, car s'il y venait
Quelque mortel, j'en serais soucieux;
Devais-je pas doncques craindre les Dieux,
Et d'espérer, pour fuir un tel martyre,
En leur criant : « Retournez en vos cieux,
Car la beauté de Ceste vous empire? »

Cœur qui bien aime a désir curieux
D'étranger ceux qu'il pense être envieux
De son amour, et qu'il doute lui nuire,
Pourquoi j'ai dit aux Dieux très glorieux :
« Que la beauté de Ceste vous empire! »

aux lecteurs

François Rabelais

Amis lecteurs, qui ce livre lisez,
Despouillez-vous de toute passion ;
Et, le lisans, ne vous scandalisez :
Il ne contient mal ne infection.
Vray est qu'icy peu de perfection
Vous apprendrez, sinon en cas de rire ;
Aultre argument ne peut mon cœur élire,
Voyant le deuil qui vous mine et consomme :
Mieulx est de ris que de larmes escrire
Pour ce que rire est le propre de l'homme.

comment panurge et les autres riment par fureur poétique

François Rabelais

« Es-tu devenu fou, ou enchanté? dit frère Jean.
Voyez comme il écume, voyez comme il rimaille.
Que diable a-t-il mangé? Il tourne les yeux dans la
tête comme une chèvre qui se meurt! Se retirera-t-il
à l'écart? Fientera-t-il plus loin? Mangera-t-il de
l'herbe aux chiens pour décharger son estomac? Ou,
selon l'usage monacal, mettra-t-il le poing dans la
gorge jusqu'au coude afin de se curer les intestins?
Reprendra-t-il du poil de ce chien qui le mordit? »

Pantagruel reprit Frère Jean et lui dit :

« Croyez que c'est la fureur poétique
Du bon Bacchus : ce bon vin écliptique
Ainsi ses sens et le fait cantiqueur,
    Car sans mépris,
    À ses esprits
    Du tout épris
    Par sa liqueur,
    De cris en ris,
    De ris en pris,
    En ce pourpris,
    Fait son doux cœur
    Rhétoriqueur,
    Roi et vainqueur
    De nos souris.
Et vu qu'il est de cerveau fanatique,
Ce me serait acte de trop piqueur,
Penser moquer un si noble trinqueur.

— Comment? dit frère Jean, vous rimez aussi. Par la vertu de Dieu, nous sommes tous poivrés. Plût à Dieu que Gargantua nous vît en cet état! Je ne sais, par Dieu, que faire, pareillement à vous : rimer ou non. Je n'y connais rien, toutefois, mais nous sommes en rimaillerie. Par saint Jean, je rimerai comme les autres, je le sens bien; attendez, et excusez-moi si je ne rime point en cramoisi.

    « Ô Dieu, père paterne
    Qui changea l'eau en vin,
    Fais de mon cul lanterne
    Pour luire à mon voisin. »

Panurge continua son propos et dit :

« Oncques de la Pythie le tréteau
Ne rendit, par son chapiteau,
Réponse plus sûre et certaine,
Et croirais qu'en cette fontaine,
Y soit nommément colporté,
Et de Delphes ci transporté.
Si Plutarque eût ici trinqué
Comme nous, il n'eût révoqué
En doute pourquoi les oracles
Sont en Delphes plus muets que macles
Plus ne rendant réponse aucune.
La raison en est assez commune :
En Delphes n'est, il est ici,
Le tréteau fatal ; le voici,
Qui présage de toute chose :
Car Atheneus nous expose
Que ce tréteau était Bouteille,
Pleine de vin à une oreille,
De vin, je dis, de vérité.
Il n'est telle sincérité
En l'art de divination,
Comme est l'insinuation
Du mot sortant de la Bouteille.
Ça, frère Jean, je te conseille
Cependant que nous sommes ici,
Que tu aies le mot aussi
De la Bouteille trimégiste,
Pour entendre si rien n'obsiste
Que ne te doives marier.
Tiens ci, de peur de varier,
Et joue l'amorabaquine :
Jetez-lui un peu de farine. »

Frère Jean répondit avec fureur et dit :

> « Marié ! Par la grand bottine
> Par le houseau de saint Benoît ;
> Tout homme qui bien me cognoit
> Jurera que ferai le chois
> D'être dégradé ras, ainçois
> Qu'être jamais angarié
> Jusque là que sois marié ;
> Sela ! Que fusse spolié
> De liberté ? Fusse lié
> À une femme désormais ?
> Vertu Dieu, à peine jamais
> Me lierait-on à Alexandre,
> Ni à César, ni à son gendre,
> N'au plus chevaleureux du monde. »

Panurge, se désaffublant de sa souquenille et de son accoutrement initiatique, répondit :

> « Aussi seras-tu, bête immonde,
> Damné comme une male serpe,
> Et serai ainsi comme une herpe
> Sauvé en paradis gaillard :
> Lors bien sur toi, pauvre paillard,
> Je pisserai : je t'en assure.
> Mais écoutez : advenant l'heure
> Qu'à bas seras au vieux grand diable,
> Si, par cas assez croyable,
> Advient que dame Proserpine
> Fût espinée par l'épine
> Qui est en ta brague cachée,
> Et fût de fait amourachée
> De ta dite paternité,
> Survenant l'opportunité

Que vous feriez les doux accords,
Et lui montasses sur le corps :
Par ta foi, enverras-tu pas
Au vin, pour fournir le repas,
Du meilleur cabaret d'enfer,
Le vieux rêvasseur Lucifer ?
Elle ne fut jamais rebelle
Aux bons frères, et si belle.

— Va au Diable, vieux fou ! dit frère Jean. Je ne saurais plus rimer, la rime me prend à la gorge : parlons de satisfaire ici. »

(extrait du Cinquième Livre de Pantagruel)

france, mère des arts...

Joachim du Bellay

France, mère des arts, des armes et des lois,
Tu m'as nourri longtemps du lait de ta mamelle.
Ores, comme un agneau qui sa nourrice appelle,
Je remplis de ton nom les antres et les bois.

Si tu m'as pour enfant avoué quelquefois,
Que ne me réponds-tu maintenant, ô cruelle?
France, France, réponds à ma triste querelle!
Mais nul, sinon Écho, ne répond à ma voix.

Entre les loups cruels, j'erre parmi la plaine,
Je sens venir l'hiver, de qui la froide haleine
D'une tremblante horreur fait hérisser ma peau.

Las! tes autres agneaux n'ont faute de pâture,
Ils ne craignent le loup, le vent ni la froidure,
Si ne suis-je pourtant le pire du troupeau.

heureux, qui comme ulysse...

Joachim du Bellay

Heureux, qui comme Ulysse a fait un beau voyage,
Ou comme cestuy là qui conquit la toison,
Et puis est retourné, plein d'usage et raison,
Vivre entre ses parents le reste de son âge !

Quand revoiray-je, hélas, de mon petit village
Fumer la cheminée : et en quelle saison
Revoiray-je le clos de ma pauvre maison,
Qui m'est une province, et beaucoup d'avantage ?

Plus me plaist le séjour qu'ont basty mes ayeux,
Que des palais Romains le front audacieux :
Plus que le marbre dur me plaist l'ardoise fine,

Plus mon Loyre Gaulois, que le Tybre Latin,
Plus mon petit Lyré, que le mont Palatin,
Et plus que l'air marin la doulceur Angevine.

95

l'olive

Joachim du Bellay

Des vents émus la rage impétueuse
Un voile noir étendait par les cieux,
Qui l'horizon jusqu'aux extrêmes lieux
Rendait obscur et la mer fluctueuse.

De mon soleil la clarté radieuse
Ne daignait plus apparaître à mes yeux,
Ains m'annonçaient les flots audacieux,
De tous côtés, une mort odieuse.

Une peur froide avait saisi mon âme,
Voyant ma nef en ce mortel danger,
Quand de la mer la fille je réclame,

Lors tout soudain je vois le ciel changer
Et sortir hors de leurs nébuleux voiles
Ces feux jumeaux, mes fatales étoiles.

joachim du Bellay

Déjà la nuit en son parc amassait
Un grand troupeau d'étoiles vagabondes,
Et pour entrer aux cavernes profondes,
Fuyant le jour, ses noirs chevaux chassait.

Déjà le ciel aux Indes rougissait,
Et l'aube encor de ses tresses tant blondes
Faisant grêler mille perlettes rondes,
De ses trésors les prés enrichissait

Quand d'occident, comme une étoile vive,
Je vis sortir dessus ta verte rive,
Ô fleuve mien! une Nymphe en riant.

Alors, voyant cette nouvelle Aurore,
Le jour honteux d'un double teint colore
Et l'Angevin et l'Indique orient.

(extrait)

marcher d'un grave pas...

Joachim du Bellay

Marcher d'un grave pas et d'un grave sourci,
Et d'un grave souris à chacun faire tête,
Balancer tous ses mots, répondre de la tête,
Avec un *Messer non* ou bien un *Messer si* ;

Entremêler souvent un petit *È cosi*,
Et d'un *son Servitor* contrefaire l'honnête ;
Et, comme si l'on eût sa part en la conquête,
Discourir sur Florence, et sur Naples aussi ;

Seigneuriser chacun d'un baisement demain,
Et, suivant la façon du courtisan romain,
Cacher sa pauvreté d'une brave apparence :

Voilà de cette Cour la plus grande vertu,
Dont souvent, mal monté, mal sain et mal vêtu,
Sans barbe et sans argent, on s'en retourne en France.

l'idée

Joachim du Bellay

Si notre vie est moins qu'une journée
En l'éternel, si l'an qui fait le tour
Chasse nos jours sans espoir de retour,
Si périssable est toute chose née,

Que songes-tu, mon âme emprisonnée?
Pourquoi te plaît l'obscur de notre jour,
Si, pour voler en un plus clair séjour,
Tu as au dos l'aile bien empennée?

Là est le bien que tout esprit désire,
Là le repos où tout le monde aspire,
Là est l'amour, là le plaisir encore.

Là, ô mon âme, au plus haut ciel guidée,
Tu y pourras reconnaître l'Idée
De la beauté, qu'en ce monde j'adore.

d'un vanneur de blé, aux vents

Joachim du Bellay

À vous, troupe légère,
Qui d'aile passagère
Par le monde volez,
Et d'un sifflant murmure
L'ombrageuse verdure
Doucement ébranlez :

J'offre ces violettes,
Ces lis et ces fleurettes,
Et ces roses ici,
Ces vermeillettes roses,
Tout fraîchement écloses,
Et ces œillets aussi.

De votre douce haleine
Éventez cette plaine,
Éventez ce séjour,
Cependant que j'ahane
À mon blé que je vanne
À la chaleur du jour

épitaphe d'un chat

Joachim du Bellay

Petit museau, petites dents,
Yeux qui n'étaient point trop ardents,
Mais desquels la prunelle perse
Imitait la couleur diverse
Qu'on voit en cet arc pluvieux
Qui se courbe au travers des cieux ;
La tête à la taille pareille,
Le col grasset, courte l'oreille,
Et dessous un nez ébénin
Un petit mufle léonin,
Autour duquel était plantée
Une barbelette argentée
Armand d'un petit poil follet
Son musequin damoiselet ;
La gorge douillette et mignonne,
La queue longue à la guenonne
Mouchetée diversement
D'un naturel bigarrement :
Tel fut Belaud, la gente bête

Qui des pieds jusques à la tête,
De telle beauté fut pourvu,
Que son pareil on n'a point vu.
Mon Dieu! quel passe-temps c'était
Quand ce Belaud virevoltait
Folâtre autour d'une pelote!
Quel plaisir, quand sa tête sotte
Suivant sa queue en mille tours
D'un rouet imitait le cours!
Ou quand assis sur le derrière
Il s'en faisait une jartière,
Et montrant l'estomac velu,
De panne blanche crêpelu,
Semblait, tant sa trogne était bonne,
Quelque docteur de la Sorbonne!
Belaud n'était point mal plaisant,
Belaud n'était point malfaisant,
Et ne fit onc plus grand dommage
Que de manger un vieux fromage,
Une linotte, et un pinson,
Qui le fâchaient de leur chanson.
Mais quoi, Magny, nous-mêmes hommes
Parfaits de tous points nous ne sommes…

c'estoit alors...

Étienne de la Boétie

C'estoit alors, quand, les chaleurs passées,
Le sale automne aux cuves va foulant
Le raisin gras dessoubs le pied coulant,
Que mes douleurs furent encommencées.

Le paisan bat ses gerbes amassées,
Et aux caveaux ses bouillans muis roulant,
Et des fruitiers son automne croulant,
Se vange lors des peines advancées.

Seroit ce point un présage donné
Que mon espoir est desja moissonné?
Non, certes, non. Mais pour certain je pense,

J'auroy, si bien à deviner j'entens,
Si l'on peult rien prognostiquer du temps,
Quelque grand fruict de ma longue espérance

sonnet

Étienne de la Boétie

Hélas! combien de jours, hélas! combien de nuits,
J'ai vécu près du lieu où mon cœur fait demeure!
C'est le vingtième jour que sans jour je demeure,
Mais en vingt jours j'ai eu tout un siècle d'ennuis.

Je n'en veux mal qu'à moi, malheureux que je suis,
Si je soupire en vain, si maintenant j'en pleure;
C'est que mal avisé je laissai, en mal'heure,
Celle-là que laisser nulle part je ne puis.

J'ai honte que déjà ma peau décolorée
Se voit par mes ennuis de rides labourée :
J'ai honte que déjà les douleurs inhumaines

Me blanchissent le poil sans le congé du temps.
Encor moindre je suis au compte de mes ans,
Et déjà je suis vieux au compte de mes peines.

délie

Maurice Scève

Plus tôt seront Rhône et Saône disjoints
Que d'avec toi mon cœur se désassemble ;
Plus tôt seront l'un et l'autre Mont joints,
Qu'avecques nous aucun discort s'assemble.
Plus tôt verront et toi et moi ensemble
Le Rhône aller contremont lentement,
Saône monter très violentement,
Que ce mien feu tant soit peu diminue,
Ni que ma foi décroisse aucunement,
Car ferme amour sans eux est plus que nue.

De toi la douce et fraîche souvenance
Du premier jour qu'elle m'entra au cœur,
Avec ta haute et humble contenance,
Et ton regard d'Amour même vainqueur,
Y dépeignit par sa vive liqueur
Ton effigie au vif tant ressemblant,
Que depuis, l'Ame étonnée et tremblante
De jour l'admire, et la prie sans cesse :
Et sur la nuit tacite et sommeillante,
Quand tout repose, encor moins elle cesse.

(extrait)

sonnet

Louise Labé

Je vis, je meurs : je me brûle et me noie.
J'ai chaud extrême en endurant froidure :
La vie m'est et trop molle et trop dure.
J'ai grands ennuis entremêlés de joie.

Tout à un coup je ris et je larmoie,
Et en plaisir maint grief tourment j'endure ;
Mon bien s'en va, et jamais il ne dure ;
Tout en un coup je sèche et je verdoie.

Ainsi Amour inconstamment me mène ;
Et quand je pense avoir plus de douleur,
Sans y penser je me trouve hors de peine.

Puis, quand je crois ma joie être certaine,
Et être en haut de mon désiré heur,
Il me remet en mon premier malheur.

sonnet

Louise Labé

Baise m'encor, rebaise moy et baise :
Donne m'en un de tes plus savoureus,
Donne m'en un de tes plus amoureus :
Je t'en rendray quatre plus chaus que braise.

Las, te pleins tu ? ça que ce mal j'apaise,
En t'en donnant dix autres doucereus.
Ainsi meslans nos baisers tant heureus
Jouissons nous l'un de l'autre à notre aise.

Lors double vie à chacun en suivra.
Chacun en soy et son ami vivra.
Permets m'Amour penser quelque folie :

Tousjours suis mal, vivant discrettement,
Et ne me puis donner contentement,
Si hors de moy ne fay quelque saillie.

élégie

Louise Labé

Quand vous lirez, ô Dames lyonnaises,
Ces miens écrits pleins d'amoureuses noises,
Quand mes regrets, ennuis, dépits et larmes
M'orrez chanter en pitoyables carmes,
Ne veuillez point condamner ma simplesse,
Et jeune erreur de ma folle jeunesse,
Si c'est erreur. Mais qui, dessous les cieux,
Se peut vanter de n'être vicieux ?
L'un n'est content de sa sorte de vie,
Et toujours porte à ses voisins envie ;
L'un forcenant de voir la paix en terre,
Par tous moyens tâche y mettre la guerre ;
L'autre, croyant pauvreté être vice,
À autre Dieu qu'or ne fait sacrifice ;
L'autre, sa foi parjure il emploira
À décevoir quelqu'un qui le croira ;
L'un, en mentant, de sa langue lézarde,
Mille brocards sur l'un et l'autre darde.
Je ne suis point sous ces planètes née,
Qui m'eussent pu tant faire infortunée ;
Oncques ne fut mon œil marri de voir
Chez mon voisin mieux que chez moi pleuvoir ;

Oncq' ne mis noise ou discord entre amis ;
À faire gain jamais ne me soumis ;
Mentir, tromper et abuser autrui
Tant m'a déplu que médire de lui.
Mais si en moi rien y a d'imparfait,
Qu'on blâme Amour : c'est lui seul qui l'a fait.
Sur mon vert âge en ses lacs il me prit,
Lorsqu'exerçais mon corps et mon esprit
En mille et mille œuvres ingénieuses,
Qu'en peu de temps me rendit ennuyeuses.
Pour bien savoir avec l'aiguille peindre
J'eusse entrepris la renommée éteindre
De celle-là qui, plus docte que sage,
Avec Pallas comparait son couvrage.
Qui m'eût vu lors en armes, fière, aller
Porter la lance et bois faire voler,
Le devoir fait en l'estour furieuse,
Piquer, volter le cheval glorieux,
Pour Bradamante ou la haute Marphise,
Sœur de Roger, il m'eût, possible, prise.
Mai quoi ? Amour ne peut longuement voir
Mon cœur n'aimant que Mars et le savoir,
Et, ne voulant donner autre souci,
En souriant il me disait ainsi :
« Tu penses donc, ô Lyonnaise Dame,
Pouvoir fuir par ce moyen ma flamme ?
Mais non feras ; j'ai subjugué les Dieux
Es bas enfer, en la mer et ès cieux.
Et penses-tu que n'aie tel pouvoir
Sur les humains de leur faire savoir
Qu'il n'y a rien qui de ma main échappe ?
Plus fort se pense et plus tôt je le frappe,
De me blâmer quelquefois tu n'as honte
En te fiant en Mars, dont tu fais conte ;
Mais, maintenant, vois si, pour persister,

En le suivant me pourra résister. »
Ainsi parlait, et, tout échauffé d'ire,
Hors de sa trousse une sagette il tire,
Et, décochant de son extrême force,
Droit la tira contre ma tendre écorce :
Faible harnais pour bien couvrir le cœur
Contre l'Archer qui toujours est vainqueur.
La brèche faite, entre amour en la place,
Dont le repos premièrement il chasse,
Et, de travail qu'il me donne sans cesse,
Boire, manger et dormir ne me laisse,
Il ne me chaut de soleil ni d'ombrage ;
Je n'ai qu'amour et feu en mon courage,
Qui me déguise et fait autre paraître,
Tant que ne peux moi-même me connaître.
Je n'avais vu encore seize hivers,
Lorsque j'entrai en ces ennuis divers ;
Et jà voici le treizième été
Que mon cœur fut par amour arrêté.
Le temps met fin aux hautes Pyramides ;
Le temps met fin aux fontaines humides ;
Il ne pardonne aux braves Colisées,
Il met à fin les villes plus prisées ;
Finir aussi il a accoutumé
Le feu d'amour, tant soit-il allumé.
Mais las ! en moi il semble qu'il augmente
Avec le temps, et que plus me tourmente.
Pâris aima Anone ardemment,
Mais son amour ne dura longuement ;
Médée fut aimée de Jason,
Qui tôt après la mit hors sa maison.
Si méritaient-elles être estimées.
Et, pour aimer leurs amis, être aimées.
S'étant aimé, on peut amour laisser ;
N'est-il raison, ne l'étant, se lasser ?

N'est-il raison te prier de permettre,
Amour, que puisse à mes tourments fin mettre?
Ne permets point que de mort fasse épreuve,
Et plus que toi pitoyable la treuve;
Mais, si tu veux que j'aime jusqu'au bout,
Fais que celui que j'estime mon tout,
Qui seul me peut faire pleurer et rire,
Et pour lequel si souvent je soupire,
Sente en ses os, en son sang, en son âme,
Ou plus ardente ou bien égale flamme.
Alors ton faix plus aisé me sera,
Quand avec moi quelqu'un le portera.

ô longs désirs...

Louise Labé

Ô long désirs, ô espérances vaines,
Tristes soupirs et larmes coutumières
À engendrer de moi maintes rivières,
Dont mes deux yeux sont sources et fontaines !

Ô cruautés, ô durtés inhumaines
Piteux regards des célestes lumières,
Du cour transi, ô passions premières,
Estimez-vous croître encore mes peines !

Qu'encor Amour sur moi son arc essaie
Que nouveaux feux me jette et nouveau dards,
Qu'il se dépite, et pis qu'il pourra fasse :

Car je suis tant navrée en toute parts
Que plus en moi une nouvelle plaie
Pour m'empirer ne pourrait trouver place.

113

ô beaux yeux bruns...

Louise Labé

Ô beaux yeux bruns, ô regards détournés,
Ô chauds soupirs, ô larmes épandues,
Ô noires nuits vainement attendues,
Ô jours luisants vainement retournés !

Ô tristes plaints, ô désirs obstinés,
Ô temps perdu, ô peine dépendues,
Ô mille morts en mille rêts tendues,
Ô pires maux contre moi destinés !

Ô ris, ô fronts, cheveux, bras, mains et doigts !
Ô luth plaintif, viole, archet et voix !
Tant de flambeaux pour ardre une femelle !

De toi me plains, que tant de feux portant,
En tant d'endroits d'iceux mon cœur tâtant,
N'en est sur toi volé quelque étincelle.

les amours

Étienne Jodelle

Comme un qui s'est perdu dans la forêt profonde
Loin de chemins, d'orée, et d'adresse, et de gens;
Comme un qui en la mer grosse d'horribles vents
Se voit presque engloutir des grandes vagues de
[l'onde,

Comme un qui erre aux champs, lorsque la nuit au
[monde
Ravit toute clarté, j'avais perdu longtemps
Voie, route et lumière, et presque avec le sens,
Perdu longtemps l'objet où plus mon heur se fonde.

Mais quand on voit, – ayant ces maux fini leur tour –
Aux bois, en mer, aux champs, le bout, le port, le jour,
Ce bien présent plus grand que son mal on vient
[croire.

Moi donc qui ait tout tel en votre absence été,
J'oublie, en revoyant votre heureuse clarté,
Forêts, tourmente, et nuit, longue, orageuse et noire.

(extrait)

mignonne, allons voir si la rose...

Pierre de Ronsard

Mignonne, allons voir si la rose
Qui ce matin avoit desclose
Sa robe de pourpre au Soleil,
À point perdu ceste vesprée
Les plis de sa robe pourprée,
Et son teint au vostre pareil.

Las ! voyez comme en peu d'espace,
Mignonne, elle a dessus la place
Las ! las ! ses beautez laissé cheoir !
Ô vrayment marastre Nature,
Puis qu'une telle fleur ne dure
Que du matin jusques au soir !

Donc, si vous me croyez, mignonne,
Tandis que vostre âge fleuronne
En sa plus verte nouveauté,
Cueillez, cueillez vostre jeunesse :
Comme à ceste fleur la vieillesse
Fera ternir vostre beauté.

quand vous serez bien vieille...

Pierre de Ronsard

Quand vous serez bien vieille, au soir à la chandelle,
Assise auprès du feu, dévidant et filant,
Direz chantant mes vers, en vous esmerveillant :
Ronsard me célébroit du temps que j'estois belle.

Lors vous n'aurez servante oyant telle nouvelle,
Desja sous le labeur à demy sommeillant,
Qui au bruit de mon nom ne s'aille resveillant,
Bénissant votre nom de louange immortelle.

Je seray sous la terre et fantôme sans os
Par les ombres myrteux je prendray mon repos ;
Vous serez au fouyer une vieille accroupie,

Regrettant mon amour et vostre fier desdain.
Vivez, si m'en croyez, n'attendez à demain :
Cueillez dès aujourdhuy les roses de la vie.

sonnet pour hélène de surgère

Pierre de Ronsard

Maîtresse, embrasse-moi, baise-moi, serre-moi,
Haleine contre haleine, échauffe-moi la vie,
Mille et mille baisers donne-moi je te prie,
Amour veut tout sans nombre, amour n'a point de
[loi.

Baise et rebaise-moi ; belle bouche, pourquoi
Te gardes-tu là-bas, quand tu seras blêmie,
À baiser de Pluton ou la femme ou l'amie,
N'ayant plus ni couleur, ni rien semblable à toi ?

En vivant presse-moi de tes lèvres de roses ;
Bégaye en me baisant, à lèvres demi-closes
Mille mots tronçonnés, mourant entre mes bras.

Je mourrai dans les tiens, puis, toi ressuscitée,
Je ressusciterai ; allons ainsi là-bas,
Le jour tant soit-il court vaut mieux que la nuitée.

je plante en ta faveur

Pierre de Ronsard

Je plante en ta faveur cest arbre de Cybelle,
Ce pin, où tes honneurs se liront tous les jours :
J'ay gravé sur le tronc nos noms et nos amours,
Qui croistront à l'envy de l'escorce nouvelle.

Faunes qui habitez ma terre paternelle,
Qui menez sur le Loir vos dances et vos tours,
Favorisez la plante et luy donnez secours,
Que l'Esté ne la brusle, et l'Hyver ne la gelle.

Pasteur, qui conduiras en ce lieu ton troupeau,
Flageolant une Eclogue en ton tuyau d'aveine,
Attache tous les ans à cest arbre un tableau,

Qui tesmoigne aux passans mes amours et ma
[peine ;
Puis l'arrosant de laict et du sang d'un agneau,
Dy : « Ce pin est sacré, c'est la plante d'Hélène. »

119

à un aubépin

Pierre de Ronsard

Bel aubépin verdissant,
    Fleurissant
Le long de ce beau rivage,
Tu es vêtu jusqu'au bas
    Des longs bras
D'une lambruche sauvage.

Deux camps de rouges fourmis
    Se sont mis
En garnison sous ta souche ;
Dans les pertuis de ton tronc,
    Tout du long,
Les avettes ont leur couche.

Le gentil rossignolet
    Nouvelet,
Avecques sa bien-aimée,
Pour ses amours alléger,
    Vient loger
Tous les ans en ta ramée.

Sur ta cyme il fait son nid,
 Bien garni
De laine et de fine soie,
Où ses petits écloront,
 Qui seront
De mes mains la douce proie.

Or vis, gentil aubépin,
 Vis sans fin,
Vis sans que jamais tonnerre,
Ou la cognée, ou les vents,
 Ou les temps
Te puissent ruer par terre.

chanson

Pierre de Ronsard

Pour boire dessus l'herbe tendre
Je veux sous un laurier m'étendre,
Et veux qu'Amour d'un petit brin
Ou de lin ou de chenevière,
Trousse au flanc sa robe légère,
Et mi-nu me verse du vin.

L'incertaine vie de l'homme
Incessamment se roule comme
Aux rives se roulent les flots,
Et après notre heure dernière
Rien de nous ne reste en la bière
Que je ne sais quels petits os.

pierre de ronsard

Je ne veux selon la coutume,
Que d'encens ma tombe on parfume,
Ni qu'on y verse des odeurs ;
Mais tandis que je suis en vie,
J'ay de me parfumer envie,
Et de me couronner de fleurs.

Corydon, va quérir m'amie,
Avant que la Parque blémie
M'envoie aux éternelles nuits ;
Je veux, buvant la tasse pleine,
Couché près d'elle, ôter la peine
De mes misérables ennuis.

invocation
à la mort

Pierre de Ronsard

Que ta puissance, ô Mort, est grande et admirable!
Rien au monde par toi ne se dit perdurable;
Mais tout ainsi que l'onde à val des ruisseaux fuit
Le pressant coulement de l'autre qui la suit,
Ainsi le temps se coule, et le présent fait place
Au futur importun qui les talons lui trace.
Ce qui fut se refait; tout coule comme une eau,
Et rien dessous le Ciel ne se voit de nouveau;
Mais la forme se change en une autre nouvelle,
Et ce changement-là, Vivre, au monde s'appelle,
Et Mourir, quand la forme en une autre s'en va.
Ainsi, avec Vénus, la Nature trouva
Moyen de ranimer, par longs et divers changes,
La matière restant, tout cela que tu manges;
Mais notre âme immortelle est toujours en un lieu,

Au change non sujette, assise auprès de Dieu,
Citoyenne à jamais de la ville éthérée
Qu'elle avait si longtemps en ce corps désirée.
  Je te salue, heureuse et profitable Mort
Des extrêmes douleurs médecin et confort !
Quand mon heure viendra, Déesse, je te prie,
Ne me laisse longtemps languir en maladie,
Tourmenté dans un lit ; mais, puisqu'il faut mourir,
Donne-moi que soudain je te puisse encourir,
Ou pour l'honneur de Dieu, ou pour servir mon
           [Prince,
Navré d'une grand'plaie au bord de ma province !

je n'ai plus que les os...

Pierre de Ronsard

Je n'ai plus que les os, un squelette je semble,
Décharné, dénervé, démusclé, dépoulpé,
Que le trait de la mort sans pardon a frappé ;
Je n'ose voir mes bras que de peur je ne tremble.

Apollon et son fils, deux grands maîtres ensemble,
Ne me sauraient guérir, leur métier m'a trompé ;
Adieu, plaisant soleil ! Mon œil est étoupé,
Mon corps s'en va descendre où tout se désassemble.

Quel ami, me voyant en ce point dépouillé,
Ne remporte au logis un œil triste et mouillé,
Me consolant au lit et me baisant la face,

En essuyant mes yeux par la mort endormis ?
Adieu, chers compagnons ! Adieu, mes chers amis !
Je m'en vais le premier vous préparer la place.

chansonnette

Jean-Antoine de Baïf

Comme le Phénix je suis
Qui de sa mort reprend vie,
Qui de sa cendre naîtra.

— Tue, tue, tue-moi,
Pour cela ne mourrai.

La mèche d'Aveste suis
Qui allumée ne perd rien,
De qui le feu ne meurt point.

— Brûle, brûle, brûle-moi,
Pour cela ne mourrai.

Cette vaillante drogue suis
Qui se réchauffe dans l'eau,
Qui s'y rallume et nourrit.

— Noye, noye, noye-moi,
Pour cela ne mourrai.
Le diamant dur je suis

seizième siècle

Qui ne se romp du marteau
Ni du ciseau retanté.

— Frappe, frappe, frappe-moi,
Pour cela ne mourrai.

Comme la mort même suis
Qui qui la fuit de près suit :
Qui me refuit je poursuis.

— Fuis, refuis, refuis, refuis,
Mort et vif te suivrai.

la sucrée

Jean-Antoine de Baïf

Adieu, madame la sucrée ;
Adieu, madame l'affectée ;
Adieu, celle qui pensait bien
Me tenir pris en son lien ;

Adieu, celle-là qui caresse
Chacun qui à elle s'adresse ;
Adieu, celle qui n'aime qu'un,
Et qui aime autant un chacun ;

Adieu, la gloire des pucelles,
Qui aime les choses nouvelles ;
Adieu celle qui, tous les jours,
Change de nouvelle amours ;

Adieu, celle tant bonne grâce
À faire en parlant la grimace,
Qui a gagné, par son caquet,
D'avoir le haut bout au banquet ;

Adieu, sa douce mignardise
Qu'en mille tours elle déguise;
Adieu, la langue du baiser
Qui ne peut plus se refuser;

Adieu, baiser où l'on devise;
Adieu, baiser de la cerise;
Adieu, le baiser engoulant
Jusqu'au gavion dévalant;

Adieu, le baiser de dragée,
Langue contre langue rangée,
Les lèvres qu'on presse dedans
De lèvres, de langue et de dents;

Adieu, le souffler en l'oreille
D'une haleine douce à merveille;
Adieu, le doux sucer des yeux;
Adieu, licher délicieux;

Adieu, la traîtresse mignarde,
Qui, de sa main fretillarde,
La barbe gentiment flattait,
Et le sein doucement tâtait;

Adieu, sa contrefaite mine;
Adieu, sa parole enfantine;
Adieu, mille gentils ébats
Qu'elle ne me refusait pas;

Pourquoi m'en refuserait-elle?
Chacun les a de la pucelle.
Vraiment, je puis bien avoir part
À ce qui à tout se départ!

Adieu, madame la pucelle,
Pucelle, vous dis-je, si celle
Pucelle se peut bien nommer
Qui ne sait que c'est que d'aimer.

Adieu, celle qui de sa vie
(S'il le faut croire) n'eut envie;
Qui n'eut (je vous prie, croyez-la)
Envie de faire cela;

Adieu, celle nuit tant heureuse;
Adieu, belle nuit amoureuse;
Adieu, la chaise, adieu, le coin.
De nos jours le meilleur témoin;

Adieu, nos belles amourettes,
Adieu, nos joies plus secrettes;
Adieu, soupirs; adieu, plaisirs;
Adieu regrets; adieu, désirs;

Adieu, la bien parlante dame,
Qui a mieux aimé le vrai blame
Qu'à bon droit je lui donnerais
Que l'honneur qu'à tort, lui ferais;

Adieu, la belle décriée,
Qui ne sera de nul priée.
À qui voudrait bien la prier,
La voyant ainsi décrier?

Les enfans vont à la moustarde.
Des ruses de cette mignarde.
Mon Dieu! Comme elle piperait
Quelque sot qui l'aborderait!

Adieu, celle qui fut m'amie
Mais qui est ma grande ennemie,
De qui je suis vrai ennemi,
Comme j'en estoi feint ami;

Adieu, sa trompeuse jeunesse,
Jeunesse qui passe en finesse
La vieillesse d'un viel Marmot,
Pour bien enjauler quelque sot;

Adieu, madame l'effrontée,
Adieu, la pucelle éhontée,
Si ce n'est d'exécution,
Au moins de bonne affection;

Adieu, la sotte glorieuse;
Adieu, la brave audacieuse;
Adieu, girouette à tous vents,
Chienne chaude à tous chiens suivants;

jean-antoine de baïf

Adieu, de Saphon l'écolière,
Qui fait qu'aussi tu n'aimes guère
Mais si savante, qu'à Saphon
Tu en ferais bien la leçon ;

Adieu, Tartarin qui ne montre
Qu'un cul de première rencontre ;
Et qu'à elle sinon cela ?
Vous voyez tout le bien qu'elle a.

Adieu, madame la rusée,
Qui s'est grandement abusée
De penser avoir abusé
Un bien autant qu'elle rusé.

ruisseau d'argent

Pontus de Thyard

Ruisseau d'argent, qui de source inconneuë
Viens escouler ton beau cristal ici,
En arrosant aux pieds de mon Bissy,
Le roc vestu, et la campagne nuë :

Pour la pensée en mon cœur survenue,
Quand près de toy je fondois mon souci,
Je te vien rendre éternel grammerci,
Couché auprès de ta Rive chenue.

Un vert esmail d'une ceinture large
T'enjaspera et l'une et l'autre marge,
Puis j'escriray ces vers sur un Porphire :

Loin, loin, Pasteurs, si profanes vous estes,
Car les neufs sœurs, en faveur des poètes,
M'ont consacré le Maconnois Baphire.

quand nous aurons passé...

Philippe Desportes

Quand nous aurons passé l'infernale rivière,
Vous et moi pour nos maux damnés aux plus bas
[lieux,
Moi, pour avoir sans cesse idolâtré vos yeux,
Vous, pour être à grand tort de mon cœur la
[meurtrière;

Si je puis toujours voir votre belle lumière,
Les éternelles nuits, les regrets furieux,
N'étonneront mon âme, et l'Enfer odieux
N'aura point de douleur qui me puisse être fière.

Vous pourrez bien aussi vos tourments modérer
Avec le doux plaisir de me voir endurer,
Si, lors, vous vous plaisez encore en mes traverses.

Mais, puisque nous avons failli diversement,
Vous, par inimitié, moi, trop fort vous aimant,
J'ai peur qu'on nous sépare en deux chambres
[diverses.

135

ô songe heureux et doux !...

Philippe Desportes

Ô songe heureux et doux ! où fuis-tu si soudain,
Laissant à ton départ mon âme désolée ?
Ô douce vision, las ! où es-tu volée,
Me rendant de tristesse et d'angoisse si plein ?

Hélas ! Somme trompeur, que tu m'es inhumain !
Que n'as-tu, plus longtemps, ma paupière sillée ?
Que n'avez-vous encore, ô vous, troupe étoilée,
Empêché le soleil de commencer son train ?

Ô Dieu ! permettez-moi que toujours je sommeille,
Si je puis recevoir une autre nuit pareille,
Sans qu'un triste réveil me débande les yeux.

Le proverbe dit vrai : « Ce qui plus nous contente
Est suivi pas à pas d'un regret ennuyeux :
Et n'y a chose aucune en ce monde constante. »

j'ai longtemps voyagé...

Philippe Desportes

J'ai longtemps voyagé, courant toujours fortune,
Sur une mer de pleurs, à l'abandon des flots
De mille ardents soupirs et de mille sanglots,
Demeurant quinze mois sans voir Soleil ni Lune.

Je réclamais en vain la faveur de Neptune
Et des astres jumeaux sourds à tous mes propos,
Car les vents dépités, combattant sans repos,
Avaient juré ma mort, sans espérance aucune.

Mon désir trop ardent, que jeunesse abusait,
Sans voile et sans timon la barque conduisait,
Qui vaguait incertaine au vouloir de l'orage.

Mais durant ce danger, un écueil je trouvai,
Qui brisa ma nacelle, et moi je me sauvai,
À force de nager, évitant le naufrage.

137

adieu la pologne

Philippe Desportes

Adieu, Pologne, adieu, plaines désertes,
Toujours de neige et de glaces couvertes,
Adieu pays, d'un éternel adieu!
Ton air, tes mœurs m'ont si fort su déplaire,
Qu'il faudra bien que tout me soit contraire,
Si jamais plus je retourne en ce lieu.

Adieu, maisons d'admirable structure,
Poêles, adieu, qui, dans votre clôture,
Mille animaux pêle-mêle entassez,
Filles, garçons, bœufs et veaux tout ensemble!
Un tel ménage à l'âge d'or ressemble,
Tant regretté par les siècles passés.

Quoi qu'on me dit de vos mœurs incivils,
De vos habits, de vos méchantes villes,
De vos esprits pleins de légères,
Sarmates fiers je n'en voulais rien croire,
Ni ne pensais que vous puissiez tant boire;
L'eussé-je cru sans y avoir été?

Barbare peuple, arrogant et volage,
Vanteur, causeur, n'ayant rien que langage,
Qui jour et nuit, dans un poêle enfermé,
Pour tout plaisir se joue avec un verre,
Ronfle à la table ou s'endort sur la terre,
Puis comme un Mars veut être renommé.

138

Ce ne sont pas vos grand'lances creusées,
Vos peaux de loup, vos armes déguisées,
Où maint plumage et mainte aile s'étend,
Vos bras charnus ni vos traits redoutables,
Lourds Polonais qui vous font indomptables;
La pauvreté seulement vous défend.

Si votre terre était mieux cultivée,
Que l'air fût doux, qu'elle fût abreuvée
De clairs ruisseaux, riches en bonnes cités,
En marchandise, en profondes rivières,
Qu'elle eût des vins, des sports et des minières,
Vous ne seriez si longtemps indomptés.

Les Ottomans, don l'âme est si hardie,
Aiment mieux Chypre ou la belle Candie
Que vos déserts presque toujours glacés,
Et l'allemand qui les guerres demande,
Vous dédaignant, court la terre flamande,
Où ses labeurs sont mieux récompensés.

Neuf mois entiers pour complaire à mon maître
Le roi Henri que le ciel a fait naître,
Comme un bel astre aux humains flamboyant,
Pour ce désert j'ai la France laissée,
Y consumant ma pauvre âme blessée,
Sans nul confort sinon qu'en le voyant.

Fasse le ciel que ce valeureux prince
Soit bientôt roi de quelque autre province,
Riche de gens, de cités et d'avoir;
Que quelque jour à l'empire il parvienne,
Et que jamais ici je ne revienne,
Bien que mon cœur soit brûlant de le voir.

villanelle

Philippe Desportes

Rosette, pour un peu d'absence,
Votre cœur vous avez changé,
Et moi, sachant cette inconstance,
Le mien autre part j'ai rangé ;
Jamais plus beauté si légère
Sur moi tant de pouvoir n'aura :
Nous verrons, volage, bergère,
Qui premier s'en repentira.

Tandis qu'en pleurs je me consume,
Maudissant cet éloignement,
Vous, qui n'aimez que par coutume,
Caressiez un nouvel amant.
Jamais légère girouette
Au vent si tôt ne se vira :
Nous verrons, bergère Rosette,
Qui premier s'en repentira.

philippe desportes

Où sont tant de promesses saintes,
Tant de pleurs versés en partant?
Est-il vrai que ces tristes plaintes
Sortissent d'un cœur inconstant?
Dieux, que vous êtes mensongère!
Maudit soit qui plus vous croira!
Nous verrons, volage bergère,
Qui premier s'en repentira.

Celui qui a gagné ma place,
Ne vous peut aimer tant que moi;
Et celle que j'aime vous passe
De beauté, d'amour et de foi.
Gardez bien votre amitié neuve,
La mienne plus ne variera,
Et puis nous verrons à l'épreuve
Qui premier s'en repentira.

galimatias

Charles-Timoléon de Sigognes

Seine, au front couronné de roseaux et de saules
Pour voir votre beauté souleva ses épaules
Et prononça ces mots : « Messieurs des pois pilés
Qui veut des choux gelés? »

À l'ombre d'un cheveu se cachait Isabelle,
La gaine et les couteaux auprès d'une escarcelle,
Des marrons, des éteufs, du cresson alénois,
Pour Ogier le Danois.

Non, je n'approuve point la vanité des hommes :
J'aime l'ambition comme un Normand les pommes :
Que vous seriez joli, si vous n'étiez pelé,
Monsieur le Jubilé !

Quand le brave Nembroth bâtit la tour superbe,
Il courut la quintaine et dansa dessus l'herbe,
Faisant sur le pied droit, mais il fut bien camus,
Voyant Nostradamus !

charles-timoléon de sigognes

Jaloux flots de la mer, ennemis de ma vie,
Dit Léandre en mourant, si ma belle est ravie,
Me conjurant le ciel pour passer l'Achéron,
Adieu mon éperon !

Masse à dix, tope, tingue ! un éventail d'ermite,
Une lance de sucre, une anse de marmite,
Puis un poulet bardé de la poudre d'Iris
Et de chauve-souris !

De soixante escargots accoucha Pampelune ;
Trois jeunes hérissons des loups gardent la lune,
Parce qu'il est secret d'effet et de renom
Comme un coup de canon !

Belle qui paraissez aux amants si cruelle,
Vous aveuglez les yeux, ainsi qu'une tournelle,
À moins que de pitié votre cœur soit époint
Quand on ne s'en plaint point.

Pêcher des hannetons en un crible d'ivoire,
Pour conjurer les morts, lisez dans le grimoire,
Les amants pour vos yeux endurent le trépas.
Mais ils n'en meurent pas.

chapitre III

dix-septième

Siècle

la complainte du roi renaud

Anonyme

Le roi Renaud de guerre vint
Portant ses tripes dans sa main.
Sa mère était sur le créneau,
Qui vit venir son fils Renaud.

— « Renaud, Renaud, réjouis-toi !
Ta femme est accouchée d'un roi. »
— « Ni de la femme, ni du fils,
Je ne saurais me réjouir.

Allez ma mère, allez devant,
Faites-moi faire un beau lit blanc :
Guère de temps n'y demorrai,
À la minuit trépasserai.

Mais faites-l'moi faire ici-bas
Que l'accouchée n'entende pas. »
Et quand ce vint sur la minuit
Le roi Renaud rendit l'esprit.

Il ne fut pas le matin jour,
Que les valets pleuraient tretous ;
Il ne fut temps de déjeuner
Que les servantes ont pleuré.

— « Dites-moi, ma mère, m'amie,
Que pleurent nos valets ici ? »
— « Ma fille, en baignant nos chevaux,
Ont laissé noyer le plus beau. »

— « Et pourquoi, ma mère, m'amie,
Pour un cheval pleurer ainsi ?
Quand le roi Renaud reviendra
Plus beaux chevaux amènera. »

— « Dites-moi, ma mère, m'amie,
Que pleurent nos servantes ci ? »
— « Ma fille, en lavant nos linceuls
Ont laissé aller le plus neuf. »

— « Et pourquoi, ma mère, m'amie,
Pour un linceul pleurer ainsi ?
Quand le roi Renaud reviendra
Plus beaux linceuls achètera. »

147

— « Dites-moi, ma mère, m'amie,
Pourquoi j'entends cogner ici ? »
— « Ma fille, ce sont les charpentiers
Qui raccommodent le plancher. »

— « Dites-moi, ma mère, m'amie,
Pourquoi les saints sonnent ici ? »
— « Ma fille, c'est la procession
Qui sort pour les Rogations. »

— « Dites-moi, ma mère, m'amie,
Que chantent les prêtres ici ? »
— « Ma fille, c'est la procession
Qui fait le tour de la maison. »

Or quand ce fut pour relever
À la messe el' voulut aller,
Or quand ce fut passé huit jours
El' voulut faire ses atours.

— « Dites-moi, ma mère, m'amie,
Quel habit prendrai-je aujourd'hui ? »
— « Prenez le vert, prenez le gris,
Prenez le noir, pour mieux choisir. »

— « Dites-moi, ma mère m'amie,
Ce que ce noir-là signifie ? »
— « Femme qui relève d'enfant
Le noir lui est bien plus séant. »

Mais quand el' fut emmi les champs,
Trois pâtoureaux allaient disant :
— « Voilà la femme du seigneur
Que l'on enterra l'autre jour. »

— « Dites-moi, ma mère, m'amie,
Que disent ces pâtoureaux ci ? »
— « Ils disent d'avancer le pas
Ou que la messe n'aurons pas. »

Quand el' fut dans l'église entrée,
Le cierge on lui a présenté ;
Aperçut en s'agenouillant
La terre fraîche sous son banc.

— « Dites-moi, ma mère m'amie,
Pourquoi la terre est refraîchie ? »
— « Ma fill' ne l'vous puis plus celer
Renaud est mort et enterré. »

— « Puisque le roi Renaud est mort,
Voici les clefs de mon trésor,
Prenez mes bagues et joyaux,
Nourrissez bien le fils Renaud.

Terre, ouvre-toi, terre fends-toi,
Que j'aille avec Renaud, mon roi ! »
Terre s'ouvrit, terre fendit,
Et ci fut la belle engloutie.

stances

Mathurin Régnier

Quand sur moy je jette les yeux,
À trente ans me voyant tout vieux,
Mon cœur de frayeur diminue :
Estant vieilli dans un moment,
Je ne puis dire seulement
Que ma jeunesse est devenue.

Du berceau courant au cercueil,
Le jour se dérobe à mon œil,
Mes sens troublez s'évanouissent.
Les hommes sont comme des fleurs,
Qui naissent et vivent en pleurs,
Et d'heure en heure se fanissent.

Leur âge à l'instant écoulé,
Comme un trait qui s'est envolé
Ne laisse après soy nulle marque ;
Et leur nom si fameux icy,
Si-tost qu'ils sont morts, meurt aussi,
Du pauvre autant que du Monarque.

N'aguères, verd, sain et puissant,
Comme un aubespin florissant,
Mon printemps estoit délectable.
Les plaisirs logeoient en mon sein ;
Et lors estoit tout mon dessein
Du jeu d'Amour et de la table.

Mais, las ! mon sort est bien tourné ;
Mon âge en un rien s'est borné,
Foible languit mon espérance :
En une nuit, à mon malheur,
De la joye et de la douleur
J'ay bien appris la différence !

La douleur aux traits vénéneux,
Comme d'un habit épineux
Me ceint d'une horrible torture.
Mes beaux jours sont changés en nuits ;
Et mon cœur tout flestry d'ennuis
N'attend plus que la sépulture.

Enyvré de cent maux divers,
Je chancelle et vay de travers.
Tant mon âme en regorge pleine ;
J'en ay l'esprit tout hebété,
Et si peu qui m'en est resté,
Encor me fait-il de la peine.

151

La mémoire du temps passé,
Que j'ay follement dépencé,
Espand du fiel en mes ulcères :
Si peu que j'ay de jugement,
Semble animer mon sentiment,
Me rendant plus vif aux misères.

Ha ! pitoyable souvenir
Enfin, que dois-je devenir ?
Où se réduira ma constance ?
Estant ja défailly de cœur,
Qui me don'ra de la vigueur,
Pour durer en la pénitence ?

Qu'est-ce de moy ? foible est ma main,
Mon courage, hélas ! est humain,
Je ne suis de fer ni de pierre ;
En mes maux monstre-toy plus doux ;
Seigneur ; aux traits de ton courroux
Je suis plus fragile que verre.

Je ne suis à tes yeux, sinon
Qu'un festu sans force et sans nom,
Qu'un hibou qui n'ose paroistre ;
Qu'un fantosme icy bas errant,
Qu'une orde escume de torrent,
Qui semble fondre avant que naistre.

Où toy, tu peux faire trembler
L'Univers, et désassembler
Du Firmament le riche ouvrage ;
Tarir les flots audacieux,
Ou, les élevant jusqu'aux Cieux,
Faire de la Terre un naufrage.

Le Soleil fléchit devant toy,
De toy les Astres prennent loy,
Tout fait joug dessous ta parole,
Et cependant tu vas dardant
Dessus moy ton courroux ardent,
Qui ne suis qu'un bourrier qui vole.

Mais quoy ! si je suis imparfait,
Pour me défaire m'as-tu fait ?
Ne sois aux pécheurs si sévère.
Je suis homme, et toi Dieu Clément :
Sois donc plus doux au châtiment,
Et punis les tiens comme Père.

le matin

Théophile de Viau

L'Aurore sur le front du jour
Sème l'azur, l'or et l'yvoire,
Et le Soleil, lassé de boire,
Commence son oblique tour.

Ses chevaux, au sortir de l'onde,
De flame et de clarté couverts,
La bouche et les nasaux ouverts,
Ronflent la lumière du monde.

Ardans ils vont à nos ruisseaux
Et dessous le sel et l'escume
Boivent l'humidité qui fume
Si tost qu'ils ont quitté les eaux.

La lune fuit devant nos yeux ;
La nuict a retiré ses voiles ;
Peu à peu le front des estoilles
S'unit à la couleur des Cieux.

Les ombres tombent des montagnes,
Elles croissent à veüe d'œil,
Et d'un long vestement de deuil
Couvrent la face des campagnes.

Le Soleil change de séjour,
Il pénètre le sein de l'onde,
Et par l'autre moitié du monde
Pousse le chariot du jour.

Desjà la diligente avette
Boit la marjolaine et le thyn,
Et revient riche du butin
Qu'elle a pris sur le mont Hymette.

Je voy le généreux lion
Qui sort de sa demeure creuse,
Hérissant sa perruque affreuse
Qui faict fuir Endimion.

Sa dame, entrant dans les boccages
Compte les sangliers qu'elle a pris,
Ou dévale chez les esprits
Errans aux sombres marescages.

Je vois les agneaux bondissans
Sur les bleds qui ne font que naistre ;
Cloris, chantant, les meine paistre
Parmi ces costaux verdissans.

155

dix-septième siècle

Les oyseaux, d'un joyeux ramage,
En chantant semblent adorer
La lumière qui vient dorer
Leur cabinet et leur plumage.

Le pré paroist en ses couleurs,
La bergère aux champs revenue
Mouillant sa jambe toute nue
Foule les herbes et les fleurs.

La charrue escorche la plaine ;
Le bouvier, qui suit les seillons,
Presse de voix et d'aiguillons
Le couple de bœufs qui l'entraine.

Alix appreste son fuseau ;
Sa mère qui luy faict la tasche,
Presse le chanvre qu'elle attache
À sa quenouille de roseau.

Une confuse violence
Trouble le calme de la nuict,
Et la lumière, avec le bruit,
Dissipe l'ombre et le silence.

Alidor cherche à son resveil
L'ombre d'Iris qu'il a baisée
Et pleure en son âme abusée
La fuitte d'un si doux sommeil.

Les bestes sont dans leur tanière,
Qui tremblent de voir le Soleil,
L'homme, remis par le sommeil,
Reprend son œuvre coustumière.

Le forgeron est au fourneau ;
Voy comme le charbon s'alume !
Le fer rouge dessus l'enclume
Estincelle sous le marteau.

Ceste chandelle semble morte,
Le jour la faict esvanouyr ;
Le Soleil vient nous esblouyr :
Voy qu'il passe au travers la porte !

Il est jour : levons-nous Philis ;
Allons à nostre jardinage,
Voir s'il est comme ton visage,
Semé de roses et de lys.

dessein de quitter une dame qui ne le contentait que de promesse

François de Malherbe

Beauté, mon beau souci, de qui l'âme incertaine
A comme l'Océan son flux et son reflux :
Pensez de vous résoudre à soulager ma peine,
Ou je me vais résoudre à ne la souffrir plus.

Vos yeux ont des appas que j'aime et que je prise,
Et qui peuvent beaucoup dessus ma liberté :
Mais pour me retenir, s'ils font cas de ma prise,
Il leur faut de l'amour autant que de beauté.

françois de malherbe

Quand je pense être au point que cela
                        [s'accomplisse,
Quelque excuse toujours en empêche l'effet :
C'est la toile sans fin de la femme d'Ulysse,
Dont l'ouvrage du soir au matin se défait.

Madame, avisez-y, vous perdez votre gloire
De me l'avoir promis et vous rire de moi,
S'il ne vous en souvient vous manquez de mémoire,
Et s'il vous en souvient vous n'avez point de foi.

J'avais toujours fait compte, aimant chose si haute,
De ne m'en séparer qu'avecque le trépas,
S'il arrive autrement ce sera votre faute,
De faire des serments et ne les tenir pas.

consolation à monsieur du périer sur la mort de sa fille

François de Malherbe

Ta douleur, du Périer, sera donc éternelle,
      Et les tristes discours
Que te met en l'esprit l'amitié paternelle
      L'augmenteront toujours ?

Le malheur de ta fille au tombeau descendue
      Par un commun trépas,
Est-ce quelque dédale, où ta raison perdue
      Ne se retrouve pas ?

Je sais de quels appas son enfance était pleine,
    Et n'ai pas entrepris,
Injurieux ami, de soulager ta peine
    Avecque son mépris.

Mais elle était du monde, où les plus belles choses
    Ont le pire destin ;
Et rose elle a vécu ce que vivent les roses,
    L'espace d'un matin.

Puis quand ainsi serait, que selon ta prière,
    Elle aurait obtenu
D'avoir en cheveux blancs terminé sa carrière,
    Qu'en fût-il advenu ?

Penses-tu que, plus vieille, en la maison céleste
    Elle eût eu plus d'accueil ?
Ou qu'elle eût moins senti la poussière funeste
    Et les vers du cercueil ?

Non, non, mon du Périer, aussitôt que la Parque
    Ôte l'âme du corps,
L'âge s'évanouit au deçà de la barque,
    Et ne suit point les morts.

Ne te lasse donc plus d'inutiles complaintes,
    Mais, sage à l'avenir,
Aime une ombre comme ombre, et de cendres
                     [éteintes
    Éteins le souvenir...

161

dix-septième siècle

La Mort a des rigueurs à nulle autre pareilles ;
     On a beau la prier,
La cruelle qu'elle est se bouche les oreilles,
     Et nous laisse crier.

Le pauvre en sa cabane, où le chaume le couvre,
     Est sujet à ses lois ;
Et la garde qui veille aux barrières du Louvre
     N'en défend point nos rois.

De murmurer contre elle, et perdre patience,
     Il est mal à propos ;
Vouloir ce que Dieu veut est la seule science
     Qui nous met en repos.

sur la mort de mon fils

François de Malherbe

Que mon fils ait perdu sa dépouille mortelle,
Ce fils qui fut si brave et que j'aimai si fort,
Je ne l'impute point à l'injure du sort,
Puisque finir à l'homme est chose naturelle ;

Mais que de deux marauds la surprise infidèle
Ait terminé ses jours d'une tragique mort,
En cela ma douleur n'a point de réconfort,
Et tous mes sentiments sont d'accord avec elle.

Ô mon Dieu, mon Sauveur, puisque, par la raison
Le trouble de mon âme étant sans guérison,
Le vœu de la vengeance est un vœu légitime,

Fais que de ton appui je sois fortifié :
Ta justice t'en prie, et les auteurs du crime
Sont fils de ces bourreaux qui t'ont crucifié.

préparatif à la mort

Agrippa d'Aubigné

C'est un grand heur en vivant
D'avoir vaincu tout orage,
D'avoir au cours du voyage
Toujours en poupe le vent :

Mais c'est bien plus de terrir
À la côte désirée,
Et voir sa vie assurée
Au havre de bien mourir.

Arrière craintes et peurs,
Je ne marque plus ma course
Au Canope, ni à l'Ourse,
Je n'ai souci des hauteurs :

Je n'épie plus le Nord,
Ni pas une des étoiles,
Je n'ai qu'à baisser les voiles
Pour arriver dans le port.

« fuyez, loths, des sodome et gomorrhe brûlantes ! »

Agrippa d'Aubigné

Que je vous plains, esprits qui, au vice contraires
Endurez de ces cours les séjours nécessaires !
Heureux, si, non infects en ces infections,
Rois de vous, vous régnez sur vos affections.
Mais quoique vous pensez gagner plus de louange
De sortir impollus hors d'une noire fange,
Sans tache hors du sang, hors du feu sans brûler,
Que d'un lieu non souillé sortir sans vous souiller,
Pourtant il vous serait plus beau en toutes sortes
D'être les gardiens des magnifiques portes
De ce temple éternel de la maison de Dieu,

166

Qu'entre les ennemis tenir le premier lieu ;
Plutôt porter la croix, les coups et les injures,
Que des ords cabinets le clefs à vos ceintures ;
Car Dieu pleut sur les bons et sur les vicieux,
Dieu frappe les méchants et les bons parmi eux.
Fuyez, Loths, de Sodome et Gomorrhe brûlantes !
N'ensevelissez point vos âmes innocentes
Avec ces réprouvés ; car combien que vos yeux
Ne froncent le sourcil encontre les haut cieux,
Combien qu'avec les Rois vous ne hochiez la tête
Contre le ciel ému armé de la tempête,
Pour ce que des tyrans le support vous tire,
Pource que des tyrans le support vous tirez,
Pource qu'il sont de vous comme dieux adorés,
Lorsqu'ils veulent au pauvre et au juste méfaire
Vous êtes compagnons du méfait pour vous taire.
Lorsque le fils de Dieu, vengeur de son mépris,
Viendra pour vendanger de ces Rois les esprits,
De sa verge de fer brisant, épouvantable,
Ces petits dieux enflés en la terre habitable,
Vous y serez compris. Comme lorsque l'éclat
D'un foudre exterminant vient renverser à plat
Les chênes résistants et les cèdres superbes,
Vous verrez là-dessous les plus petites herbes,
La fleur qui craint le vent, le naissant arbrisseau,
En son nid l'écureuil, en son aire l'oiseau,
Sous ce dais qui changeait les grêles en rosée,
La bauge du sanglier, du cerf la reposée,
La ruche de l'abeille et la loge au berger,
Avoir eu part à l'ombre, avoir part au danger.

l'enfer

Agrippa d'Aubigné

Ô enfants de ce siècle, ô abusés moqueurs,
Imployables esprits, incorrigibles cœurs,
Vos esprit trouveront en la fosse profonde
Vrai ce qu'ils ont pensé une fable en ce monde.
Ils languiront en vain de regret sans merci.
Votre âme à sa mesure enflera de souci.
Qui vous consolera ? L'ami qui se désole
Vous grincera les dents au lieu de la parole.
Les Saints vous aimaient-ils ? un abîme est entre eux ;
Leur chair ne s'émeut plus, vous êtes odieux.
Mais n'espérez-vous point fin à votre souffrance ?
Point n'éclaire aux enfers l'aube de l'espérance.
Dieu aurait-il sans fin éloigné sa merci ?
Qui a péché sans fin souffre sans fin aussi ;
La clémence de Dieu fait au ciel son office,
Il déploie aux enfers son ire et sa justice.
Mais le feu ensoufré, si grand, si violent,
Ne détruira-t-il pas les corps en les brûlants ?
Non, Dieu les gardera entiers à sa vengeance,
Conservant à cela et l'étoffe et l'essence,
Et le feu qui sera si puissant d'opérer
N'aura de faculté d'éteindre et d'altérer,

Et servira par loi à l'éternelle peine.
L'air corrupteur n'a plus sa corrompante haleine,
Et ne fait aux enfers office d'élément ;
Celui qui le mouvait, qui est le firmament,
Ayant quitté son branle et motives cadences,
Sera sans mouvement, et de là sans muances.
Transis, désespérés, il n'y a plus de mort
Qui soit pour votre mer des orages le port.
Que si vos yeux de feu jettent l'ardente vue
À l'espoir du poignard, le poignard plus ne tue.
Que la mort, direz-vous, était un doux plaisir !
La mort morte ne peut vous tuer, vous saisir.
Voulez-vous du poison ? en vain cet artifice.
Vous vous précipitez ? en vain le précipice.
Courez au feu brûler : le feu vous gèlera ;
Noyez-vous : l'eau est feu, l'eau vous embrasera ;
La peste n'aura plus de vous miséricorde ;
Étranglez-vous : en vain vous tordez une corde ;
Criez après l'enfer : de l'enfer il ne sort
Que l'éternelle soif de l'impossible mort.

Tout meurt, l'âme s'enfuit et, reprenant son lieu,
Extatique, se pâme au giron de son Dieu.

sonnet

François Mainard

Mon Âme, il faut partir. Ma vigueur est passée,
Mon dernier jour est dessus l'horizon.
Tu crains ta liberté. Quoy ? n'es-tu pas lassée
D'avoir souffert soixante ans de prison ?

Tes désordres sont grands. Tes vertus sont petites,
Parmy tes maux on trouve peu de bien.
Mais si le bon Jésus te donne ses mérites,
Espère tout et n'appréhende rien.

Mon Âme, repens-toy d'avoir aymé le Monde ;
Et de mes yeux fay la source d'une Onde
Qui touche de pitié le Monarque des Rois.

Que tu serois courageuse et ravie
Si j'avoy soûpiré durant tout ma vie
Dans le Désert sous l'ombre de la Croix.

je donne
à mon désert

François Mainard

Je donne à mon désert les restes de ma vie
Pour ne dépendre plus que du Ciel et de moi.
Le temps et la raison m'ont fait perdre l'envie
D'encenser la faveur, et de suivre le Roi.

Forêt, je suis ravi des bois où je demeure.
J'y trouve la santé de l'esprit et du corps.
Approuve ma retraite ; et permets que je meure
Dans le même village où mes pères sont morts.

J'ai fréquenté la Cour où ton conseil m'appelle,
Et sous le Grand Henry je la trouvais si belle,
Que ce fut à regret que je lui dis adieu.

Mais les ans m'ont changé. Le Monde m'importune,
Et j'aurais de la peine à vivre dans un lieu,
Où toujours la Vertu se plaint de la Fortune.

la belle vieille

François Mainard

Cloris, que dans mon cœur j'ai si longtemps servie
Et que ma passion montre à tout l'univers,
Ne veux-tu pas changer le destin de ma vie,
Et donner de beaux jours à mes derniers hivers ?

N'oppose plus ton deuil au bonheur où j'aspire.
Ton visage est-il fait pour demeurer voilé ?
Sors de ta nuit funèbre, et permets que j'admire
Les divines clartés des yeux qui m'ont brûlé.

Ce n'est pas d'aujourd'hui que je suis ta conquête :
Huit lustres ont suivi le jour que tu me pris,
Et j'ai fidèlement aimé ta belle tête
Sous des cheveux châtains et sous des cheveux gris.

C'est de tes jeunes yeux que mon ardeur est née,
C'est de leurs premiers traits que je fus abattu ;
Mais tant que tu brûlas du flambeau d'hyménée ,
Mon amour se cacha pour plaire à ta vertu.

françois mainard

Je sais de quel respect il faut que je t'honore,
Et mes ressentiments ne l'ont point violé ;
Si quelquefois j'ai dit le soin qui me dévore,
C'est à des confidents qui n'ont jamais parlé.

Pour adoucir l'aigreur des peines que j'endure,
Je me plains aux rochers, et demande conseil
À ces vieilles forêts, dont l'épaisse verdure
Fait de si belles nuits en dépit du soleil.

L'âme pleine d'amour et de mélancolie,
Et couché sur des fleurs ou sous des orangers,
J'ai montré ma blessure aux deux mers d'Italie
Et fait dire ton nom aux échos étrangers.

Ce fleuve impérieux à qui tout fit hommage,
Et dont Neptune même endura le mépris,
A su qu'en mon esprit j'adorais ton image
Au lieu de chercher Rome en ses vastes débris.

Cloris, la passion que mon cœur t'a jurée
Ne trouve point d'exemple aux siècles les plus vieux ;
Amour et la nature admirent la durée
Du feu de mes désirs et du feu de tes yeux.

La beauté qui te suit depuis ton premier âge
Au déclin de tes jours ne te veut pas laisser,
Et le temps, orgueilleux d'avoir fait ton visage,
En conserve l'éclat et craint de l'effacer.

Regarde sans frayeur la fin de toutes choses,
Consulte le miroir avec des yeux contents :
On ne voit point tomber ni tes lis, ni tes roses,
Et l'hiver de ta vie est ton second printemps…

le promenoir des deux amants

Tristan L'Hermite

Auprès de cette grotte sombre
Où l'on respire un air si doux
L'onde lutte avec les cailloux
Et la lumière avecque l'ombre.

Ces flots, lassés de l'exercice
Qu'ils ont fait dessus ce gravier,
Se reposent dans ce vivier,
Où mourut autrefois Narcisse.

L'ombre de cette fleur vermeille
Et celle de ces joncs pendants,
Paraissent être, là-dedans,
Les songes de l'eau qui sommeille.

tristan l'hermite

Les plus aimables influences
Qui rajeunissent l'univers
Ont relevé ces tapis verts
De fleurs de toutes les nuances.

Dans ce bois ni dans ces montagnes
Jamais chasseur ne vint encor ;
Si quelqu'un y sonne du cor,
C'est Diane avec ses compagnes.

Ce vieux chêne a des marques saintes ;
Sans doute qui le couperait
Le sang chaud en découlerait,
Et l'arbre pousserait des plaintes.

Ce rossignol mélancolique
Du souvenir de son malheur,
Tâche de charmer sa douleur,
Mettant son histoire en musique.

Il reprend sa note première,
Pour chanter, d'un art sans pareil,
Sous ce rameau que le soleil
A doré d'un trait de lumière.

Sur ce frêne deux tourterelles
S'entretiennent de leurs tourments,
Et font les doux appointements
De leurs amoureuses querelles.

dix-septième siècle

Un jour, Vénus avec Anchise
Parmi ces forts s'allait perdant,
Et deux Amours, en l'attendant,
Disputaient pour une cerise.

Dans toutes ces routes divines
Les nymphes dansent aux chansons,
Et donnent la grâce aux buissons
De porter des fleurs sans épines.

Jamais les vents ni le tonnerre,
N'ont troublé la paix de ces lieux,
Et la complaisance des dieux
Y sourit toujours à la terre.

Crois mon conseil, chère Climène,
Pour laisser arriver le soir,
Je te prie, allons nous asseoir
Sur le bord de cette fontaine.

N'ois-tu pas soupirer Zéphire
De merveille et d'amour atteint,
Voyant des roses sur ton teint,
Qui ne sont pas de son empire ?

Sa bouche, d'odeur toute pleine,
A soufflé sur notre chemin,
Mêlant un esprit de jasmin
À l'ambre de ta douce haleine.

Penche la tête sur cette onde
Dont le cristal paraît si noir :
Je t'y veux faire apercevoir
L'objet le plus charmant du monde.

Tu ne dois pas être étonnée,
Si vivant sous tes douces lois,
J'appelle ces beaux yeux mes rois,
Mes astres et ma destinée…

Veux-tu, par un doux privilège,
Me mettre au-dessus des humains ?
Fais-moi boire au creux de tes mains,
Si l'eau n'en dissout point la neige.

sonnet

Saint-Amant

Assis sur un fagot, une pipe à la main,
Tristement accoudé contre une cheminée,
Les yeux fixés vers terre et l'âme mutinée,
Je songe aux cruautés de mon sort inhumain.

L'espoir qui me remet du jour au lendemain
Essaie à gagner temps sur ma peine obstinée,
Et me venant promettre une autre destinée,
Me fait monter plus haut qu'un Empereur Romain.

Mais à peine cette herbe est-elle mise en cendre,
Qu'en mon premier état il me convient descendre,
Et passer mes ennuis à réduire souvent,

Non, je ne trouve point beaucoup de différence
De prendre du tabac, à vivre d'espérance,
Car l'un n'est que fumée et l'autre n'est que vent.

le paresseux

Saint-Amant

Accablé de paresse et de mélancolie,
Je rêve dans mon lit où je suis fagoté,
Comme un lièvre sans os qui dort dans un pâté,
Ou comme un Don Quichotte en sa morne folie.

Là, sans me soucier des guerres d'Italie,
Du comte Palatin, ni de sa royauté,
Je consacre un bel hymne à cette oisiveté
Où mon âme en langueur est comme ensevelie.

Je trouve ce plaisir si doux et si charmant,
Que je crois que les biens me viendront en dormant,
Puisque je vois déjà s'en enfler ma bedaine,

Et hais tant le travail que, les yeux entrouverts,
Une main hors des draps, cher Baudouin, à peine
Ai-je pu me résoudre à t'écrire ces vers.

179

la pipe

Saint-Amant

Assis sur un fagot, une pipe à la main,
Tristement accoudé contre une cheminée,
Les yeux fixés vers terre, et l'âme mutinée,
Je songe aux cruautés de mon sort inhumain.

L'espoir, qui me remet du jour au lendemain,
Essaye à gagner temps sur ma peine obstinée,
Et, me venant promettre une autre destinée,
Me fait monter plus haut qu'un empereur romain.

Mais à peine cette herbe est-elle mise en cendre
Qu'en mon premier état il me convient descendre
Et passer mes ennuis à redire souvent :

Non, je ne trouve point beaucoup de différence
De prendre du tabac à vivre d'espérance,
Car l'un n'est que fumée et l'autre n'est que vent.

les goinfres

Saint-Amant

Coucher trois dans un drap, sans feu ni sans
[chandelle,
Au profond de l'hiver, dans la salle aux fagots,
Où les chats, ruminant le langage des Goths,
Nous éclairent sans cesse en roulant la prunelle ;

Hausser notre chevet avec une escabelle,
Être deux ans à jeun comme les escargots,
Rêver en grimaçant ainsi que les magots
Qui, bâillant au soleil, se grattent sous l'aisselle,

Mettre au lieu de bonnet la coiffe d'un chapeau,
Prendre pour se couvrir la frise d'un manteau
Dont le dessus servit à nous doubler la panse ;

Puis souffrir cent brocards d'un vieux hôte irrité,
Qui peut fournir à peine à la moindre dépense,
C'est ce qu'engendre enfin la prodigalité.

seconde épistre chagrine

Paul Scarron

À Monsieur d'Elbène

J'estois seul, l'autre jour, dans ma petite chambre,
Couché sur mon grabat, souffrant en chaque membre,
Triste comme un grand deuil, chagrin comme un
[damné,
Pestant et maudissant le jour que je suis né,
Quand un petit laquais, le plus gros sot de France,
Me dit : « Monsieur un tel vous demande audience. »
Bien que Monsieur un tel ne me fust pas connu,
Je répondis pourtant : « Qu'il soit le bien venu. »
Alors je vis entrer un visage d'eunuque
Rajustant à deux mains sa trop longue perruque,
Hérissé de galants rouges, jaunes et bleus ;
Sa reingrave estoit courte, et son genouil cagneux ;
Il avoit deux canons, ou plûtost deux rotondes
Dont le tour surpassoit celuy des tables rondes ;

Il chantoit, en entrant, je ne sçay quel vieux air,
S'appuyoit d'une canne et marchoit du bel air.
Après avoir fourny sa vaste révérence,
Se balançant le corps avecque violence,
Il me dit en fausset et faisant un soûris :
« Je suis l'admirateur de vos divins écris,
Monsieur, et de ma part quelquefois je me pique
De vous suivre de près dans le stile comique ;
Je vous rends donc visite en qualité d'auteur
Et, de plus, comme estant vostre humble serviteur. »
Je luy fis prendre un siège. Il tira sa pincette,
Pincetta son menton et, sa barbe estant faite,
S'efforça de briller par ses discours pointus.
Pour moy, je brillay peu, car souvent je me tus ;
Et je gagerois bien que mon maudit silence
Luy donna grand mépris pour mon peu d'éloquence.
Il auroist bien esté sans déparler d'un mois
Que j'aurois parlé peu de l'humeur où j'estois.
Il me hocha la bride ; à toutes ses semonces,
Tantost ouy, tantost non fut mes réponses.
Mais estant grand parleur (dont, ma foy, bien lui prit),
Je me mis bien, par là, sans doute, en son esprit.

épistre

Paul Scarron

À Monsieur Sarazin

Sarrasin,
Mon voisin,
Cher amy,
Qu'à demy
Je ne voy,
Dont, ma foy,
J'ay dépit
Un petit,
N'es-tu pas
Barrabas,
Basiris,
Phalaris,
Ganelon
Le felon,
De sçavoir
Mon manoir
Peu distant,
Et pourtant
De ne pas,

De ton pas
Ou de ceux
De tes deux
Chevaux gris
Mal nourris,
Y venir
Réjouir,
Par des dits
Esbaudits,
Un pauvret
Tres maigret,
Au col tors,
Dont le corps
Tout tortu,
Tout bossu,
Surrané,
Décharné
Est réduit,
Jour & nuit,
À souffrir,
Sans guérir,
Des tourmens
Véhémens ?
Si Dieu veut,
Qui tout peut,
Dès demain
Mal S. Main
Sur ta peau
Bien & beau
S'étendra
Et fera
Tout ton cuir
Convertir
En farcin.
Lors, mal sain

dix-septième siècle

Et poury,
Bien marry
Tu seras
Et verras
Si j'ay tort
D'estre fort
En émoy
Contre toy.
Mais pourtant,
Repentant,
Si tu viens
Et te tiens
Un moment
Seulement
Avec nous,
Mon courroux
Finira,
Et caetera.

le tartuffe

Molière

TARTUFFE

Ah ! pour être dévôt je n'en suis pas moins homme :
Et lorsqu'on vient à voir vos célestes appas,
Un cœur se laisse prendre et ne raisonne pas.
Je sais qu'un tel discours de moi paraît étrange ;
Mais, madame, après tout, je ne suis pas un ange ;
Et si vous condamnez l'aveu que je vous fais,
Vous devez vous en prendre à vos charmants attraits.
Dès que j'en vis briller la splendeur plus
                         [qu'humaine,
De mon intérieur vous fûtes souveraine ;
De vos regards divins l'ineffable douceur
Força la résistance où s'obstinait mon cœur ;
Elle surmonta tout, jeûnes, prières, larmes,
Et tourna tous mes vœux du côté de vos charmes.
Mes yeux et mes soupirs vous l'ont dit mille fois ;
Et, pour mieux m'expliquer, j'emploie ici la voix.
Que si vous contemplez, d'une âme un peu bénigne,
Les tribulations de votre esclave indigne ;
S'il faut que vos bontés veuillent me consoler,
Et jusqu'à mon néant daignent se ravaler,

dix-septième siècle

J'aurai toujours pour vous, ô suave merveille,
Une dévotion à nulle autre pareille.
Votre honneur avec moi ne court point de hasard,
Et n'a nulle disgrâce à craindre de ma part.
Tous ces galants de cour, dont les femmes sont folles,
Sont bruyants dans leurs faits et vains dans leurs
[paroles,
De leurs progrès sans cesse on les voit se targuer ;
Ils n'ont point de faveurs qu'ils n'aillent divulguer,
Et leur langue indiscrète, en qui l'on se confie,
Déshonore l'autel où leur cœur sacrifie.
Mais les gens comme nous brûlent d'un feu discret,
Avec qui pour toujours, on est sûr du secret.
Le soin que nous prenons de notre renommée
Répond de toute chose à la personne aimée ;
Et c'est en nous qu'on trouve, acceptant notre cœur,
De l'amour sans scandale et du plaisir sans peur…

(extrait)

le misanthrope

Molière

PHILINTE

Vous voulez un grand mal à la nature humaine.

ALCESTE

Oui, j'ai conçu pour elle une effroyable haine.

PHILINTE

Tous les pauvres mortels, sans nulle exception,
Seront enveloppés dans cette aversion ?
Encore en est-il bien, dans ce siècle où nous
sommes…

ALCESTE

Non, elle est générale et je hais tous les hommes :
Les uns parce qu'ils sont méchants et malfaisants
Et les autres, pour être aux méchants complaisants,
Et n'avoir pas pour eux ces haines vigoureuses
Que doit donner le vice aux âmes vertueuses.

dix-septième siècle

De cette complaisance on voit l'injuste excès
Pour le franc scélérat avec qui j'ai procès.
Au travers de son masque on voit à plein le traître ;
Partout il est connu pour tout ce qu'il peut être ;
Et ses roulements d'yeux, et son ton radouci,
N'imposent qu'à des gens qui ne sont point d'ici.
On sait que ce pied plat, digne qu'on le confonde,
Par de sales emplois s'est poussé dans le monde,
Et que par eux son sort, de splendeur revêtu,
Fait gronder le mérite et rougir la vertu ;
Quelques titres honteux qu'en tous lieux on lui donne,
Son misérable honneur ne voit pour lui personne :
Nommez-le fourbe, infâme et scélérat maudit,
Tout le monde en convient, et nul n'y contredit.
Cependant sa grimace est partout bienvenue ;
On l'accueille, on lui rit, partout il s'insinue ;
Et s'il est, par la brigue, un rang à disputer,
Sur le plus honnête homme on le voit l'emporter.
Têtebleu ! ce me sont de mortelles blessures,
De voir qu'avec le vice on garde des mesures ;
Et parfois il me prend des mouvements soudains
De fuir dans un désert l'approche des humains.

(extrait)

les femmes savantes

Molière

ARMANDE

Mon Dieu ! que votre esprit est d'un étage bas !
Que vous jouez au monde un petit personnage,
De vous claquemurer aux choses du ménage,
Et de n'entrevoir point de plaisirs plus touchants
Qu'un idole d'époux et des marmots d'enfants !
Laissez aux gens grossiers, aux personnages
                               [vulgaires,
Les bas amusements de ces sortes d'affaires.
À de plus hauts objets élevez vos désirs,
Songez à prendre un goût des plus nobles plaisirs,
Et, traitant de mépris les sens et la matière,
À l'esprit, comme nous, donnez-vous toute entière.
Vos avez notre mère en exemple à vos yeux,
Que du nom de savante on honore en tous lieux ;
Tâchez ainsi que moi de vous montrer sa fille,
Aspirez aux clartés qui sont dans la famille,
Et vous rendez sensible aux charmantes douceurs
Que l'amour de l'étude épanche dans les cœurs.

dix-septième siècle

Loin d'être aux lois d'un homme en esclave asservie,
Mariez-vous, ma sœur, à la philosophie,
Qui nous monte au-dessus de tout le genre humain,
Et donne à la raison l'empire souverain,
Soumettant à ses lois la partie animale,
Dont l'appétit grossier aux bêtes nous ravale.
Ce sont là les beaux feux, les doux attachements
Qui doivent de la vie occuper les moments ;
Et les soins où je vois tant de femmes sensibles
Me paraissent aux yeux des pauvretés horribles.

(extrait)

sur la jeunesse

Laurent Drelincourt

Jeunesse, ne suy point ton Caprice volage :
Au plus beau de tes Jours, souvien-toy de ta Fin.
Peut-être verras-tu ton Soir, dans ton Matin ;
Et l'Hyver de ta Vie, au Printens de ton Age.

La plus verte saison est sujette à l'Orage,
De la certaine Mort le sens est incertain ;
Et de la Fleur des chams le fragile destin,
Exprime de ton Sort la véritable Image.

Mais veus-tu, dans le Ciel, refleurir pour toujours ?
Ne garde point à Dieu l'Hyver, qui des vieus Jours
Tient, sous ses dures Lois, la foiblesse asservie.
Consacre-luy les Fleurs de ton jeune Printens,
L'Élite de tes Jours, la Force de ta Vie ;
Puisqu'il est et l'Arbitre et l'Auteur de tes Ans.

sur la vieillesse

Laurent Drelincourt

Pauvre-Homme, dont la force est la force d'un Verre ;
Vieillard foible et tremblant, à toy-même ennuyeus ;
À qui tant d'Ennemis font ensemble la guerre ;
Ne veux-tu point songer à quitter ces bas Lieus ?

Ne sens-tu point la Mort, qui te suit, qui te serre ?
As-tu perdu l'esprit ? Et ton cœur vicieus,
Endurcy par les Ans, et tenant à la Terre,
N'a-t-il, ni mouvement, ni chaleur pour les Cieus ?

Voy ces Monts sourcilleus, dont les cimes chenuës
Portent leur front de nége à la hauteur des Nuës,
Et dont le sein répand un Déluge de Feus.

Ainsi pour t'élever à la Gloire éternelle,
La nége sur le poil, le cœur brûlent de Vœus,
Corrige ta froideur, par le feu de ton Zèle.

194

stance à marquise

Pierre Corneille

Marquise, si mon visage
A quelques traits un peu vieux,
Souvenez-vous qu'à mon âge
Vous ne vaudrez guère mieux.

Le temps aux plus belles choses
Se plaît à faire un affront ;
Il saura faner vos roses
Comme il a ridé mon front.

Le même cours des planètes
Règle nos jours et nos nuits :
On m'a vu ce que vous êtes ;
Vous serez ce que je suis.

Cependant j'ai quelques charmes
Qui sont assez éclatants
Pour n'avoir pas trop d'alarmes
De ces ravages du temps.

dix-septième siècle

Vous en avez qu'on adore,
Mais ceux que vous méprisez
Pourraient bien durer encore
Quand ceux-là seront usés.

Ils pourront sauver la gloire
Des yeux qui me semblent doux
Et dans mille ans faire croire
Ce qu'il me plaira de vous.

Chez cette race nouvelle
Où j'aurai quelque crédit,
Vous ne passerez pour belle
Qu'autant que je l'aurai dit.

Pensez-y, belle Marquise :
Quoiqu'un grison fasse effroi,
Il vaut bien qu'on le courtise
Quand il est fait comme moi.

stances du cid

Pierre Corneille

Percé jusques au fond du cœur
D'une atteinte imprévue aussi bien que mortelle,
Misérable vengeur d'une juste querelle,
Et malheureux objet d'une injuste rigueur,
Je demeure immobile, et mon âme abattue
Cède au coup qui me tue.
Si près de voir mon feu récompensé,
Ô Dieu, l'étrange peine !
En cet affront mon père est l'offensé,
Et l'offenseur, le père de Chimène !

Que je sens de rudes combats !
Contre mon propre honneur mon amour s'intéresse :
Il faut venger un père, et perdre une maîtresse.
L'un m'anime le cœur, l'autre retient mon bras.
Réduit au triste choix ou de trahir ma flamme,
Ou de vivre en infâme,
Des deux côtés mon mal est infini.
Ô Dieu, l'étrange peine !
Faut-il laisser un affront impuni ?
Faut-il punir le père de Chimène ?

Père, maîtresse, honneur, amour,
Noble et dure contrainte, aimable tyrannie,
Tous mes plaisirs sont morts, ou ma gloire ternie.
L'un me rend malheureux, l'autre indigne du jour.
Cher et cruel espoir d'une âme généreuse,
Mais ensemble amoureuse,
Digne ennemi de mon plus grand bonheur,
Fer qui causes ma peine,
M'es-tu donné pour venger mon honneur ?
M'es-tu donné pour perdre ma Chimène ?

Il vaut mieux courir au trépas.
Je dois à ma maîtresse aussi bien qu'à mon père :
J'attire en me vengeant sa haine et sa colère ;
J'attire ses mépris en ne me vengeant pas.
À mon plus doux espoir l'un me rend infidèle,
Et l'autre indigne d'elle.
Mon mal augmente à le vouloir guérir ;
Tout redouble ma peine.
Allons, mon âme ; et, puisqu'il faut mourir,
Mourons du moins sans offenser Chimène.

Mourir sans tirer ma raison !
Rechercher un trépas si mortel à ma gloire !
Endurer que l'Espagne impute à ma mémoire
D'avoir mal soutenu l'honneur de ma maison !
Respecter un amour dont mon âme égarée
Voit la perte assurée !
N'écoutons plus ce penser suborneur,
Qui ne sert qu'à ma peine.
Allons, mon bras, sauvons du moins l'honneur,
Puisqu'après tout il faut perdre Chimène.

pierre corneille

Oui, mon esprit s'était déçu.
Je dois tout à mon père avant qu'à ma maîtresse :
Que je meure au combat, ou meure de tristesse,
Je rendrai mon sang pur comme je l'ai reçu.
Je m'accuse déjà de trop de négligence :
Courons à la vengeance ;
Et, tout honteux d'avoir tant balancé,
Ne soyons plus en peine,
Puisque aujourd'hui mon père est l'offensé,
Si l'offenseur est père de Chimène.

(extrait)

épitaphe

d'élisabeth ranquet

Pierre Corneille

Ne verse point de pleur sur cette sépulture,
Passant : Ce lit funèbre est un lit précieux,
Où gît d'un corps tout pur la cendre toute pure ;
Mais le zèle du cœur vit encore en ces lieux.

Avant que de payer le droit à la nature,
Son âme, s'élevant au delà de ses yeux,
Avait au Créateur uni la créature ;
Et marchant sur la terre elle était dans les cieux.

Les pauvres bien mieux qu'elle ont senti sa richesse :
L'humilité, la peine étaient son allégresse ;
Et son dernier soupir fut un soupir d'amour.

Passant, qu'à son exemple un beau feu te transporte,
Et loin de la pleurer d'avoir perdu le jour,
Crois qu'on ne meurt jamais quand on meurt de la
[sorte.

la laitière et le pot au lait

Jean de La Fontaine

Perrette, sur sa tête ayant un pot au lait
      Bien posé sur un coussinet,
Prétendait arriver sans encombre à la ville.
Légère et court vêtue, elle allait à grand pas,
Ayant mis, ce jour-là, pour être plus agile,
      Cotillon simple et souliers plats.
      Notre laitière ainsi troussée
      Comptait déjà dans sa pensée
Tout le prix de son lait, employait l'argent ;
Achetait un cent d'œufs, faisait triple couvée :
La chose allait à bien par son soin diligent.
      « Il m'est, disait-elle, facile
D'élever des poulets autour de ma maison ;
      Le renard sera bien habile
S'il ne m'en laisse assez pour avoir un cochon.
Le porc à s'engraisser coûtera peu de son ;
Il était, quand je l'eus, de grosseur raisonnable :
J'aurai, le revendant, de l'argent bel et bon.
Et qui m'empêchera de mettre en notre étable,

Vu le prix dont il est, une vache et son veau,
Que je verrai sauter au milieu du troupeau ? »
Perrette là-dessus saute aussi, transportée.
Le lait tombe : adieu veau, vache, cochon, couvée.
La dame de ces biens, quittant d'un œil marri
      Sa fortune ainsi répandue,
      Va s'excuser à son mari,
      En grand danger d'être battue.
      Le récit en farce en fut fait ;
      On l'appela le Pot au lait.

      Quel esprit ne bat la campagne ?
      Qui ne fait châteaux en Espagne ?
Picrochole, Pyrrhus, la laitière, enfin tous,
      Autant les sages que les fous.
Chacun songe en veillant ; il n'est rien de plus doux ;
Une flatteuse erreur emporte alors nos âmes ;
      Tout le bien du monde est à nous,
      Tous les honneurs, toutes les femmes.
Quand je suis seul, je fais au plus brave un défi ;
Je m'écarte, je vais détrôner le Sophi ;
      On m'élit roi, mon peuple m'aime ;
Les diadèmes vont sur ma tête pleuvant :
Quelque accident fait-il que je rentre en moi-même,
      Je suis gros Jean comme devant.

épitaphe d'un paresseux

Jean de La Fontaine

Jean s'en alla comme il était venu,
Mangea le fonds avec le revenu,
Tint les trésors chose peu nécessaire.
Quant à son temps, bien le sut dispenser :
Deux parts en fit, dont il voulait passer
L'une à dormir et l'autre à ne rien faire.

les deux pigeons

Jean de La Fontaine

Deux pigeons s'aimaient d'amour tendre :
L'un d'eux, s'ennuyant au logis,
Fut assez fou pour entreprendre
Un voyage en lointain pays.
L'autre lui dit : « Qu'allez-vous faire ?
Voulez-vous quitter votre frère ?
L'absence est le plus grand des maux :
Non pas pour vous, cruel ! Au moins, que les travaux,
Les dangers, les soins du voyage,
Changent un peu votre courage.
Encor, si la saison s'avançait davantage !
Attendez les zéphyrs : qui vous presse ? Un corbeau
Tout à l'heure annnonçait malheur à quelque oiseau.
Je ne songerai plus que rencontre funeste,
Que faucons, que réseaux. « Hélas ! dirai-je, il pleut :
« Mon frère a-t-il tout ce qu'il veut,
« Bon soupé, bon gîte, et le reste ? »
Ce discours ébranla le cœur
De notre imprudent voyageur ;
Mais le désir de voir et l'humeur inquiète
L'emportèrent enfin. Il dit : « Ne pleurez point ;
Trois jours au plus rendront mon âme satisfaite ;

Je reviendrai dans peu conter de point en point
     Mes aventures à mon frère ;
Je le désennuierai. Quiconque ne voit guère
N'a guère à dire aussi. Mon voyage dépeint
     Vous sera d'un plaisir extrême.
Je dirai : « J'étais là ; telle chose m'avint ;
     Vous y croirez être vous-même. »
À ces mots, en pleurant, ils se dirent adieu.
Le voyageur s'éloigne ; et voilà qu'un nuage
L'oblige de chercher retraite en quelque lieu.
Un seul arbre s'offrit, tel encor que l'orage
Maltraita le pigeon en dépit du feuillage.
L'air devenu serein, il part tout morfondu,
Sèche du mieux qu'il peut son corps chargé de pluie,
Dans un champ à l'écart voit du blé répandu,
Voit un pigeon auprès : cela lui donne envie ;
Il y vole, il est pris : ce blé couvrait d'un las
     Les menteurs et traîtres appas.
Le las était usé : si bien que, de son aile,
De ses pieds, de son bec, l'oiseau le rompt enfin ;
Quelque plume y périt ; et le pis du destin
Fut qu'un certain vautour, à la serre cruelle,
Vit notre malheureux, qui, traînant la ficelle
Et les morceaux du las qui l'avait attrapé,
     Semblait un forçat échappé.
Le vautour s'en allait le lier, quand des nues
Fond à son tour un aigle aux ailes étendues.
Le pigeon profita du conflit des voleurs,
S'envola, s'abattit auprès d'une masure,
     Crut, pour ce coup, que ses malheurs
     Finiraient par cette aventure ;
Mais un fripon d'enfant (cet âge est sans pitié)
Prit sa fronde et, du coup, tua plus d'à moitié
     La volatile malheureuse,
     Qui, maudissant sa curiosité,

dix-septième siècle

Traînant l'aile et tirant le pié,
Demi-morte et demi-boiteuse,
Droit au logis s'en retourna :
Que bien, que mal, elle arriva
Sans autre aventure fâcheuse.
Voilà nos gens rejoints ; et je laisse à juger
De combien de plaisirs ils payèrent leurs peines.

Amants, heureux amants, voulez-vous voyager ?
Que ce soit aux rives prochaines.

les animaux
malades
de la peste

Jean de La Fontaine

Un mal qui répand la terreur,
Mal que le Ciel en sa fureur
Inventa pour punir les crimes de la terre,
La Peste (puisqu'il faut l'appeler par son nom),
Capable d'enrichir en un jour l'Achéron,
Faisait aux Animaux la guerre.
Ils ne mouraient pas tous, mais tous étaient frappés :
On n'en voyait point d'occupés
À chercher le soutien d'une mourante vie ;
Nul mets n'excitait leur envie ;
Ni loups ni renards n'épiaient
La douce et l'innocente proie
Les tourterelles se fuyaient :
Plus d'amour, partant plus de joie.
Le Lion tint conseil, et dit : « Mes chers amis,

Je crois que le Ciel a permis
Pour nos péchés cette infortune.
Que le plus coupable de nous
Se sacrifie aux traits du céleste courroux ;
Peut-être il obtiendra la guérison commune.
L'histoire nous apprend qu'en de tels accidents,
On fait de pareils dévouements.
Ne nous flattons donc point ; voyons sans indulgence
L'état de notre conscience.
Pour moi, satisfaisant mes appétits gloutons,
J'ai dévoré force moutons.
Que m'avaient-ils fait ? Nulle offense ;
Même il m'est arrivé quelquefois de manger
Le berger.
Je me dévouerai donc, s'il le faut : mais je pense
Qu'il est bon que chacun s'accuse ainsi que moi :
Car on doit souhaiter, selon toute justice,
Que le plus coupable périsse.
— Sire, dit le Renard, vous êtes trop bon roi ;
Vos scrupules font voir trop de délicatesse.
Eh bien ! manger moutons, canaille, sotte espèce,
Est-ce un péché ? Non, non. Vous leur fîtes, Seigneurs,
En les croquant, beaucoup d'honneur ;
Et quant au berger, l'on peut dire
Qu'il était digne de tous maux,
Étant de ces gens-là qui sur les animaux
Se font un chimérique empire. »
Ainsi dit le Renard ; et flatteurs d'applaudir.
On n'osa trop approfondir
Du Tigre, ni de l'Ours, ni des autres puissances,
Les moins pardonnables offenses.
Tous les gens querelleurs, jusqu'aux simples mâtins,
Au dire de chacun, étaient de petits saints.
L'Âne vint à son tour, et dit : « J'ai souvenance
Qu'en un pré de moines passant,

La faim, l'occasion, l'herbe tendre, et, je pense,
      Quelque diable aussi me poussant,
Je tondis de ce pré la largeur de ma langue.
Je n'en avais nul droit puisqu'il faut parler net. »
À ces mots, on cria haro sur le Baudet.
Un Loup, quelque peu clerc, prouva par sa harangue
Qu'il fallait dévouer ce maudit animal,
Ce pelé, ce galeux, d'où venait tout leur mal.
Sa peccadille fut jugée un cas pendable.
Manger l'herbe d'autrui ! quel crime abominable !
      Rien que la mort n'était capable
D'expier son forfait : on le lui fit bien voir.

Selon que vous serez puissant ou misérable,
Les jugements de cour vous rendront blanc ou noir.

la cigale et la fourmi

Jean de La Fontaine

La cigale, ayant chanté
     Tout l'été,
Se trouva fort dépourvue
Quand la bise fut venue :
Pas un seul petit morceau
De mouche ou de vermisseau.
Elle alla crier famine
Chez la Fourmi sa voisine,
La priant de lui prêter
Quelque grain pour subsister
Jusqu'à la saison nouvelle.
« Je vous paierai, lui dit-elle,
Avant l'août, foi d'animal,
Intérêt et principal. »
La Fourmi n'est pas prêteuse :
C'est là son moindre défaut.
« Que faisiez-vous au temps chaud ?
Dit-elle à cette emprunteuse.
— Nuit et jour à tout venant
Je chantais, ne vous déplaise.
— Vous chantiez ? j'en suis fort aise :
Eh bien ! dansez maintenant. »

le corbeau et le renard

Jean de La Fontaine

Maître Corbeau, sur un arbre perché,
Tenait en son bec un fromage.
Maître Renard, par l'odeur alléché,
Lui tint à peu près ce langage :
« Hé ! bonjour, monsieur Du Corbeau.
Que vous êtes joli ! que vous me semblez beau !
Sans mentir, si votre ramage
Se rapporte à votre plumage,
Vous êtes le phénix des hôtes de ces bois. »
À ces mots le corbeau ne se sent plus de joie ;
Et, pour montrer sa belle voix,
Il ouvre un large bec, laisse tomber sa proie.
Le renard s'en saisit et dit : « Mon bon monsieur,
Apprenez que tout flatteur
Vit aux dépens de celui qui l'écoute :
Cette leçon vaut bien un fromage, sans doute. »
Le corbeau, honteux et confus,
Jura, mais un peu tard, qu'on ne l'y prendrait plus.

le chêne et le roseau

Jean de La Fontaine

Le Chêne un jour dit au Roseau :
« Vous avez bien sujet d'accuser la nature ;
Un roitelet pour vous est un pesant fardeau ;
Le moindre vent qui d'aventure
Fait rider la face de l'eau,
Vous oblige à baisser la tête ;
Cependant que mon front, au Caucase pareil,
Non content d'arrêter les rayons du soleil,
Brave l'effort de la tempête.
Tout vous est aquilon, tout me semble zéphyr.
Encor si vous naissiez à l'abri du feuillage
Dont je couvre le voisinage,
Vous n'auriez pas tant à souffrir :
Je vous défendrais de l'orage ;
Mais vous naissez le plus souvent
Sur les humides bords des royaumes du vent.
La nature envers vous me semble bien injuste.
— Votre compassion, lui répondit l'arbuste,
Part d'un bon naturel ; mais quittez ce souci :
Les vents me sont moins qu'à vous redoutables ;

Je plie, et ne romps pas. Vous avez jusqu'ici
Contre leurs coups épouvantables
Résisté sans courber le dos ;
Mais attendons la fin. » Comme il disait ces mots,
Du bout de l'horizon accourt avec furie
Le plus terrible des enfants
Que le Nord eût portés jusque-là dans ses flancs.
L'arbre tient bon ; le Roseau plie.
Le vent redouble ses efforts.
Et fait si bien qu'il déracine
Celui de qui la tête au ciel était voisine
Et dont les pieds touchaient à l'empire des morts.

songe d'athalie

Racine

… Un songe (me devrais-je inquiéter d'un songe ?)
Entretient dans mon cœur un chagrin qui le ronge.
Je l'évite partout, partout il me poursuit.
C'était pendant l'horreur d'une profonde nuit.
Ma mère Jézabel devant moi s'est montrée,
Comme au jour de sa mort pompeusement parée.
Ses malheurs n'avaient point abattu sa fierté ;
Même elle avait encor cet éclat emprunté
Dont elle eut soin de peindre et d'orner son visage,
Pour réparer des ans l'irréparable outrage.
« Tremble, m'a-t-elle dit, fille digne de moi.
Le cruel Dieu des Juifs l'emporte aussi sur toi.
Je te plains de tomber dans ses mains redoutables,
Ma fille. » En achevant ces mots épouvantables,
Son ombre vers mon lit a paru se baisser ;
Et moi, je lui tendais les mains pour l'embrasser.
Mais je n'ai plus trouvé qu'un horrible mélange
D'os et de chair meurtris, et traînés dans la fange,
Des lambeaux pleins de sang, et des membres
[affreux,
Que des chiens dévorants se disputaient entre eux…

214   *(extrait)*

le paysage ou les promenades de port-royal-des-champs

Racine

Ode première
Louange de Port-Royal en général

Saintes demeures du silence,
Lieux pleins de charmes et d'attraits,
Port où, dans le sein de la paix,
Règne la grâce et l'innocence ;
Beaux déserts qu'à l'envi des cieux,
De ses trésors les plus précieux
A comblés la nature,
Quelle assez brillante couleur
Peut tracer la peinture
De votre adorable splendeur ?

215

dix-septième siècle

Les moins éclatantes merveilles
De ces plaines ou de ces bois
Pourraient-elles pas mille fois
Épuiser les plus doctes veilles ?
Le soleil vit-il dans son tour
Quelque si superbe séjour
Qui ne vous rende hommage ?
Et l'art des plus riches cités
A-t-il la moindre image
De vos naturelles beautés ?

Je sais que ces grands édifices
Que s'élève la vanité
Ne souillent point la pureté
De vos innocentes délices.
Non, vous n'offrez point à nos yeux
Ces tours qui jusque dans les cieux
Semblent porter la guerre,
Et qui, se perdant dans les airs,
Vont encor sous la terre
Se perdre dedans les enfers.

Tous ces bâtiments admirables,
Ces palais partout si vantés,
Et qui sont comme cimentés
Du sang des peuples misérables,
Enfin tous ces augustes lieux
Qui semblent faire autant de dieux
De leurs maîtres superbes,
Un jour trébuchant avec eux,
Ne seront sur les herbes
Que de grands sépulcres affreux.

Mais toi, solitude féconde,
Tu n'as rien que de saints attraits,
Qui ne s'effaceront jamais
Que par l'écroulement du monde :
L'on verra l'émail de tes champs
Tant que la nuit de diamants
Sèmera l'hémisphère ;
Et tant que l'astre des saisons
Dorera sa carrière,
L'on verra l'or de tes moissons.

Que si parmi tant de merveilles
Nous ne voyons point ces beaux ronds,
Ces jets où l'onde par ses bonds
Charme les yeux et les oreilles,
Ne voyons nous pas dans tes prés
Se rouler sur des lits dorés
Cent flots d'argent liquide,
Sans que le front du laboureur
À leur course rapide
Joigne les eaux de sa sueur ?

La nature est inimitable ;
Et quand elle est en liberté,
Elle brille d'une clarté
Aussi douce que véritable.
C'est elle qui sur ces vallons,
Ces bois, ces prés et ces sillons
Signale sa puissance ;
C'est elle par qui leurs beautés,
Sans blesser l'innocence,
Rendent nos yeux comme enchantés.

217

les embarras de paris

Nicolas Boileau

Qui frappe l'air, bon Dieu ! de ces lugubres cris ?
Est-ce donc pour veiller qu'on se couche à Paris ?
Et quel fâcheux démon, durant des nuits entières,
Rassemble ici les chats de toutes gouttières ?
J'ai beau sauter du lit, plein de trouble et d'effroi,
Je pense qu'avec eux tout l'enfer est chez moi :
L'un miaule en grondant comme un tigre en furie ;
L'autre roule sa voix comme un enfant qui crie.
Ce n'est pas tout encor : les souris et les rats
Semblent, pour m'éveiller, s'entendre avec les chats.
Plus importuns pour moi, durant la nuit obscure,
Que jamais, en plein jour, ne fut l'abbé de Pure.
Tout conspire à la fois à troubler mon repos,
Et je me plains ici du moindre de mes maux :

Car à peine les coqs, commençant leur ramage,
Auront de cris aigus frappé le voisinage
Qu'un affreux serrurier, laborieux Vulcain,
Qu'éveillera bientôt l'ardente soif du gain,
Avec un fer maudit, qu'à grand bruit il apprête,
De cent coups de marteau me va fendre la tête.
J'entends déjà partout les charrettes courir,
Les maçons travailler, les boutiques s'ouvrir :
Tandis que dans les airs mille cloches émues
D'un funèbre concert font retentir les nues ;
Et, se mêlant au bruit de la grêle et des vents,
Pour honorer les morts font mourir les vivants.

Encore je bénirais la bonté souveraine,
Si le ciel à ces maux avait borné ma peine :
Mais si, seul en mon lit, je peste avec raison,
C'est encor pis vingt fois en quittant la maison ;
En quelque endroit que j'aille, il faut fendre la presse
D'un peuple d'importuns qui fourmillent sans cesse.
L'un me heurte d'un ais dont je suis tout froissé ;
Je vois d'un autre coup mon chapeau renversé.
Là, d'un enterrement la funèbre ordonnance
D'un pas lugubre et lent vers l'église s'avance ;
Et plus loin des laquais l'un l'autre s'agaçant,
Font aboyer les chiens et jurer les passants.
Des paveurs en ce lieu me bouchent le passage ;
Là, je trouve une croix de funeste présage,
Et des couvreurs grimpés au toit d'une maison
En font pleuvoir l'ardoise et la tuile à foison.
Là, sur une charrette une poutre branlante
Vient menaçant de loin la foule qu'elle augmente ;
Six chevausx attelés à ce fardeau pesant
Ont peine à l'émouvoir sur le pavé glissant.
D'un carrosse en tournant il accroche une roue,

219

Et du choc le renverse en un grand tas de boue :
Quand un autre à l'instant s'afforçant de passer,
Dans le même embarras se vient embarrasser.
Vingt carrosses bientôt arrivant à la file
Y sont en moins de rien suivis de plus de mille ;
Et, pour surcroit de maux, un sort malencontreux
Conduit en cet endroit un grand troupeau de bœufs ;
Chacun prétend passer ; l'un mugit, l'autre jure.
Des mulets en sonnant augmentent le murmure.
Aussitôt cent chevaux dans la foule appelés
De l'embarras qui croît ferment les défilés,
Et partout les passants enchaînant les brigades,
Au milieu de la paix font voir les barricades,
On n'entend que des cris poussés confusément :
Dieu, pour s'y faire ouïr, tonnerait vaienement.
Moi donc, qui dois souvent en certain lieu me rendre,
Le jour déjà baissant, et qui suis las d'attendre,
Ne sachant plus tantôt à quel saint me vouer,
Je me mets au hasard de me faire rouer.
Je saute vingt ruisseaux, j'esquive, je me pousse ;
Guénaud sur son cheval en passant m'éclabousse.
Et, n'osant plus paraître en l'état où je suis,
Sans songer où je vais, je me sauve où je puis.

Tandis que dans un coin en grondant je m'essuie,
Souvent, pour m'achever, il survient une pluie :
On dirait que le ciel, qui se fond tout en eau,
Veuille inonder ces lieux d'un déluge nouveau.
Pour traverser la rue, au milieu de l'orage,
Un ais sur deux pavés forme un étroit pasage ;
Le plus hardi laquais n'y marche qu'en tremblant :
Il faut pourtant passer sur ce pont chancelant ;
Et les nombreux torrents qui tombent des gouttières,
Grossissant les ruisseaux, en ont fait des rivières.

J'y passe en trébuchant ; mais malgré l'embarras
La frayeur de la nuit précipite mes pas.
Car, sitôt que du soir les ombres pacifiques
D'un double cadenas font fermer les boutiques ;
Que, retiré chez lui, le paisible marchand
Va revoir ses billets et compter son argent :
Que dans le Marché-Neuf tout est calme et tranquille,
Les voleurs à l'instant s'emparent de la ville.
Le bois le plus funeste et le moins fréquenté
Est, au prix de Paris, un lieu de sûreté.
Malheur donc à celui qu'une affaire imprévue
Engage un peu trop tard au détour d'une rue !
Bientôt quatre bandits lui serrant les côtés :
La bourse !… Il faut se rendre ; ou bien non, résistez,
Afin que votre mort, de tragique mémoire,
Des massacres fameux aille grossir l'histoire.
Pour moi, fermant ma porte et cédant au sommeil,
Tous les jours je me couche avecque le soleil ;
Mais en ma chambre à peine ai-je éteint la lumière,
Qu'il ne m'est plus permis de fermer la paupière.

Des filous effrontés, d'un coup de pistolet,
Ébranlent ma fenêtre et percent mon volte ;
J'entends crier partout : Au meutre ! On m'assassine !
Ou : le feu vient de prendre à la maison voisine !
Tremblant et demi-mort, je me lève à ce bruit
Et souvent sans pourpoint je cours toute la nuit.
Car le feu, dont la flamme en ondes se déploie,
Fait de notre quartier une seconde Troie,
Où maint Grec affamé, maint avide Argien,
Au travers des charbons va piller le Troyen.
Enfin sous mille crocs la maison abîmée
Entraîne aussi le feu qui se perd en fumée.
Je me retire donc, encor pâle d'effroi ;

dix-septième siècle

Mais le jour est venu quand je rentre chez moi.
Je fais pour reposer un effort inutile :
Ce n'est qu'à prix d'argent qu'on dort en cette ville.
Il faudrait, dans l'enclos d'un vaste logement,
Avoir loin de la rue un autre appartement.

Paris est pour un riche un pays de Cocagne :
Sans sortir de la ville, il trouve la campagne ;
Il peut dans son jardin, tout peuplé d'arbres verts,
Receler le printemps au milieu des hivers ;
Et, foulant le parfum de ces plantes fleuries,
Aller entretenir ses douces rêveries.

Mais moi, grâce au destin, qui n'ai ni feu ni lieu,
Je me loge où je puis et comme il plaît à Dieu.

nicolas boileau

chapitre IV

dix-huitième

Siècle

je ne puis plus me dépeindre moi-même...

Fénelon

Je ne puis plus me dépeindre moi-même,
Je ne sais plus ce que devient mon cœur :
Ce que je hais, en un moment je l'aime :
En moi tout passe, excepté ma langueur.

Je ne vois plus chemin, sentier, ni trace,
Vois-je un sommet de rochers escarpé,
Tout aussitôt, c'est par là que je passe,
Prêt à tomber du roc où j'ai grimpé.

Amour, amour, que veux-tu que je fasse ?
Je ne sais plus ce que tu fais en moi ;
Ce qui s'imprime en un moment s'efface :
Tu m'ôtes tout jusqu'à ta propre loi.

Tu veux régner, amour, et tu te caches ;
Sans t'expliquer, tu demandes toujours.
Amour cruel, tu crains que je ne sache
De tes chemins réglés suivre le cours.

C'est peu pour toi que n'avoir plus de vie
Et qu'abîmer ce Moi jadis si cher ;
Il faut encore craindre ta jalousie,
Suivre à l'aveugle et n'oser te chercher.

Eh bien ! c'est fait : je ne sais plus si j'aime,
Je ne veux plus songer à le savoir.
Dieu dans mon cœur s'aimera seul lui-même :
Il fera tout sans me le laisser voir.

l'ivrogne

Jean-Baptiste Villart de Grécourt

Un maître ivrogne, dans la rue,
Contre une borne se heurta :
Dans l'instant sa colère émue
À la vengeance le porta.
Le voilà d'estoc et de taille
À ferrailler contre le mur.
« Ou bien il a sa cote de maille,
Disait-il, ou bien il est dur. »
En s'escrimant donc de plus belle,
Et pan et pan, il avançait,
Lorsqu'il sortit une étincelle
De la pierre qu'il agaçait.
Sa valeur en fut constipée :
« Oh ! oh ! ceci passe le jeu ;
Rengainons vite notre épée :
Le vilain porte une arme à feu. »

épitaphe de grécourt par lui-même

Jean-Baptiste Villart de Grécourt

Ci-gît l'auteur de Philopode
Autrement dit Philotanus,
Ainsi qu'il sera plus commode
À la bulle Uginetus.
Moitié grave, moitié bouffonne,
Sa muse assez joyeusement,
Le mena jusqu'à son automne,
Avec les plaisirs du printemps.
Il s'était fait un caractère
D'après Verville et Rabelais;
Dans l'art de varier les faits
Il avait saisi la manière;

dix-huitième siècle

Bon estomac, esprit très vif,
Il était un héros de table.
Plus libre en propos qu'inventif,
Et bien plus plaisant qu'imitable.
Il est mort le pauvre chrétien !
Molina perd un adversaire
Et l'amour un historien.
Si je consulte son bréviaire
La religion n'y perd rien.

la solitude de fontenay

Chaulieu

Désert, aimable solitude,
Séjour du calme et de la paix,
Asile où n'entrèrent jamais
Le tumulte et l'inquiétude,

Quoi ! j'aurai tant de fois chanté,
Aux tendres accords de ma lyre,
Tout ce qu'on souffre sous l'empire
De l'amour et de la beauté ;

Et, plein de la reconnaissance
De tous les biens que tu m'as faits,
Je laisserai dans le silence
Tes agréments et tes bienfaits !

C'est toi qui me rends à moi-même :
Tu calmes mon cœur agité,
Et de ma seule oisiveté
Tu me fais un bonheur extrême.

dix-huitième siècle

Parmi ces bois et ces hameaux,
C'est là que je commence à vivre ;
Et j'empêcherai de m'y suivre
Le souvenir de tous mes maux.

Emploi, grandeurs tant désirées,
J'ai connu vos illusions ;
Je vis loin des préventions
Qui forgent vos chaînes dorées.

La Cour ne peut plus m'éblouir ;
Libre de son joug le plus rude,
J'ignore ici la servitude
De louer qui je dois haïr.

Fils des dieux, qui de flatteries
Repaissez votre vanité,
Apprenez que la vérité
Ne s'entend que dans nos prairies.

Grotte d'où sort ce clair ruisseau,
De mousse et de fleurs tapissée,
N'entretiens jamais ma pensée
Que du murmure de ton eau.

Ah ! quelle riante peinture
Chaque jour se montre à mes yeux
Des trésors dont la main des dieux
Se plaît d'enrichir la nature !

Quel plaisir de voir les troupeaux,
Quand le midi brûle l'herbette,
Rangés autour de la houlette,
Chercher l'ombre sous ces ormeaux !

Puis, sur le soir, à nos musettes,
Ouïr répondre les coteaux,
Et retenir tous nos hameaux
De hautbois et de chansonnettes !

Mais hélas ! ces paisibles jours
Coulent avec trop de vitesse ;
Mon insolence et ma paresse
N'en peuvent arrêter le cours.

Déjà la vieillesse s'avance,
Et je verrai dans peu la mort
Exécuter l'arrêt du sort,
Qui m'y livre sans espérance.

Fontenay, lieu délicieux,
Où je vis d'abord la lumière,
Bientôt, au bout de la carrière,
Chez toi je joindrai mes aïeux.

Muses, qui dans ce lieu champêtre
Avec soin me fîtes nourrir,
Beaux arbres, qui m'avez vu naître,
Bientôt vous me verrez mourir.

Cependant, du frais de votre ombre
Il faut sagement profiter,
Sans regret, prêt à vous quitter
Pour ce manoir terrible et sombre,

Où des arbres dont tout exprès,
Pour un plus doux et long usage,
Mes mains ornèrent ce bocage,
Nul ne me suivra qu'un cyprès.

circé

Jean-Baptiste Rousseau

Sur un rocher désert, l'effroi de la nature,
Dont l'aride sommet semble toucher les cieux,
Circé, pâle, interdite, et la mort dans les yeux,
Pleurait sa funeste aventure.
Là, ses yeux errant sur les flots,
D'Ulysse fugitif semblaient suivre la trace.
Elle croit voir encor son volage héros ;
Et, cette illusion soulagant sa disgrâce,
Elle le rappelle en ces mots,
Qu'interrompent cent fois ses pleurs et ses sanglots :

« Cruel auteur des troubles de mon âme,
Que la pitié retarde un peu tes pas !
Tourne un moment tes yeux sur ces climats ;
Et, si ce n'est pour partager ma flamme,
Reviens du moins pour hâter mon trépas.

« Ce triste cœur, devenu ta victime,
Chérit encor l'amour qui l'a surpris :
Amour fatal ! la haine en est le prix.
Tant de tendresse, ô dieux ! est-elle un crime,
Pour mériter de si cruels mépris ?

234

jean-baptiste rousseau

« Cruel auteur des troubles de mon âme,
Que la pitié retarde un peu tes pas !
Tourne un moment tes yeux sur ces climats ;
Et, si ce n'est pour partager ma flamme,
Reviens du moins pour hâter mon trépas.

C'est ainsi qu'en regrets sa douleur se déclare ;
Mais bientôt, de son art employant le secours
Pour rappeler l'objet de ses tristes amours,
Elle invoque à grands cris tous les dieux du Ténare,
Les Parques, Némésis, Cerbère, Phlégéton,
Et l'inflexible Hécate, et l'horrible Alecton.

Sur un autel sanglant l'affreux bûcher s'allume,
La foudre dévorante aussitôt le consume ;
Mille noires vapeurs obscurcissent le jour ;
Les astres de la nuit interrompent leur course ;
Les fleuves étonnés remontent vers leur source ;
Et Pluton même tremble en son obscur séjour.

Sa voix redoutable
Trouble les enfers ;
Un bruit formidable
Gronde dans les airs ;
Un voile effroyable
Couvre l'univers ;
La terre tremblante
Frémit de terreur ;
L'onde turbulente
Mugit de fureur ;
La lune sanglante
Recule d'horreur.

Dans le sein de la mort ses noirs enchantements
Vont troubler le repos des ombres :

dix-huitième siècle

Les mânes effrayés quittent leurs monuments ;
L'air retentit au loin de leurs longs hurlements ;
Et les vents, échappés de leurs cavernes sombres,
Mêlent à leurs clameurs d'horribles sifflements.
Inutiles efforts ! amante infortunée,
D'un Dieu plus fort que toi dépend ta destinée :
Des enfers déchaînés allumer la colère ;
Mais tes fureurs ne feront pas
Ce que tes attraits n'ont pu faire.

Ce n'est point par effort qu'on aime,
L'amour est jaloux de ses droits ;
Il ne dépend que de lui-même,
On ne l'obtient que par son choix.
Tout reconnaît sa loi suprême ;
Lui seul ne connaît point de lois.
Dans les champs que l'hiver désole
Flore vient rétablir sa cour ;
L'Alcyon fuit devant Éole ;
Éole le fuit à son tour :
Mais sitôt que l'amour s'envole,
Il ne connaît plus de retour.

le mot et la chose

Charles-Gabriel de Lattaignant

Madame quel est votre mot
Et sur le mot et sur la chose
On vous a dit souvent le mot
On vous a fait souvent la chose
Ainsi de la chose et du mot
Vous pouvez dire quelque chose
Et je gagerais que le mot
Vous plaît beaucoup moins que la chose
Pour moi voici quel est mon mot
Et sur le mot et sur la chose
J'avouerai que j'aime le mot
J'avouerai que j'aime la chose
Mais c'est la chose et le mot
Mais c'est le mot avec la chose
Autrement la chose et le mot
À mes yeux seraient peu de chose
Je crois même en faveur du mot
Pouvoir ajouter quelque chose
Une chose qui donne au mot
Tout l'avantage sur la chose

C'est qu'on peut dire encore le mot
Alors qu'on ne fait plus la chose
Et pour peu que vaille le mot
Mon Dieu c'est toujours quelque chose
De là je conclus que le mot
Doit être mis avant la chose
Qu'il ne faut ajouter au mot
Qu'autant que l'on peut quelque chose
Et que pour le jour où le mot
Viendra seul hélas sans la chose
Il vaudra seul hélas sans la chose
Il faut se réserver le mot
Pour se consoler de la chose
Pour vous je crois qu'avec le mot
Vous voyez toujours autre chose
Vous dites si gaiement le mot
Vous méritez si bien la chose
Que pour vous la chose et le mot
Doivent être la même chose
Et vous n'avez pas dit le mot
Qu'on est déjà prêt à la chose
Mais quand je vous dis que le mot
Doit être mis avant la chose
Vous devez me croire à ce mot
Bien peu connaisseur en la chose
Eh bien voici mon dernier mot
Et sur le mot et sur la chose
Madame passez-moi le mot
Et je vous passerai la chose

le mondain

Voltaire

...Regrettera qui veut le bon vieux temps
Et l'âge d'or, et le règne d'Astrée,
Et les beaux jours de Saturne et de Rhée,
Et le jardin de nos premiers parents ;
Moi je rends grâce à la nature sage
Qui, pour mon bien, m'a fait naître en cet âge
Tant décrié par nos tristes frondeurs :
Ce temps profane et tout fait pour mes mœurs.
J'aime le luxe, et même la mollesse,
Tous les plaisirs, les arts de toute espèce,
La propreté, le goût, les ornements :
Tout honnête homme a de tels sentiments.
Il est bien doux pour mon cœur très immonde
De voir ici l'abondance à la ronde,
Mère des arts et des heureux travaux,
Nous apporter, de sa source féconde,
Et des besoins et des plaisirs nouveaux.
L'or de la terre et les trésors de l'onde,
Leurs habitants et les peuples de l'air,
Tout sert au luxe, aux plaisirs de ce monde.
Oh ! le bon temps que ce siècle de fer !
Le superflu, chose très nécessaire,
A réuni l'un et l'autre hémisphère...

(extrait)

stances à madame du châtelet

Voltaire

Si vous voulez que j'aime encore,
Rendez-moi l'âge des amours ;
Au crépuscule de mes jours
Rejoignez, s'il se peut, l'aurore.

Des beaux lieux où le dieu du vin
Avec l'Amour tient son empire,
Le Temps, qui me prend par la main,
M'avertit que je me retire.

De son inflexible rigueur
Tirons au moins quelque avantage.
Qui n'a pas l'esprit de son âge
De son âge a tout le malheur.

Laissons à la belle jeunesse
Ses folâtres emportements :
Nous ne vivons que deux moments ;
Qu'il en soit un pour la sagesse.

Quoi! pour toujours vous me fuyez,
Tendresse, illusion, folie,
Dons du Ciel, qui me consoliez
Des amertumes de la vie!

On meurt deux fois, je le vois bien :
Cesser d'aimer et d'être aimable
C'est une mort insupportable :
Cesser de vivre, ce n'est rien.

Ainsi je déplorais la perte
Des erreurs de mes premiers ans;
Et mon âme, aux désirs ouverte,
Regrettait ses égarements.

Du ciel alors daignant descendre,
L'Amitié vint à mon secours;
Elle était peut-être aussi tendre,
Mais moins vive que les Amours.

Touché de sa beauté nouvelle,
Et de sa lumière éclairé,
Je la suivis; mais je pleurai
De ne pouvoir plus suivre qu'elle.

le songe creux

Voltaire

Je veux conter comment, la nuit dernière,
D'un vin d'Arbois largement abreuvé,
Par passe-temps dans mon lit j'ai rêvé
Que j'étais mort, et ne me trompais guère.
Je vis d'abord notre portier Cerbère
De trois gosiers aboyant à la fois ;
Il me fallut traverser trois rivières ;
On me montra les trois sœurs filandières
Qui font le sort des peuples et des rois.
Je fus conduit vers trois juges sournois
Qu'accompagnaient trois gaupes effroyables ;
Filles d'enfer et geôlières des diables ;
Car, Dieu merci, tout se faisait par trois.
Ces lieux d'horreur effarouchaient ma vue ;
Je frémissais à la sombre étendue
Du vaste abîme où des esprit pervers
Semblaient avoir englouti l'univers.
Je réclamais la clémence infinie
Des puissants dieux, auteurs de tous les biens ;
Je l'accusais, lorsqu'un heureux génie
Me conduisit aux champs élysiens,
Au doux séjour de la paix éternelle,

Et des plaisirs qui, dit-on, sont nés d'elle.
On me montra, sous des ombrages frais,
Mille héros connus par les bienfaits
Qu'ils ont versés sur la race mortelle,
Et qui pourtant n'existèrent jamais :
Le grand Bacchus, digne en tout de son père ;
Bellérophon, vainqueur de la Chimère ;
Cent demi-dieux des Grecs et des Romains.
En tous les temps tout pays eut ses saints.
Or, mes amis, il faut que je déclare
Que, si j'étais rebuté du Tartare,
Cet Élysée et sa froide beauté
M'avaient aussi promptement dégoûté.
Impatient de fuir cette cohue,
Pour m'esquiver je cherchais une issue,
Quand j'aperçus un fantôme effrayant,
Plein de fumée et tout enflé de vent,
Et qui semblait me fermer le passage.
« — Que me veux-tu ? dis-je à ce personnage.
— Rien, me dit-il, car je suis le néant ;
Tout ce pays est de mon apanage. »
De ce discours je fus un peu troublé :
« — Toi, le néant ! jamais il n'a parlé…
— Si fait, je parle ; on m'invoque, et j'inspire
Tous les savants qui sur mon vaste empire
Ont publié tant d'énormes fatras…
— Eh bien ! mon roi, je me jette en tes bras ;
Puisqu'en ton sein tout l'univers se plonge,
Tiens, prends mes vers, ma personne et mon songe ;
Je porte envie au mortel fortuné
Qui t'appartient aussitôt qu'il est né. »

sur fréron

Voltaire

Sur Fréron

L'autre jour, au fond d'un vallon,
Un serpent piqua Jean Fréron ;
Que pensez-vous qu'il arriva ?
Ce fut le serpent qui creva.

adieux à la vie

Voltaire

Adieu; je vais dans ce pays
D'où ne revint point feu mon père :
Pour jamais adieu, mes amis,
Qui ne me regretterez guère.
Vous en rirez, mes ennemis;
C'est le *requiem* ordinaire.
Vous en tâterez quelque jour;
Et, lorsqu'aux ténébreux rivages
Vous irez trouver vos ouvrages,
Vous ferez rire à votre tour.

Quand sur la scène de ce monde
Chaque homme a joué son rôlet,
En partant il est à la ronde
Reconduit à coups de sifflet.
Dans leur dernière maladie,
J'ai vu des gens de tous états,
Vieux évêques, vieux magistrats,
Vieux courtisans à l'agonie.
Vainement en cérémonie
Avec sa clochette arrivait

dix-huitième siècle

L'attirail de la sacristie;
Le curé vainement oignait
Notre vieille âme à sa sortie;
Le public malin s'en moquait;
La satire un moment parlait
Des ridicules de sa vie;
Puis à jamais on l'oubliait :
Ainsi la farce était finie.
Le purgatoire ou le néant
Terminait cette comédie.

Petits papillons d'un moment,
Invisibles marionnettes,
Qui volez si rapidement
De Polichinelle au néant,
Dites-moi donc ce que vous êtes.
Au terme où je suis parvenu
Quel mortel est le moins à plaindre?
C'est celui qui ne sait rien craindre,
Qui vit et qui meurt inconnu.

épitaphe
de voltaire

Jean-Jacques Rousseau

Plus bel esprit que beau génie,
Sans foi, sans honneur, sans vertu,
Il mourut comme il a vécu,
Couvert de gloire et d'infamie.

le verger de madame de warens

Jean-Jacques Rousseau

Verger cher à mon cœur, séjour de l'innocence,
Honneur des plus beaux jours que le ciel me di
[pense,
Solitude charmante, Azile de la paix ;
Puissai-je, heureux verger, ne vous quitter jamais.

Ô jours délicieux coulés sous vos ombrages !
De Philomèle en pleurs les languissants ramages,
D'un ruisseau fugitif le murmure flatteur,
Excitent dans mon âme un charme séducteur.
J'apprens sur vôtre émail à jouir de la vie :
J'apprens à méditer sans regrets, sans envie
Sur les frivoles goûts des mortels insensés.
Leurs jours tumultueux l'un par l'autre poussés

N'enflamment point mon cœur du désir de les suivre.
À de plus grands plaisirs je mets le prix de vivre ;
Plaisirs toûjours charmans, toûjours doux, toûjours
[purs,
À mon cœur enchanté vous êtes toûjours surs.
Soit qu'au premier aspect d'un beau jour près
[d'éclore
J'aille voir les côteaux qu'un Soleil levant dore ;
Soit que vers le midi chassé par son ardeur,
Sous un arbre touffu je cherche la fraîcheur ;
Là portant avec moi Montaigne ou la Bruiére,
Je ris tranquillement de l'humaine misère ;
Ou bien avec Socrate et le Divin Platon,
Je m'exerce à marcher sur les pas de Caton :
Soit qu'une nuit brillante en étendant ses voiles
Découvre à mes regards la Lune et les étoiles,
Alors, suivant de loin la Hire et Cassini,
Je calcule, j'observe, et près de l'infini
Sur ces mondes divers que l'Aether nous recèle
Je pousse, en raisonnant, Huyghens et Fontenelle :
Soit enfin que surpris d'un orage imprévu,
Je rassûre en courant le Berger éperdu,
Qu'épouvantent les vents qui sifflent sur sa tête ;
Les tourbillons, l'éclair, la foudre, la tempête ;
Toujours également heureux et satisfait,
Je ne désire point un bonheur plus parfait.

les voyages

Antoine de Bertin

Je le verrai ce beau ciel de Provence,
Ces vallons odorants tout peuplés d'orangers,
Où l'on dit qu'autrefois des poètes bergers,
Les premiers dans leurs vers marquèrent la cadence;
Je verrai ce paisible port,
Et les antiques tours de la riche Marseille.
Vos vaisseaux sont-ils prêts? Poussez-nous loin du
[bord,
Compagnons, courbez-vous sur des rames pareilles,
Fendez légèrement le dos des flots amers,
Abandonnez la voile au souffle qui l'entraîne.
Le zéphyr règne dans les airs,
Et mollement porté sur la mer le Tyrrhêne,
Je découvre déjà la ville des Césars,
Rome, en guerriers fameux autrefois si féconde,
Rome, encore aujourd'hui l'empire des beaux-arts,
L'oracle de vingt rois et le temple du monde.
Voilà donc le foyer des fils de Scipion,
Et les fiers descendants du demi-dieu du Tibre!
Voilà ce Capitole et ce beau Panthéon,

Où semble encore errer l'ombre d'un peuple libre!
Oh! qui me nommera tous ces marbres épars,
Et ces grands monuments dont mon âme est frappée!
Montons au Vatican, courons au champ de Mars,
Au portique d'Auguste, à celui de Pompée.
Sont-ce là les jardins où Catulle autrefois
Se promenait le soir à côté d'Hypsithille?
Citoyens (s'il en est que réveille ma voix),
Montrez-moi la maison d'Horace et de Virgile!
      Avec quel doux saisissement,
Ton livre en main, voluptueux Horace,
Je parcourais ces bois et ce coteau charmant
Que ta muse a décrits dans des vers pleins de grâce,
De bon goût délicat, éternel monument!
      J'irai dans tes champs de Sabine,
Sous l'abri frais de ces longs peupliers
      Qui couvrent encor la ruine
De tes modestes bains, de tes humbles celliers;
      J'irai chercher, d'un œil avide,
De leurs débris sacrés un reste enseveli,
      Et dans ce désert embelli
Par l'Anio grondant dans sa chute rapide,
      Respirer la poussière humide
      Des cascades de Tivoli.
  Puissé-je, hélas! au doux bruit de leur onde,
Finir mes jours, ainsi que mes revers!
      Ce petit coin de l'Univers
Rit plus à mes regards que le reste du monde.

le singe qui montre la lanterne magique

Florian

Messieurs les beaux esprits, dont la prose et les vers
Sont d'un style pompeux et toujours admirable,
Mais que l'on n'entend point, écoutez cette fable,
      Et tâchez de devenir clairs.
Un homme qui montroit la lanterne magique
      Avoit un singe dont les tours
      Attiroient chez lui grand concours;
Jacqueau, c'étoit son nom, sur la corde élastique
      Dansoit et voltigeoit au mieux,
      Puis faisoit le saut périlleux,

Et puis sur un cordor, sans que rien le soutienne,
      Le corps droit, fixe, d'à-plomb,
      Notre Jacqueau fait tout du long
      L'exercice à la prussienne.
Un jour qu'au cabaret son maître étoit resté!
      (C'étoit, je pense, un jour de fête)
      Notre singe en liberté
      Veut faire un coup de sa tête.
Il s'en va rassembler les divers animaux
      Qu'il peut rencontrer dans la ville;
      Chiens, chats, poulets, dindons, pourceaux,
      Arrivent bientôt à la file.
Entrez, entrez, messieurs, crioit notre Jacqueau;
C'est ici, c'est ici qu'un spectacle nouveau
Vous charmera gratis. Oui, messieurs, à la porte
On ne prend point d'argent, je fais tout pour
                              [l'honneur.
      À ces mots, chaque spectacteur
      Va se placer, et l'on apporte
La lanterne magique; on ferme les volets,
      Et, par un discours fait exprès,
      Jacqueau prépare l'auditoire.
      Ce morceau vraiment oratoire
      Fit bâiller; mais on applaudit.
Content de son succès, notre singe saisit
Un verre peint qu'il met dans sa lanterne.
      Il sait comment on le gouverne,
Et crie en le poussant : Est-il rien de pareil?
      Messieurs, vous voyez le soleil,
      Ses rayons et toute sa gloire.
Voici présentement la lune; et puis l'histoire
      D'Adam, d'Eve et des animaux…
      Voyez, messieurs, comme ils sont beaux!
      Voyez la naissance du monde;
Voyez… Les spectateurs, dans une nuit profonde.

Écarquilloient leurs yeux et ne pouvoient rien voir ;
     L'appartement, le mur, tout étoit noir.
Ma foi, disoit un chat, de toutes les merveilles
       Dont il étourdit nos oreilles,
       Le fait est que je ne vois rien.
       Ni moi non plus, disoit un chien.
Moi, disoit un dindon, je vois bien quelque chose ;
       Mais je ne sais pour quelle cause
       Je ne distingue pas très bien.
Pendant tous ces discours, le Cicéron moderne
Parloit éloquemment et ne se lassoit point.
       Il n'avoit oublié qu'un point,
       C'étoit d'éclairer sa lanterne.

le château de cartes

Florian

Un bon mari, sa femme et deux jolis enfants
Couloient en paix leurs jours dans le simple ermitage
Où, paisibles comme eux, vécurent leurs parents.
Ces époux, partageant les doux soins du ménage,
Cultivoient leur jardin, recueilloient leurs moissons ;
Et le soir, dans l'été, soupant sous le feuillage,
   Dans l'hiver, devant leurs tisons,
Ils prêchoient à leurs fils la vertu, la sagesse,
Leur parloient du bonheur qu'ils procurent toujours.
Le père par un conte égayoit ses discours,
   La mère par une caresse.
L'aîné de ces enfants, né grave, studieux,
   Lisoit et méditoit sans cesse ;
Le cadet, vif, léger, mais plein de gentillesse,
Sautoit, rioit toujours, ne se plaisoit qu'aux jeux.
Un soir, selon l'usage, à côté de leur père,
Assis près d'une table où s'appuyoit la mère,
L'aîné lisoit Rollin ; le cadet, peu soigneux
D'apprendre les hauts faits des Romains ou des
         [Parthes,

255

Employoit tout son art, toutes ses facultés,
À joindre, à soutenir par les quatre côtés
      Un fragile château de cartes.
Il n'en respiroit pas d'attention, de peur.
      Tout à coup voici le lecteur
Qui s'interrompt. « Papa, dit-il, daigne m'instruire
Pourquoi certains guerriers sont nommés
                   [conquérants
    Et d'autres fondateurs d'empire ;
    Ces deux noms sont-ils différents ? »
Le père méditoit une réponse sage.
Lorsque son fils cadet, transporté de plaisir,
Après tant de travail, d'avoir pu parvenir
      À placer son second étage,
S'écrie : « Il est fini ! » Son frère, murmurant,
Se fâche, et d'un seul coup détruit son long ouvrage ;
      Et voilà le cadet pleurant.
      « Mon fils, répond alors le père,
      Le fondateur c'est votre frère,
      Et vous êtes le conquérant. »

plaisir d'amour

Florian

Plaisir d'amour ne dure qu'un moment,
Chagrin d'amour dure toute la vie.
J'ai tout quitté pour l'ingrate Sylvie,
Elle me quitte et prend un autre amant.
Plaisir d'amour ne dure qu'un moment,
Chagrin d'amour dure toute la vie.

Tant que cette eau coulera doucement
Vers ce ruisseau qui borde la prairie,
Je t'aimerai, me répétait Sylvie…
L'eau coule encor, elle a changé pourtant!
Plaisir d'amour ne dure qu'un moment,
Chagrin d'amour dure toute la vie.

le renard
qui prêche

Florian

Un vieux renard cassé, goutteux, apoplectique,
   Mais instruit, éloquent, disert,
   Et sachant très bien sa logique,
   Se mit à prêcher au désert.
Son style était fleuri, sa morale excellente.
Il prouvait en trois points que la simplicité,
   Les bonnes mœurs, la probité,
Donnent à peu de frais cette félicité
   Qu'un monde imposteur nous présente,
Et nous fait payer cher sans la donner jamais.
Notre prédicateur n'avait aucun succès ;
Personne ne venait, hors cinq ou six marmottes,
   Ou bien quelques biches dévotes
Qui vivaient loin du bruit, sans entour, sans faveur,
Et ne pouvaient pas mettre en crédit l'orateur.
Il prit le bon parti de changer de matière,
Prêcha contre les ours, les tigres, les lions,
   Contre leurs appétits gloutons,
   Leur soif, leur rage sanguinaire.
Tout le monde accourut alors à ses sermons :

258

Cerfs, gazelles, chevreuils y trouvaient mille charmes ;
L'auditoire sortait toujours baigné de larmes ;
Et le nom du renard devint bientôt fameux.
   Un lion, roi de la contrée,
Bonhomme au demeurant, et vieillard fort pieux,
   De l'entendre fut curieux.
Le renard fut charmé de faire son entrée
À la cour : il arrive, il pêche, et cette fois,
Se surpassant lui-même, il tonne, il épouvante
   Les féroces tyrans des bois,
Peint la faible innocence à leur aspect tremblante,
Implorant chaque jour la justice trop lente
   Du maître et du juge des rois.
Les courtisans, surpris de tant de hardiesse,
   Se regardaient sans dire rien,
   Car le roi trouvait cela bien.
La nouveauté parfois fait aimer la rudesse.
Au sortir du sermon, le monarque, enchanté,
Fit venir le renard : « Vous avez su me plaire,
Lui dit-il, vous m'avez montré la vérité ;
   Je vous dois un juste salaire ;
Que me demandez-vous pour prix de vos leçons ? »
Le renard répondit : « Sire, quelques dindons ».

le voyage

Florian

Partir avant le jour, à tâtons, sans voir goutte,
Sans songer seulement à demander sa route ;
Aller de chute en chute, et, se traînant ainsi,
Faire un tiers du chemin jusqu'à près de midi ;
Voir sur sa tête alors s'amasser les nuages,
Dans un sable mouvant précipiter ses pas,
Courir, en essuyant orages sur orages,
Vers un but incertain où l'on arrive pas ;
Détrempé vers le soir, chercher une retraite,
Arriver haletant, se coucher, s'endormir :
On appelle cela naître, vivre et mourir.
La volonté de Dieu soit faite !

la carpe
et les carpillons

Florian

« Prenez garde, mes fils, côtoyez moins le bord,
Suivez le fond de la rivière ;
Craignez la ligne meurtrière,
Ou l'épervier plus dangereux encor. »
C'est ainsi que parlait une carpe de Seine
À de jeunes poissons qui l'écoutaient à peine.
C'était au mois d'avril : les neiges, les glaçons
Fondus par les zéphyrs descendaient des montagnes.
Le fleuve enflé par eux s'élève à gros bouillons,
Et déborde dans les campagnes.
« Ah ! ah ! criaient les carpillons,
Qu'en dis-tu, carpe radoteuse ?
Crains-tu pour nous les hameçons ?
Nous voilà citoyens de la mer orageuse ;
Regarde : on ne voit plus que les eaux et le ciel,
Les arbres sont cachés sous l'onde,
Nous sommes les maîtres du monde.
C'est le déluge universel.

— Ne croyez pas cela, répond la vieille mère ;
Pour que l'eau se retire, il ne faut qu'un instant,
Ne vous éloignez point, et, de peur d'accident,
Suivez, suivez toujours le fond de la rivière.
— Bah ! disent les poissons, tu répètes toujours
Mêmes discours.
Adieu, nous allons voir notre nouveau domaine. »
Parlant ainsi, nos étourdis
Sortent tous du lit de la Seine,
Et s'en vont dans les eaux qui couvrent le pays.
Qu'arriva-t-il ? les eaux se retirèrent,
Et les carpillons demeurèrent ;
Bientôt ils furent pris
Et frits.

Pourquoi quittaient-ils la rivière ?
Pourquoi ? Je le sais trop, hélas !
C'est qu'on se croit toujours plus sage que sa mère,
C'est qu'on veut sortir de sa sphère,
C'est que… C'est que… Je ne finirais pas.

hymne à la justice

André Chénier

France, ô belle contrée, ô terre généreuse,
Que les dieux complaisants formaient pour être
[heureuse,
Tu ne sens point du nord les glaçantes horreurs,
Le midi de ses feux t'épargne les fureurs.
Tes arbres innocents n'ont point d'ombres mortelles ;
Ni des poisons épars dans tes herbes nouvelles
Ne trompent une main crédule ; ni tes bois
Des tigres frémissants ne redoutent la voix ;
Ni les vastes serpents ne traînent sur les plantes
En longs cercles hideux leurs écailles sonnantes.

Les chênes, les sapins et les ormes épais
En utiles rameaux ombragent tes sommets,
Et de Beaune et d'Aï les rives fortunées,
Et la riche Aquitaine, et les hauts Pyrénées,
Sous leurs bruyants pressoirs font couler en ruisseaux
Des vins délicieux mûris sur leurs coteaux.
La Provence odorante et de Zéphire aimée
Respire sur les mers une haleine embaumée,
Au bord des flots couvrant, délicieux trésor,
L'orange et le citron de leur tunique d'or ;
Et plus loin, au penchant des collines pierreuses,
Forme la grasse olive aux liqueurs savonneuses.

263

Et ces réseaux légers, diaphanes habits,
Où la fraîche grenade enferme ses rubis.
Sur tes rochers touffus la chèvre se hérisse,
Tes prés enflent de lait la féconde génisse,
Et tu vois tes brebis, sur le jeune gazon,
Épaissir le tissu de leur blanche toison.
Dans les fertiles champs voisins de Touraine,
Dans ceux où l'Océan boit l'urne de la Seine,
S'élèvent pour le frein des coursiers belliqueux.
Ajoutez cet amas de fleuves tortueux :
L'indomptable Garonne aux vagues insensées,
Le Rhône impétueux, fils des Alpes glacées.
La Seine au flot royal, la Loire dans son sein
Incertaine, et la Sâone, et mille autres enfin
Qui, nourrissant partout, sur tes nobles rivages,
Fleurs, moissons et vergers, et bois et pâturages,
Rampent au pied des murs d'opulentes cités,
Sous les arches de pierre, à grand bruit emportés.
Dirai-je ces travaux, source de l'abondance,
Ces ports où des deux mers l'active bienfaisance
Amène les tributs du rivage lointain
Que visite Phébus le soir ou le matin ?
Dirai-je ces canaux, ces montagnes percées,
De bassins en bassins ces ondes amassées
Pour joindre au pied des monts l'une et l'autre
                                        [Téthys ?
Et ces vastes chemins en tous lieux départis,
Où l'étranger, à l'aise achevant son voyage,
Pense au nom des Trudaine et bénit leur ouvrage ?

Ton peuple industrieux est né pour les combats.
Le glaive, le mousquet n'accablent point ses bras.
Il s'élance aux assauts, et son fer intrépide
Chassa l'impie Anglais, usurpateur avide.

Le ciel les fit humains, hospitaliers et bons,
Amis des doux plaisirs, des festins, des chansons ;
Mais, faibles, opprimés, la tristesse inquiète
Glace ces chants joyeux sur leur bouche muette,
Pour les jeux, pour la danse appesantit leurs pas,
Renverse devant eux les tables des repas,
Flétrit de longs soucis, empreinte douloureuse,
Et leur front et leur âme. Ô France ! trop heureuse
Si tu voyais tes biens, si tu profitais mieux
Des dons que tu reçus de la bonté des cieux !

Vois le superbe Anglais, l'Anglais dont le courage
Ne s'est soumis qu'aux bois d'un sénat libre et sage,
Qui t'épie, et, dans l'Inde éclipsant ta splendeur,
Sur tes fautes sans nombre élève sa grandeur.
Il triomphe, il t'insulte. Oh ! combien tes collines,
Tressailliraient de voir réparer tes ruines,
Et pour la liberté donneraient sans regrets,
Et leur vin, et leur huile, et leurs belles forêts !
J'ai vu dans tes hameaux la plaintive misère,
La mendicité blême et la douleur amère.
Je t'ai vu dans tes biens, indigent laboureur,
D'un fisc avare et dur maudissant la rigueur,
Versant aux pieds des grands des larmes inutiles,
Tout trempé de sueurs pour toi-même infertiles,
Découragé de vivre, et plein d'un juste effroi
De mettre au jour des fils malheureux comme toi.
Tu vois sous les soldats les villes gémissantes ;
Corvée, impôts rongeurs, tributs, taxes pesantes,
Le sel, fils de la terre, ou même l'eau des mers,
Sources d'oppression et de fléaux divers ;
Mille brigands, couverts du nom sacré du prince,
S'unir à déchirer une triste province,
Et courir à l'envi, de son sang altérés,

Se partager entre eux ses membres déchirés!
Ô sainte égalité! dissipe nos ténèbres!
Renverse les verrous, les bastilles funèbres!
Le riche indifférent, dans un char promené,
De ces gouffres secrets partout environné,
Rit avec les bourreaux, s'il n'est bourreau lui-même.
Près de ces noirs réduits de la misère extrême,
D'une maîtresse impure achète les transports,
Chante sur des tombeaux, et boit parmi les morts.

Malesherbes, Turbot, ô vous en qui la France
Vit luire, hélas! en vain, sa dernière espérance,
Ministres dont le cœur a connu la pitié,
Ministres dont le nom ne s'est point oublié;
Ah! si de telles mains, justement souveraines,
Toujours de cet empire avaient tenu les rênes!
L'équité clairvoyante aurait régné sur nous,
Le faible aurait osé respirer près de vous.
L'oppresseur, évitant d'armer de justes plaintes,
Sinon quelque pudeur aurait eu quelques craintes.
Le délateur impie, opprimé par la faim,
Serait mort dans l'opprobre, et tant d'hommes enfin,
À l'insu de nos lois, à l'insu du vulgaire,
Foudroyés sous les coups d'un pouvoir arbitraire,
De cris non entendus, de funèbres sanglots,
Ne feraient point gémir les voûtes des cachots.

Non, je ne veux plus vivre en ce séjour servile;
J'irai, j'irai bien loin me chercher un asile,
Un asile à ma vie en son paisible cours,
Une tombe à ma cendre à la fin de mes jours,
Où d'un grand au cœur dur, l'opulence homicide
Du sang d'un peuple entier ne sera point avide,

Et ne me dira point, avec un rire affreux,
Qu'ils se plaignent sans cesse et qu'ils sont trop
[heureux;
Où, loin des ravisseurs, la main cultivatrice
Recueillera les dons d'une terre propice;
Où mon cœur, respirant sous un ciel étranger,
Ne verra plus des maux qu'il ne peut soulager;
Où mes yeux, éloignés des publiques misères,
Ne verront plus partout les larmes de mes frères,
Et la pâle indigence à la mourante voix,
Et les crimes puissants qui font trembler les lois.

Toi donc, Équité sainte, ô toi, vierge adorée
De nos tristes climats pour longtemps ignorée,
Daigne du haut des cieux goûter le libre encens
D'une lyre au cœur chaste, aux transports innocents,
Qui ne saura jamais, par des vœux mercenaires,
Flatter, à prix d'argent, des faveurs arbitraires;
Mais qui rendra toujours, par amour et par choix,
Un noble et pur hommage aux appuis de tes lois.
Des vœux pour les humains tous ses chants
[retentissent :
La vérité l'enflamme; et ses cordes frémissent,
Quand l'air qui l'environne auprès d'elle a porté
Le doux nom des vertus et de la liberté.

ïambes

André Chénier

Comme un dernier rayon, comme un dernier zéphyre
    Animent la fin d'un beau jour,
Au pied de l'échafaud j'essaye encor ma lyre.
    Peut-être est-ce bientôt mon tour;
Peut-être avant que l'heure en cercle promenée
    Ait posé sur l'émail brillant,
Dans les soixante pas où sa route est bornée,
    Son pied sonore et vigilant,
Le sommeil du tombeau pressera ma paupière.
    Avant que de ses deux moitiés
Ce vers que je commence ait atteint la dernière,
    Peut-être en ces murs effrayés
Le messager de mort, noir recruteur des ombres,
    Escorté d'infâmes soldats,
Ébranlant de mon nom ces longs corridors sombres,
    Où seul dans la foule à grands pas
J'erre, aiguisant ces dards persécuteurs du crime,
    Du juste trop faibles soutiens,
Sur ma lèvre soudain va suspendre la rime;
    Et chargeant mes bras de liens,
Me traîner, amassant en foule à mon passage
    Mes tristes compagnons reclus,

Qui me connaissaient tous avant l'affreux message,
    Mais qui ne me connaissent plus.
Eh bien! j'ai trop vécu. Quelle franchise auguste,
    De mâle constance et d'honneur,
Quels exemples sacrés, doux à l'âme du juste,
    Pour lui quelle ombre de bonheur,
Quelle Thémis terrible aux têtes criminelles,
    Quels pleurs d'une noble pitié,
Des antiques bienfaits quels souvenirs fidèles,
    Quels beaux échanges d'amitié,
Font digne de regrets l'habitacle des hommes?
    La peur blême et louche est leur dieu,
Le désespoir, la honte. Ah! lâches que nous sommes,
    Tous, oui, tous. Adieu, terre, adieu!
Vienne, vienne la mort! que la mort me délivre!...
    Ainsi donc, mon cœur abattu
Cède au poids de ses maux! Non, non, puissé-je
                       [vivre!
    Ma vie importe à la vertu.
Car l'honnête homme enfin, victime de l'outrage,
    Dans les cachots, près du cercueil,
Relève plus altiers son front et son langage,
    Brillants d'un généreux orgueil.
S'il est écrit aux cieux que jamais une épée
    N'étincellera dans mes mains,
Dans l'encre et l'amertume une autre arme trempée
    Peut encor servir les humains.
Justice, Vérité, si ma main, si ma bouche,
    Si mes pensers les plus secrets
Ne froncèrent jamais votre sourcil farouche,
    Et si les infâmes progrès,
Si la risée atroce, ou, plus atroce injure,
    L'encens de hideux scélérats
Ont pénétré vos cœurs d'une large blessure,
    Sauvez-moi; conservez un bras

Qui lance votre foudre, un amant qui vous venge.
    Mourir sans vider mon carquois !
Sans percer, sans fouler, sans pétrir dans leur fange
    Ces bourreaux barbouilleurs de lois,
Ces vers cadavéreux de la France asservie,
    Égorgée !… Ô mon cher trésor,
Ô ma plume ! Fiel, bile, horreur, dieux de ma vie !
    Par vous seuls je respire encor :
Comme la poix brûlante agitée en ses veines
    Ressuscite un flambeau mourant,
Je souffre ; mais je vis. Par vous, loin de me peines,
    D'espérance un vaste torrent
Me transporte. Sans vous, comme un poison livide,
    L'invisible dent du chagrin,
Mes amis opprimés, du menteur homicide
    Les succès, le sceptre d'airain ;
Des bons proscrits par lui la mort ou la ruine,
    L'opprobe de subir sa loi,
Tout eût tari ma vie ; ou, contre ma poitrine
    Dirigé mon poignard. Mais quoi !
Nul ne resterait donc pour attendrir l'histoire
    Sur tant de justes massacrées ?
Pour consoler leurs fils, leurs veuves, leur mémoire,
    Pour que des brigands abhorrés
Frémissent aux portrait noirs de leur ressemblance ?
    Pour descendre jusqu'aux enfers
Nouer le triple fouet, le fouet de la vengeance
    Déjà levé sur ces pervers ?
Pour cracher sur leurs noms, pour chanter leur
                         [supplice ?

    Allons, étouffe tes clameurs ;
Souffre, ô cœur gros de haine, affamé de justice ?
    Toi, Vertu, pleure, si je meurs.

la jeune tarantine

André Chénier

Pleurez, doux alcyons, ô vous, oiseaux sacrés,
Oiseaux chers à Thétis, doux alcyons, pleurez.
Elle a vécu, Myrto, la jeune Tarentine.
Un vaisseau la portait aux bords de Camarine.
Là, l'hymen, les chansons, les flûtes, lentement
Devaient la reconduire au seuil de son amant.
Une clef vigilante a, pour cette journée,
Dans le cèdre enfermé sa robe d'hyménée
Et l'or dont au festin ses bras seraient parés
Et pour ses blonds cheveux les parfums préparés.
Mais, seule sur la proue, invoquant les étoiles,
Le vent impétueux qui soufflait dans les voiles
L'enveloppe. Etonnée, et loin des matelots,
Elle crie, elle tombe, elle est au sein des flots.
Elle est au sein des flots, la jeune Tarentine.
Son beau corps a roulé sous la vague marine.
Thétis, les yeux en pleurs, dans le creux d'un rocher
Aux monstres dévorants eut soin de le cacher.
Par ses ordres bientôt les belles Néréïdes
L'élèvent au-dessus des demeures humides,
Le portent au rivage, et dans ce monument

L'ont, au cap du Zéphir, déposé mollement.
Puis de loin à grands cris appelant leurs compagnes,
Et les Nymphes des bois, des sources, des montagnes,
Toutes frappant leur sein, et traînant un long deuil,
Répétèrent : « hélas ! » autour de son cercueil.
Hélas ! chez ton amant tu n'es point ramenée.
Tu n'as point revêtu ta robe d'hyménée.
L'or autour de tes bras n'a point serré de nœuds.
Les doux parfums n'ont point coulé sur tes cheveux.

la jeune captive

André Chénier

« L'épi naissant mûrit de la faux respecté ;
Sans crainte du pressoir, le pampre tout l'été
Boit les doux présents de l'aurore ;
Et moi, comme lui belle, et jeune comme lui,
Quoi que l'heure présente ait de trouble et d'ennui,
Je ne veux point mourir encore...

Mon beau voyage encore est si loin de sa fin !
Je pars, et des ormeaux qui bordent le chemin
J'ai passé les premiers à peine.
Au banquet de la vie à peine commencé,
Un instant seulement mes lèvres ont pressé
La coupe en mes mains encor pleine.

Je ne suis qu'au printemps, je veux voir la moisson,
Et comme le soleil, de saison en saison,
Je veux achever mon année.
Brillante sur ma tige et l'honneur du jardin,
Je n'ai vu luire encor que les feux du matin ;
Je veux achever ma journée.

Ô mort! tu peux attendre; éloigne, éloigne-toi;
Va consoler les cœurs que la honte, l'effroi,
Le pâle désespoir dévore.
Pour moi Palès encore a des asiles verts,
Les Amours des baisers, les Muses des concerts;
Je ne veux point mourir encore. »

Ainsi, triste et captif, ma lyre toutefois
S'éveillait, écoutant ces plaintes, cette voix,
Ces vœux d'une jeune captive;
Et secouant le faix de mes jours languissants,
Aux douces lois des vers je pliai les accents
De sa bouche aimable et naïve.

Ces chants, de ma prison témoins harmonieux,
Feront à quelque amant des loisirs studieux
Chercher quelle fut cette belle.
La grâce décorait son front et ses discours,
Et comme elle craindront de voir finir leurs jours
Ceux qui les passeront près d'elle.

l'orage

Fabre d'Églantine

Il pleut, il pleut bergère,
Presse tes blancs moutons,
Allons à la chaumière,
Bergère vite, allons!
J'entends sur le feuillage
L'eau qui tombe à grand bruit.
Voici, voici l'orage!
Voilà l'éclair qui luit.

Entends-tu le tonnerre?
Il roule en approchant.
Prends un abri, bergère,
À ma droite en marchant.
Je vois notre cabane,
Et tiens, voici venir
Ma mère et ma sœur Anne,
Qui vont l'étable ouvrir.

dix-huitième siècle

Bonsoir, bonsoir, ma mère,
Ma sœur Anne, bonsoir ;
J'amène ma bergère
Près de vous pour ce soir.
Va te sécher, ma mie,
Auprès de nos tisons ;
Sœur, fais-lui compagnie ;
Entrez, petits moutons !

Soignons bien, ô ma mère,
Son tant joli troupeau ;
Donnez plus de litière
À son petit agneau.
C'est fait, allons près d'elle.
Eh bien donc, te voilà ?
En corset qu'elle est belle !
Ma mère, voyez-là !

Soupons, prends cette chaise,
Tu seras près de moi ;
Ce flambeau de mélèze
Brûlera devant toi.
Goûte de ce laitage,
Mais... tu ne manges pas ?
Tu te sens de l'orage,
Il a lassé tes pas.

Eh bien, voilà ta couche ;
Dors-y jusques au jour.
Laisse-moi sur ta bouche
Prendre un baiser d'amour !
Ne rougis pas, bergère ;
Ma mère et moi, demain,
Nous irons chez ton père
Lui demander ta main.

le sacristain

Beaumarchais

PAULINE, *à demi-voix*

Ah! Grands dieux! Est-ce un songe?
Dans quel trouble il me plonge!
Quelle ivresse je sens!
Elle embrase mes sens.
Délicieux plaisir où mon âme s'égare,
Si tu n'es qu'une erreur que le sommeil prépare,
Amour, prolonge cette erreur :
Elle vaut le plus grand bonheur.
Non, jamais, cher amant, ton plus heureux délire
N'eut sur moi tant d'empire.
Mais, grands dieux, est-ce un songe?
Dans quel trouble il me plonge!
Ah! D'un si doux mensonge,
Amour, embellis mon sort.
Pour rêver à mon Lindor,
Fais-moi sommeiller encor.
Elle se remet sur l'oreiller, s'agite et chante (Récitatif).
Je ne dors plus. J'ai cessé de jouir.
Je n'embrassais qu'une ombre vaine,
Et mon réveil l'a fait évanouir.
Dans un songe qui nous entraîne,
Faut-il que l'excès du plaisir
Soit un commencement de peine?

dix-huitième siècle

(Air mesuré)
Sommeil, pourquoi me fuyez-vous ? *(bis)*
Je regrette un moment si tendre :
Lindor était à mes genoux.
Je croyais le voir et l'entendre.
Sommeil, pourquoi me fuyez-vous ? *(bis)*
Sommeil, rendez-moi mon vainqueur :
Trompez-moi deux fois au lieu d'une,
Un rêve est sans doute une erreur,
Mais le bonheur n'en est point une.
Sommeil, pourquoi me fuyez-vous ? *(bis)*

(extrait)

le chant du départ

Marie-Joseph Chénier

Un député du peuple.

La victoire en chantant nous ouvre la barrière,
La liberté guide nos pas
Et du Nord au Midi la trompette guerrière
A sonné l'heure des combats;
Tremblez, ennemis de la France,
Rois ivres de sang et d'orgueil,
Le peuple souverain s'avance;
Tyrans, descendez au cercueil!

Chœur des guerriers.

La République nous appelle,
Sachons vaincre ou sachons périr.
Un Français doit vivre pour elle,
Pour elle, un Français doit mourir.

dix-huitième siècle

Une mère de famille

De nos yeux maternels ne craignez point les larmes,
    Loin de nous de lâches douleurs!
Nous devons triompher quand vous prenez les armes,
    C'est aux rois à verser des pleurs.
    Nous vous avons donné la vie,
    Guerriers, elle n'est plus à vous;
    Tous vos jours sont à la patrie;
    Elle est votre mère avant nous!

Chœur de la famille

    La République nous appelle,
    Sachons vaincre ou sachons périr.
    Un Français doit vivre pour elle,
    Pour elle, un Français doit mourir.

Deux vieillards

Que le fer paternel arme la main des braves,
    Songez à nous, aux champs de Mars;
Consacrez dans le sang des rois et des esclaves
    Le fer bénit par vos vieillards;
    Et, rapportant sous la chaumière
    Des blessures et des vertus,
    Venez fermer notre paupière
    Quand les tyrans ne seront plus!

marie-joseph chénier

Chœur des vieillards

La République nous appelle,
Sachons vaincre ou sachons périr.
Un Français doit vivre pour elle,
Pour elle, un Français doit mourir.

Un enfant.

De Barra, de Viala le sort nous fait envie !
Ils sont morts, mais ils ont vaincu !
Le lâche accablé d'ans n'a pas connu la vie !
Qui meurt pour le peuple a vécu !
Vous êtes vaillants, nous le sommes ;
Guidez-nous contre les tyrans ;
Les républicains sont des hommes,
Les esclaves sont des enfants !

Cœur des enfants.

La République nous appelle,
Sachons vaincre ou sachons périr.
Un Français doit vivre pour elle,
Pour elle, un Français doit mourir.

Une épouse.

Partez, vaillants époux, les combats sont vos fêtes,
Partez, modèles des guerriers ;
Nous cueillerons des fleurs pour en ceindres vos têtes,
Nos mains tresseront vos lauriers !
Et si le temple de Mémoire
S'ouvrait à vos mânes vainqueurs,
Nos voix chanteront votre gloire,
Nos flancs porteront vos vengeurs.

Chœur des épouses.

La République nous appelle,
Sachons vaincre ou sachons périr.
Un Français doit vivre pour elle,
Pour elle, un Français doit mourir.

Une jeune fille.

Et nous, sœurs des héros, nous qui de l'hyménée
Ignorons les aimables nœuds,
Si, pour s'unir un jour à notre destinée,
Les citoyens forment des vœux,
Qu'ils reviennent dans nos murailles,
Beaux de gloire et de liberté,
Et que leur sang dans les batailles
Ait coulé pour l'égalité.

marie-joseph chénier

Chœur des jeunes filles.

La République nous appelle,
Sachons vaincre ou sachons périr.
Un Français doit vivre pour elle,
Pour elle, un Français doit mourir.

Trois guerriers

Sur le fer, devant Dieu, nos jurons à nos pères,
À nos épouses, à nos sœurs,
À nos représentants, à nos fils, à nos mères,
D'anéantir les oppresseurs ;
En tous lieux, dans la nuit profonde,
Plongeant l'infâme royauté,
Les Français donneront au monde
Et la paix et la liberté !

Chœur général.

La République nous appelle,
Sachons vaincre ou sachons périr.
Un Français doit vivre pour elle,
Pour elle, un Français doit mourir.

la marseillaise

Rouget de Lisle

Allons, enfants de la Patrie,
Le jour de gloire est arrivé!
Contre nous de la tyrannie
L'étendard sanglant est levé!
Entendez-vous, dans les campagnes,
Mugir ces féroces soldats?
Ils viennent jusque dans nos bras
Égorger nos fils, nos compagnes!

Aux armes citoyens! formez vos bataillons!
Marchons! qu'un sang impur abreuve nos sillons!

Que veut cette horde d'esclaves,
De traîtres, des rois conjurés?
Pour qui ces ignobles entraves,
Ces fers dès longtemps préparés?
Français! pour nous, ah! quel outrage!
Quels transports il doit exciter!
C'est nous qu'on ose méditer
De rendre à l'antique esclavage?

Aux armes citoyens! formez vos bataillons!
Marchons! qu'un sang impur abreuve nos sillons!

Quoi! ces cohortes étrangères
Feraient la loi dans nos foyers!
Quoi! ces phalanges mercenaires
Terrasseraient nos fiers guerriers!
Grand Dieu! par des mains enchaînées
Nos fronts sous le joug se ploîraient!
De vils despotes deviendraient
Les maîtres de nos destinées!

Aux armes citoyens! formez vos bataillons!
Marchons! qu'un sang impur abreuve nos sillons!

Tremblez, tyrans! et vous, perfides,
L'approche de tous les partis,
Tremblez! vos projets parricides
Vont enfin recevoir leur prix!
Tout est soldat pour vous combattre.
S'ils tombent, nos jeunes héros,
La France en produit de nouveaux,
Contre vous tout prêts à se battre!

Aux armes citoyens! formez vos bataillons!
Marchons! qu'un sang impur abreuve nos sillons!

Français, en guerrier magnanimes,
Portez ou retenez vos coups!
Épargnez ces tristes victimes,
À regret s'armant contre nous.
Mais ces despotes sanguinaires,
Mais ces complices de Bouillé,
Tous ces tigres qui, sans pitié,
Déchirent le sein de leur mère!...

285

dix-huitième siècle

Aux armes citoyens! formez vos bataillons!
Marchons! qu'un sang impur abreuve nos sillons!

Amour sacré de la patrie,
Conduis, soutiens nos bras vengeurs!
Liberté! Liberté chérie,
Combats avec tes défenseurs!
Sous nos drapeaux, que la victoire
Accoure à tes mâles accents!
Que tes ennemis expirants
Voient ton triomphe et notre gloire!

Aux armes citoyens! formez vos bataillons!
Marchons! qu'un sang impur abreuve nos sillons!

Nous entrerons dans la carrière
Quand nos aînés n'y seront plus;
Nous y trouverons leur poussière
Et la trace de leurs vertus.
Bien moins jaloux de leur survivre
Que de partager leur cercueil,
Nous aurons le sublime orgueil
De les venger ou de les suivre!

Aux armes citoyens! formez vos bataillons!
Marchons! qu'un sang impur abreuve nos sillons!

il est trop tard

Évariste Parny

Rappelez-vous ces jours heureux,
Où mon cœur crédule et sincère
Vous présenta ses premiers vœux.
Combien alors vous m'étiez chère !
Quels transports ! quel égarement !
Jamais on ne parut si belle
Aux yeux enchantés d'un amant ;
Jamais un objet infidèle
Ne fut aimé plus tendrement.
Le temps sut vous rendre volage ;
Le temps a su m'en consoler.
Pour jamais j'ai vu s'envoler
Cet amour qui fut votre ouvrage :
Cessez donc de le rappeler.
De mon silence en vain surprise,
Vous semblez revenir à moi ;
Vous réclamez en vain la foi
Qu'à la vôtre j'avais promise :
Grâce à votre légèreté,
J'ai perdu la crédulité

Qui pouvait seule vous la rendre.
L'on n'est bien trompé qu'une fois.
De l'illusion, je le vois,
Le bandeau ne peut se reprendre.
Échappé d'un piège menteur,
L'habitant ailé du bocage
Reconnaît et fuit l'esclavage
Que lui présente l'oiseleur.

billet

Évariste Parny

Apprenez, ma belle,
Qu'à minuit sonnant,
Une main fidèle,
Une main d'amant
Ira doucement,
Se glissant dans l'ombre,
Tourner les verrous
Qui dès la nuit sombre
Sont tirés sur vous.
Apprenez encore
Qu'un amant abhorre
Tout voile jaloux.
Pour être plus tendre,
Soyez sans atours,
Et songez à prendre
L'habit des amours.

vers gravés sur un oranger

Évariste Parny

Oranger, dont la voûte épaisse
Servit à cacher nos amours,
Reçois et conserve toujours
Ces vers, enfants de ma tendresse;
Et dis à ceux qu'un doux loisir
Amènera dans ce bocage,
Que si l'on mourait de plaisir,
Je serais mort sous ton ombrage.

vers sur la mort d'une jeune fille

Évariste Parny

Son âge échappait à l'enfance ;
Riante comme l'innocence,
Elle avait les traits de l'Amour.
Quelques mois, quelques jours encore,
Dans ce cœur pur et sans détour
Le sentiment allait éclore.
Mais le ciel avait au trépas
Condamné ses jeunes appas.
Au ciel elle a rendu sa vie,
Et doucement s'est endormie
Sans murmurer contre ses lois.
Ainsi le sourire s'efface ;
Ainsi meurt, sans laisser de trace,
Le chant d'un oiseau dans les bois.

chanson madecasse

Évariste Parny

Méfiez-vous des blancs, habitants du rivage. Du temps de nos pères, des blancs descendirent dans cette île; on leur dit : Voilà des terres; que vos femmes les cultivent. Soyez justes, soyez bons, et devenez nos frères.

Les blancs promirent, et cependant ils faisaient des retranchements. Un fort menaçant s'éleva; le tonnerre fut renfermé dans des bouches d'airain; leurs prêtres voulurent nous donner un Dieu que nous ne connaissions pas; ils parlèrent enfin d'obéissance et d'esclavage : plutôt la mort! le carnage fut long et terrible; mais malgré la foudre qu'ils vomissaient, et qui écrasait des armées entières, ils furent tous exterminés. Méfiez-vous des blancs.

Nous avons vu de nouveaux tyrans, plus forts et plus nombreux, planter leur pavillon sur le rivage : le ciel a combattu pour nous; il a fait tomber sur eux les pluies, les tempêtes et les vents empoisonnés. Ils ne sont plus, et nous vivons, et nous sommes libres. Méfiez-vous des blancs, habitants du rivage.

à mes amis

Évariste Parny

Rions, chantons, ô mes amis,
Occupons-nous à ne rien faire,
Laissons murmurer le vulgaire.
Le plaisir est toujours permis.
Que notre existence légère
S'évanouisse dans les jeux.
Vivons pour nous, soyons heureux,
N'importe de quelle manière.
Un jour il faudra nous courber
Sous la main temps qui nous presse ;
Mais jouissons dans la jeunesse,
Et dérobons à la vieillesse
Tout ce qu'on peut lui dérober.

chapitre V

dix-neuvième

Siècle

pétition d'un voleur à un roi voisin

Lacenaire

Air : Ah ! daignez m'épargner le reste.

Sire, de grâce, écoutez-moi :
Sire, je reviens des galères…
Je suis voleur, vous êtes roi,
Agissons ensemble en bons frères.
Les gens de bien me font horreur,
J'ai le cœur dur et l'âme vile,
Je suis sans pitié, sans honneur :
Ah ! faites-moi sergent de ville.

Bon ! je me vois déjà sergent :
Mais, sire, c'est bien peu, je pense.
L'appétit me vient en mangeant :
Allons, sire, un peu d'indulgence.
Je suis hargneux comme un roquet,
D'un vieux singe j'ai la malice ;
En France, je vaudrais Gisquet :
Faites-moi préfet de police.

Grands dieux ! que je suis bon préfet !
Toute prison est trop petite.
Ce métier pourtant n'est pas fait,
Je le sens bien, pour mon mérite.
Je sais dévorer un budget,
Je sais embrouiller un registre ;
Je signerai : « Votre sujet »,
Ah ! sire, faites-moi ministre.

Sire, que Votre Majesté
Ne se mette pas en colère !
Je compte sur votre bonté ;
Car ma demande est téméraire.
Je suis hypocrite et vilain,
Ma douceur n'est qu'une grimace ;
J'ai fait... se pendre mon cousin :
Sire, cédez-moi votre place.

à m. b., mon défenseur

Lacenaire

C'est à vous qu'ici je dédie
Ces vers, enfans de mon loisir.
Déjà ma bouteille est finie
Et ma raison va revenir.
Ne craignez pas que la sagesse
Change votre image à mes yeux ;
Je n'ai pas besoin de l'ivresse
Pour vous voir bon et vertueux.

à m. altaroche

Lacenaire

Je suis un voleur, un filou,
Un scélérat, je le confesse,
Mais quand j'ai fait quelque bassesse,
Hélas, je n'avais pas le sou !
La faim rend un homme excusable,
Un pauvre de grand appétit
Peut bien être tenté du diable,
Mais pour me voler mon esprit,
Êtes-vous donc si misérable ?

Or contre un semblable méfait,
Notre code est muet, je pense.
Au parquet, j'en suis sûr d'avance,
Ma plainte aurait bien peu d'effet.
Pour dérober une filoche
On s'en va tout droit en prison,
Aussi le prudent Altaroche
Ne m'a volé qu'une chanson,
Sans mettre la main dans ma poche.

dix-neuvième siècle

Un voleur adroit et subtil
Pour éviter toute surprise
Sait déguiser la marchandise,
Et la vendre ainsi sans péril.
Altaroche aussi raisonnable
Et craignant quelque camouflet
A pris le parti détestable
D'estropier chaque couplet
Pour le rendre méconnaissable.

Je ne puis assez m'étonner
De ce bel effort de courage :
D'un autre copier l'ouvrage
Pour se mieux faire emprisonner !
Ce dévouement est impayable,
Et c'est avoir un trop bon cœur
De remplacer le vrai coupable,
Et sans avoir été l'auteur,
D'être l'éditeur responsable.

le café

Jacques Delille

Il est une liqueur, au poète plus chère,
Qui manquait à Virgile, et qu'adorait Voltaire :
C'est toi, divin café, dont l'aimable liqueur
Sans altérer la tête épanouit le cœur.
Aussi, quand mon palais est émoussé par l'âge,
Avec plaisir encor je goûte ton breuvage.
Que j'aime à préparer ton nectar précieux !
Nul n'usurpe chez moi ce soin délicieux.
Sur le réchaud brûlant moi seul, tournant ta graine,
À l'or de ta couleur fais succéder l'ébène ;
Moi seul contre la noix, qu'arment ses dents de fer,
Je fais, en le broyant, crier ton fruit amer ;
Charmé de ton parfum, c'est moi seul qui, dans
                                                      [l'onde,
Infuse à mon foyer ta poussière féconde,
Qui, tour à tour calmant, excitant tes bouillons,
Suis d'un œil attentif tes légers tourbillons.
Enfin, de ta liqueur lentement reposée,
Dans le vase fumant la lie est déposée ;
Ma coupe, ton nectar, le miel américain,
Que du suc des roseaux exprima l'Africain,
Tout est prêt : du Japon l'émail reçoit tes ondes,

301

Et seul tu réunis les tributs des deux mondes :
Viens donc, divin, nectar, viens donc, inspire-moi.
Je ne veux qu'un désert, mon Antigone et toi.
À peine j'ai senti ta vapeur odorante
Réveille tous mes sens ; sans trouble, sans chaos,
Mes pensers plus nombreux accourent à grands flots.
Mon idée était triste, aride, dépouillée ;
Elle rit, elle sort richement habillée,
Et je crois, du génie éprouvant le réveil,
Boire dans chaque goutte un rayon de soleil.

Nice

Jacques Delille

Ô Nice! heureux séjour, montagnes renommées,
De lavande, de thym, de citron parfumées;
Que de fois sous tes plants d'oliviers toujours verts,
Dont la pâleur s'unit au sombre azur des mers,
J'égarai mes regards sur ce théâtre immense!
Combien je jouissais! soit que l'onde en silence,
Mollement balancé, et roulant sans efforts,
D'une frange d'écume allât ceindre ses bords;
Soit que son vaste sein se gonflât de colère;
J'aimais à voir le flot, d'abord ride légère,
De loin blanchir, s'enfler, s'allonger et marcher,
Bondir tout écumant de rocher en rocher,
Tantôt se déployer comme un serpent flexible,
Tantôt, tel qu'un tonnerre, avec un bruit horrible,
Précipiter sa masse, et de ses tourbillons
Dans les rocs caverneux engloutir les bouillons :
Ce mouvement, ce bruit, cette mer turbulente,
Roulant, montant, tombant en montagne écumante,
Enivraient mon esprit, mon oreille, mes yeux;
Et le soir me trouverait immobile en ces lieux.

la ronde sous la cloche

Aloysius Bertrand

> C'était un bâtiment lourd, presque carré, entouré de ruines, et dont la tour principale qui possédait encore son horloge, dominait tout le quartier.
>
> FENIMORE COOPER

Douze magiciens dansaient une ronde sous la grosse cloche de Saint-Jean. Ils évoquèrent l'orage l'un après l'autre, et du fond de mon lit je comptai avec épouvante douze voix qui travèrent processionnellement les ténèbres.

Aussitôt la lune courut se cacher derrière les nuées, et une pluie mêlée d'éclairs et de tourbillons fouetta ma fenêtre, tandis que les girouettes criaient comme des grues en sentinelle sur qui crève l'averse dans les bois.

La chanterelle de mon luth, appendu à la cloison, éclata ; mon chardonneret battit de l'aile dans sa cage ; quelque esprit curieux tourna un feuillet du *Roman de la Rose* qui dormait sur mon pupitre.

Mais soudain gronda la foudre au haut de Saint-Jean. Les enchanteurs s'évanouirent frappés à mort, et je vis de loin leurs livres de magie brûler comme une torche dans le noir clocher.

Cette effrayante lueur peignait des rouges flammes du purgatoire et de l'enfer les murailles de la gothique église, et prolongeait sur les maisons voisines l'ombre de la statue gigantesque de Saint-Jean.

Les girouettes se rouillèrent ; la lune fondit les nuées gris de perles ; la pluie ne tomba plus que goutte à goutte des bords du toit, et la brise, ouvrant ma fenêtre mal close, jeta sur mon oreiller les fleurs de mon jasmin secoué par l'orage.

mon bisaïeul

Aloysius Bertrand

> Tout dans cette chambre était encore
> dans le même état, si ce n'est que les
> tapisseries y étaient en lambeaux, et que
> les araignées y tissaient leurs toiles dans
> la poussière.
>
> WALTER SCOTT, Woodstock

Les vénérables personnages de la tapisserie
gothique, remuée par le vent, se saluèrent l'un
l'autre, et mon bisaïeul entra dans la chambre, –
mon bisaïeul mort il y aura bientôt quatre-vingts
ans !

Là, – c'est là, devant ce prie-Dieu qu'il s'age-
nouilla, mon bisaïeul le conseiller, baisant de sa
barbe ce jaune missel étalé à l'endroit de ce ruban.

Il marmotta des oraisons tant que dura la nuit,
sans décroiser un moment ses bras de son camail de
soie violette, sans obliquer un regard vers moi, sa
postérité, qui étais couché dans son lit, son poudreux lit à baldaquin !

Et je remarquais avec effroi que ses yeux étaient
vides, bien qu'il parût lire, – que ses lèvres étaient
immobiles, bien que je l'entendisse prier, – que ses
doigts étaient décharnés, bien qu'ils scintillassent
de pierreries !

Et je me demandais si je veillais ou si je dormais,
– si c'étaient les pâleurs de la lune ou de Lucifer, –
si c'était minuit ou le point du jour !

ondine

Aloysius Bertrand

> Je croyais entendre
> Une vague harmonie enchanter mon sommeil
> Et près de moi s'épandre un murmure pareil
> Aux chants entrecoupés d'une voix triste et tendre.
>
> CH. BRUGNOT – *Les Deux Génies*

« Écoute! — Écoute! — C'est moi, c'est Ondine qui frôle de ces gouttes d'eau les losanges sonores de ta fenêtre illuminée par les mornes rayons de la lune; et voici, en robe de moire, la dame châtelaine qui contemple à son balcon la belle nuit étoilée et le beau lac endormi.

» Chaque flot est un ondin qui nage dans le courant, chaque courant est un sentier qui serpente vers mon palais, et mon palais est bâti fluide, au fond du lac, dans le triangle du feu, de la terre et de l'air.

» Écoute! — Écoute! — Mon père bat l'eau coassante d'une branche d'aulne verte, et ses sœurs caressent de leurs bras d'écume les fraîches îles d'herbes, de nénuphars et de glaïeuls, ou se moquent du saule caduc et barbu qui pêche à la ligne. »

*

Sa chanson murmurée, elle me supplia de recevoir son anneau à mon doigt, pour être l'époux d'une Ondine, et de visiter avec elle son palais, pour être le roi des lacs.

Et comme je lui répondais que j'aimais une mortelle, boudeuse et dépitée, elle pleura quelques larmes, poussa un éclat de rire, et s'évanouit en giboulées qui ruisselèrent blanches le long de mes vitraux bleus.

épitaphe

Honoré de Balzac

Sous ce marbre gît *un homme*
Qui n'a connu ni père ni mère.
    Allaité par une chèvre
Il n'a pas connu l'être auquel
    Il dut le malheur de vivre,
Parce qu'il en fut abandonné.
    Il n'a pas connu sa chèvre,
Il s'est élevé tout seul!…
    Laid et contrefait, tous les
Êtres ont dédaigné son
    Affection.
Personne ne lui a rendu service,
    Il n'aima personne.
    Il ne put avoir d'enfants :
Étranger à tous les sentiments
    Humains,
    Il fut athée…
    Il fut bon, il l'était,
Il a vécu au milieu du monde
    Comme un rocher.
    Il a jeté son or à l'eau,
La veille de sa mort,
Il s'est tué sur la tombe de
    Son chien
Avec lequel il repose.

quand vous voyez un homme...

Félicité de Lamennais

Quand vous voyez un homme conduit en prison ou au supplice, ne vous pressez pas de dire : Celui-là est un homme méchant, qui a commis un crime contre les hommes.

Car peut-être est-ce un homme de bien, qui a voulu servir les hommes, et qui en est puni par leurs oppresseurs.

Quand vous voyez un peuple chargé de fers et livré au bourreau, ne vous pressez pas de dire : Ce peuple est un peuple violent, qui voulait troubler la paix de la terre.

Car peut-être est-ce un peuple martyr, qui meurt pour le salut du genre humain.

dix-neuvième siècle

Il y a dix-huit siècles dans une ville d'Orient, les pontifes et les rois de ce temps-là clouèrent sur une croix, après l'avoir battu de verges, un séditieux, un blasphémateur, comme ils l'appelaient.

Le jour de sa mort, il y eut une grande terreur dans l'enfer et une grande joie dans le ciel :

Car le sang du juste avait sauvé le monde.

le montagnard exilé

René de Chateaubriand

Combien j'ai douce souvenance
Du joli lieu de ma naissance !
Ma sœur, qu'ils étaient beaux, ces jours
      De France !
Ô mon pays ! sois mes amours
      Toujours !

Te souvient-il que notre mère,
Au foyer de notre chaumière,
Nous pressait sur son sein joyeux,
      Ma chère ?
Et nous baisions ses blonds cheveux,
      Tous deux !

Ma sœur, te souvient-il encore
Du château que baignait la Dore,
Et de cette tant vieille tour
      Du More,
Où l'airain sonnait le retour
      Du jour ?

313

Te souvient-il du lac tranquille
Qu'effleurait l'hirondelle agile,
Du vent qui courbait le roseau
      Mobile,
Et du soleil couchant sur l'eau,
      Si beau?

Oh! qui me rendra mon Hélène,
Et ma montagne, et le grand chêne?
Leur souvenir fait tous les jours
      Ma peine!
Mon pays sera mes amours
      Toujours!

une allée du luxembourg

Gérard de Nerval

Elle a passé, la jeune fille,
Vive et preste comme un oiseau ;
À la main une fleur qui brille,
À la bouche un refrain nouveau.

C'est peut-être la seule au monde
Dont le cœur au mien répondait ;
Qui, venant dans ma nuit profonde,
D'un seul regard l'éclairerait !…

Mais non, — ma jeunesse est finie…
Adieu, doux rayon qui m'a lui, —
Parfum, jeune fille, harmonie…
Le bonheur passait, — il a fui !

el desdichado

Gérard de Nerval

Je suis le Ténébreux, — le Veuf, l'Inconsolé,
Le prince d'Aquitaine à la Tour abolie :
Ma seule *Étoile* est morte, — et mon luth constellé
Porte le *Soleil noir* de la *Mélancolie*.

Dans la nuit du Tombeau, Toi qui m'as consolé,
Rends-moi le Pausilippe et la mer d'Italie,
La *fleur* qui plaisait tant à mon cœur désolé,
Et la treille où le Pampre à la Rose s'allie.

Suis-je Amour ou Phœbus ?… Lusignan ou Biron ?
Mon front est rouge encor du baiser de la Reine ;
J'ai rêvé dans la Grotte où nage la Syrène…

Et j'ai deux fois vainqueur traversé l'Achéron :
Modulant tour à tour sur la lyre d'Orphée
Les soupirs de la Sainte et les cris de la Fée.

fantaisie

Gérard de Nerval

Il est un air pour qui je donnerais
Tout Rossini, tout Mozart et tout Weber,
Un air très vieux, languissant et funèbre
Qui pour moi seul a des charmes secrets.

Or, chaque fois que je viens à l'entendre,
De deux cents ans mon âme rajeunit :
C'est sous Louis-Treize… — et je crois voir s'étendre
Un coteau vert que le couchant jaunit ;

Puis un château de brique à coins de pierre,
Aux vitraux teints de rougeâtres couleurs,
Ceint de grands parcs, avec une rivière
Baignant ses pieds, qui coule entre des fleurs.

Puis une dame, à sa haute fenêtre,
Blonde aux yeux noirs, en ses habits anciens…
Que, dans une autre existence, peut-être,
J'ai déjà vue — et dont je me souviens !

le réveil en voiture

en voiture

Gérard de Nerval

Voici ce que je vis. — Les arbres sur ma route
Fuyaient mêlés, ainsi qu'une armée en déroute !
Et sous moi, comme ému par les vents soulevés,
Le sol roulait des flots de glèbe et de pavés.

Des clochers conduisaient parmi les plaines vertes
Leurs hameaux aux maisons de plâtre, recouvertes
En tuiles, qui trottaient ainsi que des troupeaux
De moutons blancs, marqués en rouge sur le dos.

Et les monts enivrés chancelaient : la rivière
Comme un serpent boa, sur la vallée entière
Étendu, s'élançait pour les entortiller…
— J'étais en poste, moi, venant de m'éveiller.

le relais

Gérard de Nerval

En voyage, on s'arrête, on descend de voiture ;
Puis entre deux maisons on passe à l'aventure,
Des chevaux, de la route et des fouets étourdi,
L'œil fatigué de voir et le corps engourdi.

Et voici tout à coup, silencieuse et verte,
Une vallée humide et de lilas couverte,
Un ruisseau qui murmure entre les peupliers,
Et la route et le bruit sont bien vite oubliés !

On se couche dans l'herbe et l'on s'écoute vivre.
De l'odeur du foin vert à loisir on s'enivre,
Et sans penser à rien on regarde les cieux…
Hélas ! une voix crie : « En voiture, messieurs ! »

vers dorés

Gérard de Nerval

Homme, libre penseur! te crois-tu seul pensant
Dans ce monde où la vie éclate en toute chose?
Des forces que tu tiens ta liberté dispose,
Mais de tous tes conseils l'univers est absent.

Respecte dans la bête un esprit agissant;
Chaque fleur est une âme à la Nature éclose;
Un mystère d'amour dans le métal repose;
« Tout est sensible! » Et tout sur ton être est puissant.

Crains, dans le mur aveugle, un regard qui t'épie :
À la matière même un verbe est attaché...
Ne la fais pas servir à quelque usage impie!

Souvent dans l'être obscur habite un Dieu caché;
Et comme un œil naissant couvert par ses paupières,
Un pur esprit s'accroît sous l'écorce des pierres!

myrtho

Gérard de Nerval

Je pense à toi, Myrtho, divine enchanteresse,
Au Pausilippe altier, de mille feux brillant,
À ton front inondé des clartés d'Orient,
Aux raisins noirs mêlés avec l'or de ta tresse.

C'est dans ta coupe aussi que j'avais bu l'ivresse,
Et dans l'éclair furtif de ton œil souriant,
Quant aux pieds d'Iacchus on me voyait priant,
Car la Muse m'a fait l'un des fils de la Grèce.

Je sais pourquoi, là-bas, le volcan s'est rouvert…
C'est qu'hier tu l'avais touché d'un pied agile,
Et de cendres soudain l'horizon s'est couvert.

Depuis qu'un duc normand brisa tes dieux d'argile,
Toujours, sous les rameaux du laurier de Virgile,
Le pâle Hortensia s'unit au Myrte vert !

ballade à la lune

Alfred de Musset

C'était, dans la nuit brune,
Sur le clocher jauni,
    La lune,
Comme un point sur un i.

Lune, quel esprit sombre
Promène au bout d'un fil,
    Dans l'ombre,
Ta face et ton profil ?

Es-tu l'œil du ciel borgne ?
Quel chérubin cafard
    Nous lorgne
Sous ton masque blafard ?

N'es-tu rien qu'une boule ?
Qu'un grand faucheux bien gras
    Qui roule
Sans pattes et sans bras ?...

alfred de musset

Es-tu, je t'en soupçonne,
Le vieux cadran de fer
    Qui sonne
L'heure aux damnés d'enfer ?

Sur ton front qui voyage,
Ce soir ont-ils compté
    Quel âge
A leur éternité ?

Est-ce un ver qui te ronge,
Quand ton disque noirci
    S'allonge
En croissant rétréci ?

Qui t'avait éborgnée
L'autre nuit ? T'étais-tu
    Cognée
À quelque arbre pointu ?

Car tu vins, pâle et morne,
Coller sur mes carreaux
    Ta corne,
À travers les barreaux.

Va, lune moribonde,
Le beau corps de Phébé
    La blonde
Dans la mer est tombé.

dix-neuvième siècle

Tu n'en es que la face,
Et déjà, tout ridé,
　　S'efface
Ton front dépossédé…

Lune, en notre mémoire,
De tes belles amours
　　L'histoire
T'embellira toujours.

Et toujours rajeunie,
Tu seras du passant
　　Bénie,
Pleine lune ou croissant.

T'aimera le vieux pâtre,
Seul, tandis qu'à ton front
　　D'albâtre
Ses dogues aboieront.

T'aimera le pilote
Dans son grand bâtiment,
　　Qui flotte,
Sous le clair firmament !

Et la fillette preste
Qui passe le buisson,
　　Pied leste,
En chantant sa chanson.

Comme un ours à la chaîne,
Toujours sous tes yeux bleus
    Se traîne
L'Océan monstrueux.

Et qu'il vente ou qu'il neige,
Moi-même, chaque soir,
    Que fais-je,
Venant ici m'asseoir?

Je viens voir à la brune,
Sur le clocher jauni,
    La lune
Comme un point sur un i.

venise

Alfred de Musset

Dans Venise la rouge,
Pas un bateau qui bouge,
Pas un pêcheur dans l'eau,
    Pas un falot.

Seul, assis à la grève,
Le grand lion soulève,
Sur l'horizon serein,
    Son pied d'airain.

Autour de lui, par groupes,
Navires et chaloupes,
Pareils à des hérons
    Couchés en rond,

Dorment sur l'eau qui fume,
Et croisent dans la brume,
En légers tourbillons,
    Leurs pavillons.

alfred de musset

La lune qui s'efface
Couvre son front qui passe
D'un nuage étoilé
   Demi-voilé.

Ainsi, la dame abbesse
De Sainte-Croix rabaisse
Sa cape aux large plis
   Sur son surplis.

Et les palais antiques,
Et les graves portiques,
Et les blancs escaliers
   Des chevaliers,

Et les ponts, et les rues,
Et les mornes statues,
Et le golfe mouvant
   Qui tremble au vent,

Tout se tait, fors les gardes
Aux longues hallebardes,
Qui veillent aux créneaux
   Des arsenaux.

la nuit de mai

Alfred de Musset

LA MUSE

Poète, prends ton luth et me donne un baiser ;
La fleur de l'églantier sent ses bourgeons éclore.
Le printemps naît ce soir ; les vents vont s'embraser ;
Et la bergeronnette, en attendant l'aurore,
Aux premiers buissons verts commence à se poser.
Poète, prends ton luth et me donne un baiser.

LE POÈTE

Comme il fait noir dans la vallée !
J'ai cru qu'une forme voilée
Flottait là-bas sur la forêt.
Elle sortait de la prairie ;
Son pied rasait l'herbe fleurie ;
C'est une étrange rêverie ;
Elle s'efface et disparaît.

LA MUSE

Poète, prends ton luth ; la nuit, sur la pelouse,
Balance le zéphyr dans son voile odorant.
La rose, vierge encor, se referme jalouse
Sur le frelon nacré qu'elle enivre en mourant.
Écoute ! tout se tait ; songe à ta bien-aimée.
Ce soir, sous les tilleuls, à la sombre ramée
Le rayon du couchant laisse un adieu plus doux.
Ce soir, tout va fleurir : l'immortelle nature
Se remplit de parfums, d'amour et de murmure,
Comme le lit joyeux de deux jeune époux.

LE POÈTE

Pourquoi mon cœur bat-il si vite ?
Qu'ai-je donc en moi qui s'agite
Dont je me sens épouvanté ?
Ne frappe-t-on pas à ma porte ?
Pourquoi ma lampe à demi morte
M'éblouit-elle de clarté ?
Dieu puissant ! tout mon corps frisonne.
Qui vient ? qui m'appelle ? — Personne.
Je suis seul ; c'est l'heure qui sonne ;
Ô solitude ! ô pauvreté !

LA MUSE

Poète, prends ton luth ; le vin de la jeunesse
Fermente cette nuit dans les veines de Dieu.
Mon sein est inquiet ; la volupté l'oppresse,

329

Et les vents altérés m'ont mis la lèvre en feu.
Ô paresseux enfant! regarde, je suis belle.
Notre premier baiser, ne t'en souviens-tu pas,
Quand je te vis si pâle au toucher de mon aile,
Et que, les yeux en pleurs, tu tombas dans mes bras?
Ah! Je t'ai consolé d'une amère souffrance!
Hélas! bien jeune encor, tu te mourais d'amour.
Console-moi ce soir, je meurs d'espérance;
J'ai besoin de prier pour vivre jusqu'au jour.

LE POÈTE

Est-ce toi dont la voix m'appelle,
Ô ma pauvre Muse! est-ce toi?
Ô ma fleur! ô mon immortelle!
Seul être pudique et fidèle
Où vive encor l'amour de moi!
Oui, te voilà, c'est toi, ma blonde,
C'est toi, ma maîtresse et ma sœur!
Et je sens, dans la nuit profonde,
De ta robe d'or qui m'inonde
Les rayons glisser dans mon cœur.

LA MUSE

Poète, prends ton luth; c'est moi, ton immortelle,
Qui t'ai vu cette nuit triste et silencieux,
Et qui, comme un oiseau que sa couvée appelle,
Pour pleurer avec toi descends du haut des cieux.
Viens, tu souffres, ami. Quelque ennui solitaire
Te ronge, quelque chose a gémi dans ton cœur;

Quelque amour t'est venu, comme on en voit sur terre,
Une ombre de plaisir, un semblant de bonheur.
Viens, chantons devant Dieu ; chantons dans tes
[pensées,
Dans tes plaisirs perdus, dans tes peines passées ;
Partons, dans un baiser, pour un monde inconnu.
Éveillons au hasard les échos de ta vie,
Parlons-nous de bonheur, de gloire et de folie,
Et que ce soit un rêve, et le premier venu.
Inventons quelque part des lieux où l'on oublie ;
Partons, nous sommes seuls, l'univers est à nous...
Voici la verte Écosse et la brune Italie,
Et la Grèce, ma mère, où le miel est di doux,
Argos, et Ptéléon, ville des hécatombes,
Et Messa la divine, agréable aux colombes,
Et le front chevelu du Pélion changeant ;
Et le bleu Titarèse, et le golfe d'argent
Qui montre dans ses eaux, où le cygne se mire,
La blanche Oloossone à la blanche Camyre.
Dis-moi, quel songe d'or nos chants vont-ils bercer ?
D'où vont venir les pleurs que nous allons verser ?
Ce matin, quand le jour a frappé ta paupière,
Quel séraphin pensif, courbé sur ton chevet,
Secouait des lilas dans sa robe légère,
Et te contait tout bas les amours qu'il rêvait ?
Chanterons-nous l'espoir, la tristesse ou la joie ?
Tremperons-nous de sang les bataillons d'acier ?
Suspendrons-nous l'amant sur l'échelle de soie ?
Jetterons-nous au vent l'écume du coursier ?
Dirons-nous quelle main, dans les lampes sans
[nombre
De la maison céleste, allume nuit et jour
L'huile sainte de vie et d'éternel amour ?
Crierons-nous à Tarquin : « Il est temps, voici
[l'ombre ! »

dix-neuvième siècle

Descendrons-nous cueillir la perle au fond des mers?
Mènerons-nous la chèvre aux ébéniers amers?
Montrerons-nous le ciel à la Mélancolie?
Suivrons-nous le chasseur sur les monts escarpés?
La biche le regarde; elle pleure et supplie;
Sa bruyère l'attend; ses faons sont nouveaux-nés;
Il se baisse, il l'égorge, il jette à la curée
Sur les chiens en sueur son cœur encor vivant.
Peindrons-nous une vierge à la joue empourprée,
S'en allant à la messe, un page la suivant,
Et d'un regard distrait, à côté de sa mère,
Sur la lèvre entrouverte oubliant sa prière?
Elle écoute en tremblant, dans l'écho du pilier,
Résonner l'éperon d'un hardi cavalier.
Dirons-nous aux héros des vieux temps de la France
De monter tout armés aux créneaux de leurs tours,
Et de ressuciter la naïve romance
Que leur gloire oubliée apprit aux troubadours?
Vêtirons-nous de blanc une molle élégie?
L'homme de Waterloo nous dira-t-il sa vie,
Et ce qu'il a fauché du troupeau des humains
Avant que l'envoyé de la nuit éternelle
Vînt sur son tertre vert l'abattre d'un coup d'aile,
Et sur son cœur de fer lui croiser les deux mains?
Le nom sept fois vendu d'un pâle pamphlétaire,
Qui, poussé par la faim, du fond de son oubli,
S'en vient, tout grelottant d'envie et d'impuissance,
Sur le front du génie insulter l'espérance,
Et mordre le laurier que son souffle a sali?
Prends ton luth! prends ton luth! je ne peux plus
[me taire,
Mon aile me soulève au souffle du printemps.
Le vent va m'emporter; je vais quitter la terre.
Une larme de toi! Dieu m'écoute; il est temps.

alfred de musset

LE POÈTE

S'il ne te faut, ma sœur chérie,
Qu'un baiser d'une lèvre amie
Et qu'une larme de mes yeux,
Je te les donnerai sans peine ;
De nos amours qu'il te souvienne,
Si tu remontes dans les cieux.
Je ne chante ni l'espérance,
Ni la gloire, ni le bonheur,
Hélas ! pas même la souffrance.
La bouche garde le silence
Pour écouter parler le cœur.

LA MUSE

Crois-tu donc que je sois comme le vent d'automne,
Qui se nourrit de pleurs jusque sur un tombeau,
Et pour qui la douleur n'est qu'une goutte d'eau ?
Ô poète ! un baiser, c'est moi qui te le donne.
L'herbe que je voulais arracher de ce lieu,
C'est ton oisiveté ; ta douleur est à Dieu.
Quel que soit le souci que ta jeunesse endure,
Laisse-la s'élargir, cette sainte blessure
Que les noirs séraphins t'ont faite au fond du cœur ;
Rien ne nous rend si grands qu'une grande douleur.
Mais, pour en être atteint, ne crois pas, ô poète,
Que ta voix ici-bas doive rester muette.
Les plus désespérés sont les chants les plus beaux,
Et j'en sais d'immortels qui sont de purs sanglots.
Lorsque le pélican, lassé d'un long voyage,
Dans les brouillards du soir retourne à ses roseaux,
Ses petits affamés courent sur le rivage
En le voyant au loin s'abattre sur les eaux.

Déjà, croyant saisir et partager leur proie,
Ils courent à leur père avec des cris de joie
En secouant leurs becs sur leurs goitres hideux.
Lui, gagnant à pas lents une roche élevée,
De son aile pendante abritant sa couvée,
Pêcheur mélancolique, il regarde les cieux.
Le sang coule à longs flots de sa poitrine ouverte ;
En vain il a des mers fouillé la profondeur :
L'Océan était vide et la plage déserte ;
Pour toute nourriture, il apporte son cœur.
Sombre et silencieux, étendu sur la pierre,
Partageant à ses fils ses entrailles de père,
Dans son amour sublime il berce sa douleur,
Et, regardant couler sa sanglante mamelle,
Sur son festin de mort il s'affaisse et chancelle,
Ivre de volupté, de tendresse et d'horreur.
Mais parfois, au milieu du divin sacrifice,
Fatigué de mourir dans un trop long supplice,
Il craint que ses enfants ne le laissent vivant ;
Alors il se soulève, ouvre son aile au vent,
Et, se frappant le cœur avec un cri sauvage,
Il pousse dans la nuit un si funèbre adieu,
Que les oiseaux des mers désertent le rivage,
Et que le voyageur attardé sur la plage,
Sentant passer la mort, se recommande à Dieu.
Poète, c'est ainsi que font les grands poètes.
Ils laissent s'égayer ceux qui vivent un temps ;
Mais les festins humains qu'ils servent à leurs fêtes
Ressemblent la plupart à ceux des pélicans.
Quand il parlent ainsi d'espérances trompées,
De tristesse et d'oubli, d'amour et de malheur,
Ce n'est pas un concert à dilater le cœur.
Leurs déclamations sont comme des épées :
Elles tracent dans l'air un cercle éblouissant,
Mais il y pend toujours quelque goutte de sang.

LE POÈTE.

Ô Muse! spectre insatiable,
Ne m'en demande pas si long.
L'homme n'écrit rien sur le sable
À l'heure où passe l'aquilon.
J'ai vu le temps où ma jeunesse
Sur mes lèvres était sans cesse
Prête à chanter comme un oiseau;
Mais j'ai souffert un dur martyre,
Et le moins que j'en pourrais dire,
Si je l'essayais sur ma lyre,
La briserait comme un roseau.

tristesse

Alfred de Musset

J'ai perdu ma force et ma vie,
Et mes amis et ma gaieté;
J'ai perdu jusqu'à la fierté
Qui faisait croire à mon génie.

Quand j'ai connu la Vérité,
J'ai cru que c'était une amie;
Quand je l'ai comprise et sentie,
J'en étais déjà dégoûté.

Et pourtant elle est éternelle,
Et ceux qui se sont passés d'elle
Ici-bas ont tout ignoré.

Dieu parle, il faut qu'on lui réponde;
Le seul bien qui me reste au monde
Est d'avoir quelquefois pleuré.

souvenir

Alfred de Musset

J'espérais bien pleurer, mais croyais souffrir
En osant te revoir, place à jamais sacrée,
Ô la plus chère tombe et la plus ignorée
    Où dorme un souvenir!

Que redoutiez-vous donc de cette solitude,
Et pourquoi, mes amis, me preniez-vous la main,
Alors qu'une si douce et si vieille habitude
    Me montrait ce chemin?

Les voilà, ces coteaux, ces bruyères fleuries,
Et ces pas argentins sur le sable muet,
Ces sentiers amoureux, remplis de causeries,
    Où son bras m'enlaçait.

Les voilà, ces sapins à la sombre verdure,
Cette gorge profonde aux nonchalants détours,
Ces sauvages amis, dont l'antique murmure
    A bercé mes beaux jours.

dix-neuvième siècle

Les voilà, ces buissons où toute ma jeunesse,
Comme un essaim d'oiseaux chante au bruit de mes
[pas.
Lieux charmants, beau désert où passa ma maîtresse,
    Ne m'attendiez-vous pas?

Ah! laissez-les couler, elles me sont bien chères,
Ces larmes que soulève un cœur encor blessé!
Ne les essuyez pas, laissez sur mes paupières
    Ce voile du passé!

Je ne viens point jeter un regret inutile
Dans l'écho de ces bois témoins de mon bonheur.
Fière est cette forêt dans sa beauté tranquille,
    Et fier aussi mon cœur.

Que celui-là se livre à des plaintes amères,
Qui s'agenouille et prie au tombeau d'un ami.
Tout respire en ces lieux; les fleurs des cimetières
    Ne poussent point ici.

Voyez! la lune monte à travers ces ombrages.
Ton regard tremble encor, belle reine des nuits :
Mais du sombre horizon déjà tu te dégages
    Et tu t'épanouis.

Ainsi de cette terre, humide encor de pluie,
Sortent, sous tes rayons, tous les parfums du jour;
Aussi calme, aussi pur, de mon âme attendrie
    Sort mon ancien amour.

Que sont-ils devenus, les chagrins de ma vie?
Tout ce qui m'a fait vieux est bien loin maintenant,
Et rien qu'en regardant cette vallée amie,
      Je redeviens enfant.

Ô puissance du temps! ô légères années!
Vous emportez nos pleurs, nos cris et nos regrets;
Mais la pitié vous prend, et sur nos fleurs fanées
      Vous ne marcherez jamais.

Tout mon cœur te bénit, bonté consolatrice!
Je n'aurais jamais cru que l'on pût tant souffrir
D'une telle blessure, et que sa cicatrice
      Fût si douce à sentir.

Loin de moi les vains mots, les frivoles pensées,
Des vulgaires douleurs linceul accoutumé,
Que viennent étaler sur leurs amours passées
      Ceux qui n'ont point aimé!

Dante, pourquoi dis-tu qu'il n'est pire misère
Qu'un souvenir heureux dans les jours de
                      [douleur?
Quel chagrin t'a dicté cette parole amère,
      Cette offense au malheur?

En est-il donc moins vrai que la lumière existe,
Et faut-il l'oublier du moment qu'il fait nuit?
Est-ce bien toi, grande âme immortellement triste,
      Est-ce toi qui l'as dit?

dix-neuvième siècle

Non, par ce pur flambeau dont la splendeur
[m'éclaire,
Ce blasphème vanté ne vient pas de ton cœur :
Un souvenir heureux est peut-être sur terre
       Plus vrai que le bonheur.

Eh quoi ! l'infortuné qui trouve une étincelle
Dans la cendre brûlante où dorment ses ennuis,
Qui saisit cette flamme et qui fixe sur elle
       Ses regards éblouis ;

Dans ce passé perdu quand son âme se noie,
Sur ce miroir brisé lorsqu'il rêve en pleurant,
Tu lui dis qu'il se trompe, et que sa faible joie
       N'est qu'un affreux tourment !

Et c'est à ta Françoise, à ton ange de gloire,
Que tu pouvais donner ces mots à prononcer,
Elle qui s'interrompt, pour conter son histoire,
       D'un éternel baiser !

Qu'est-ce donc, juste Dieu, que la pensée humaine,
Et qui pourra jamais aimer la vérité,
S'il n'est joie ou douleur si juste et si certaine
       Dont quelqu'un n'ait douté ?

Comment vivez-vous donc, étranges créatures ?
Vous riez, vous chantez, vous marchez à grands pas,
Le ciel et sa beauté, le monde et ses souillures
       Ne vous dérangent pas ;

Mais, lorsque par hasard le destin vous ramène
Vers quelque monument d'un amour oublié,
Ce caillou vous arrête, et cela vous fait peine
       Qu'il vous heurte le pié.

Et vous criez alors que la vie est un songe ;
Vous vous tordez les bras comme en vous réveillant,
Et vous trouvez fâcheux qu'un si joyeux mensonge
       Ne dure qu'un instant.

Malheureux ! cet instant où votre âme engourdie
A secoué les fers qu'elle traîne ici-bas,
Ce fugitif instant fut toute votre vie ;
       Ne le regrettez pas !

Regrettez la torpeur qui vous cloue à la terre,
Vos agitations dans la fange et le sang.
Vos nuits sans espérance et vos jours sans lumière :
       C'est là qu'est le néant !

Mais que vous revient-il de vos froides doctrines ?
Que demandent au ciel ces regrets inconstants
Que vous allez semant sur vos propres ruines,
       À chaque pas du Temps ?

Oui, sans doute, tout meurt ; ce monde est un grand
       [rêve,
Et le peu de bonheur qui nous vient en chemin,
Nous n'avons pas plutôt ce roseau dans la main
       Que le vent nous l'enlève.

dix-neuvième siècle

Oui, les premiers baisers, oui, les premiers serments
Que deux êtres mortels échangèrent sur terre,
Ce fut au pied d'un arbre effeuillé par les vents,
        Sur un roc en poussière.

Ils prirent à témoin de leur joie éphémère
Un ciel toujours voilé qui change à tout moment,
Et des astres sans nom que leur propre lumière
        Dévore incessamment.

Tout mourait autour d'eux, l'oiseau dans le
                              [feuillage,
La fleur entre leurs mains, l'insecte sous leurs piés,
La source desséchée où vacillait l'image
        De leurs traits oubliés ;

Et sur tous ces débris joignant leurs mains d'argile,
Étourdis des éclairs d'un instant de plaisir,
Ils croyaient échapper à cet Être immobile
        Qui regarde mourir !

— Insensés ! dit le sage. — Heureux ! dit le poète.
Et quels tristes amours as-tu donc dans le cœur,
Si le bruit du torrent te trouble et t'inquiète,
        Si le vent te fait peur ?

J'ai vu sous le soleil tomber bien d'autres choses
Que les feuilles des bois et l'écume des eaux,
Bien d'autres s'en aller que le parfum des roses
        Et le chant des oiseaux.

Mes yeux ont contemplé des objets plus funèbres
Que Juliette morte au fond de son tombeau,
Plus affreux que le toast à l'ange des ténèbres
      Porté par Roméo.

J'ai vu ma seule amie, à jamais la plus chère,
Devenue elle-même un sépulcre blanchi,
Une tombe vivante où flottait la poussière
      De notre mort chéri,

De notre pauvre amour, que, dans la nuit profonde,
Nous avions sur nos cœurs si doucement bercé!
C'était plus qu'une vie, hélas! c'était un monde
      Qui s'était effacé!

Oui, jeune et belle encor, plus belle, osait-on dire,
Je l'ai vue, et ses yeux brillaient comme autrefois,
Ses lèvres s'entr'ouvraient, et c'était un sourire,
      Et c'était une voix;

Mais non plus cette voix, non plus ce doux
                       [langage,
Ces regards adorés dans les miens confondus;
Mon cœur, encor plein d'elle, errait sur son visage
      Et ne la trouvait plus.

Et pourtant j'aurais pu marcher alors vers elle,
Entourer de mes bras ce sein vide et glacé,
Et j'aurais pu crier : « Qu'as-tu fait, infidèle,
      Qu'as-tu fait du passé? »

Mais non : il me semblait qu'une femme inconnue
Avait pris par hasard cette voix et ces yeux ;
Et je laissai passer cette froide statue
      En regardant les cieux.

Eh bien ! ce fut sans doute une horrible misère
Que ce riant adieu d'un être inanimé.
Eh bien ! qu'importe encore ? Ô nature ! ô ma mère !
      En ai-je moins aimé ?

La foudre maintenant peut tomber sur ma tête ;
Jamais ce souvenir ne peut m'être arraché !
Comme le matelot brisé par la tempête,
      Je m'y tiens attaché

Je ne veux rien savoir, ni si les champs fleurissent,
Ni ce qu'il adviendra du simulacre humain,
Ni si ces vastes cieux éclaireront demain
      Ce qu'ils ensevelissent.

Je me dis seulement : « À cette heure, en ce lieu,
Un jour, je fus aimé, j'aimais, elle était belle. »
J'enfouis ce trésor dans mon âme immortelle,
      Et je l'emporte à Dieu !

ma chambre

Marceline Desbordes-Valmore

Ma demeure est haute,
Donnant sur les cieux;
La lune en est l'hôte
Pâle et sérieux,
En bas que l'on sonne,
Qu'importe aujourd'hui?
Ce n'est plus personne,
Quand ce n'est pas lui!

Aux autres cachée,
Je brode mes fleurs;
Sans être fâchée,
Mon âme est en pleurs;
Le ciel bleu sans voiles,
Je le vois d'ici;
Je vois les étoiles,
Mais l'orage aussi!

Vis-à-vis la mienne
Une chaise attend;
Elle fut la sienne,
La nôtre un instant;
D'un ruban signée,
Cette chaise est là,
Toute résignée,
Comme me voilà!

les roses de saadi

Marceline Desbordes-Valmore

J'ai voulu, ce matin, te rapporter des roses ;
Mais j'en avais tant pris dans mes ceintures closes
Que les nœuds trop serrés n'ont pu les contenir.

Les nœuds ont éclaté. Les roses envolées
Dans le vent, à la mer s'en sont toutes allées.
Elles ont suivi l'eau pour ne plus revenir.

La vague en a paru rouge et comme enflammée :
Ce soir ma robe encore en est tout embaumée :
Respires-en sur moi l'odorant souvenir.

« qu'en avez-vous fait ? »

Marceline Desbordes-Valmore

Vous aviez mon cœur,
Moi, j'avais le vôtre :
Un cœur pour un cœur,
Bonheur pour bonheur !

Le vôtre est rendu,
Je n'en ai plus d'autre :
Le vôtre est rendu,
Le mien est perdu !

La feuille et la fleur
Et le fruit lui-même,
Le feuille et la fleur,
L'encens, la couleur,

Qu'en avez-vous fait,
Mon maître suprême ?
Qu'en avez-vous fait,
De ce doux bienfait ?

347

dix-neuvième siècle

Comme un pauvre enfant
Quitté par sa mère,
Comme un pauvre enfant
Que rien ne défend,

Vous me laissez là
Dans ma vie amère,
Vous me laissez là,
Et Dieu voit cela !

Savez-vous qu'un jour
L'homme est seul au monde ?
Savez-vous qu'un jour
Il revoit l'Amour ?

Vous appellerez,
Sans qu'on vous réponde,
Vous appellerez,
Et vous songerez !...

Vous viendrez rêvant
Sonner à ma porte,
Ami comme avant,
Vous viendrez rêvant,

Et l'on vous dira :
« Personne !... elle est morte. »
On vous le dira,
Mais, qui vous plaindra ?

la couronne effeuillée

Marceline Desbordes-Valmore

J'irai, j'irai porter ma couronne effeuillée
Au jardin de mon père où revit toute fleur,
J'y répandrai longtemps mon âme agenouillée :
Mon père a des secrets pour vaincre la douleur.

J'irai, j'irai lui dire, au moins avec mes larmes :
« Regardez, j'ai souffert… » Il me regardera,
Et sous mes jours changés, sous mes pâleurs sans
                                    [charmes.
Parce qu'il est mon père il me reconnaîtra.

Il dira : « C'est donc vous, chère âme désolée !
La terre manque-t-elle à vos pas égarés ?
Chère âme, je suis Dieu : ne soyez plus troublée ;
Voici votre maison, voici mon cœur, entrez ! »

dix-neuvième siècle

Ô clémence ! ô douceur ! ô saint refuge ! ô Père !
Votre enfant qui pleurait vous l'avez entendu !
Je vous obtiens déjà puisque je vous espère
Et que vous possédez tout ce que j'ai perdu.

Vous ne rejetez pas la fleur qui n'est plus belle,
Ce crime de la terre au ciel est pardonné.
Vous ne maudirez pas votre enfant infidèle,
Non d'avoir rien vendu, mais d'avoir tout donné.

les séparés

Marceline Desbordes-Valmore

N'écris pas! Je suis triste, et je voudrais m'éteindre;
Les beaux étés, sans toi, c'est l'amour sans flambeau.
j'ai refermé mes bras qui ne peuvent t'atteindre;
Et, frapper mon cœur, c'est frapper au tombeau.
              N'écris pas!

N'écris pas! n'apprenons qu'à mourir à nous-mêmes.
Ne demande qu'à Dieu… qu'à toi si je t'aimais.
Au fond de ton silence écouter que tu m'aimes,
C'est entendre le ciel sans y monter jamais.
              N'écris pas!

dix-neuvième siècle

N'écris pas ! Je te crains ; j'ai peur de ma mémoire ;
Elle a gardé ta voix qui m'appelle souvent.
Ne montre pas l'eau vive à qui ne peut la boire.
Une chère écriture est un portrait vivant.
N'écris pas !

N'écris pas ces deux mots que je n'ose plus lire :
Il semble que ta voix les répand sur mon cœur,
Que je les vois briller à travers ton sourire ;
Il semble qu'un baiser les empreint sur mon cœur.
N'écris pas !

dormeuse

Marceline Desbordes-Valmore

Si l'enfant sommeille,
Il verra l'abeille,
Quand elle aura fait son miel,
Danser entre terre et ciel.

Si l'enfant repose
Un ange tout rose,
Que la nuit seule on peut voir,
Viendra lui dire : « Bonsoir ! »

Si l'enfant est sage,
Sur son doux visage
La Vierge se penchera,
Et longtemps lui parlera.

353

dix-neuvième siècle

Si mon enfant m'aime,
Dieu dira lui-même :
« J'aime cet enfant qui dort ;
Qu'on lui porte un rêve d'or !

« Fermez ses paupières,
Et sur mes prières,
De mes jardins pleins de fleurs,
Faites glisser les couleurs.

« Ourlez-lui des langes
Avec vos doigts d'anges,
Et laissez sur son chevet
Pleuvoir votre blanc duvet.

« Mettez-lui des ailes
Comme aux tourterelles,
Pour venir dans mon soleil
Danser jusqu'à son réveil !

« Qu'il fasse un voyage
Aux bras d'un nuage,
Et laissez-le, s'il lui plaît,
Boire à mes ruisseaux de lait !

« Donnez-lui la chambre
De perles et d'ambre,
Et qu'il partage en dormant,
Nos gâteaux de diamant !

« Brodez-lui des voiles
Avec mes étoiles,
Pour qu'il navigue en bateau
Sur mon lac d'azur et d'eau !

« Que la lune éclaire
L'eau pour lui plus claire,
Et qu'il prenne au lac changeant
Mes plus fins poissons d'argent !

« Mais je veux qu'il dorme
Et qu'il se conforme
Au silence des oiseaux
Dans leurs maisons de roseaux !

« Car si l'enfant pleure,
On entendra l'heure
Tinter partout qu'un enfant
A fait ce que Dieu défend !

« L'écho de la rue
Au bruit accourue,
Quand l'heure aura soupiré,
Dira : "L'enfant a pleuré !"

« Et sa tendre mère,
Dans sa nuit amère,
Pour son ingrat nourrisson
Ne saura plus de chanson !

dix-neuvième siècle

« S'il brame, s'il crie,
Par l'aube en furie
Ce cher agneau révolté
Sera peut-être emporté !

« Un si petit être
Par le toit peut-être,
Tout en criant, s'en ira,
Et jamais ne reviendra !

« Qu'il rôde en ce monde,
Sans qu'on lui réponde !
Jamais l'enfant que je dis,
Ne verra mon paradis !

« Oui ! mais s'il est sage,
Sur son doux visage
La Vierge se penchera,
Et longtemps lui parlera. »

le cor

Alfred de Vigny

I

J'aime le son du Cor, le soir, au fond des bois,
Soit qu'il chante les pleurs de la biche aux abois,
Ou l'adieu du chasseur que l'écho faible accueille
Et que le vent du nord porte de feuille en feuille.

Que de fois, seul dans l'ombre à minuit demeuré,
J'ai souri de l'entendre, et plus souvent pleuré!
Car je croyais ouïr de ces bruits prophétiques
Qui précédaient la mort des Paladins antiques.

Ô montagnes d'azur! ô pays adoré!
Rocs de la Frazona, cirque du Marboré,
Cascades qui tombez des neiges entraînées,
Sources, gaves, ruisseaux, torrents des Pyrénées;

Monts gelés et fleuris, trône des deux saisons,
Dont le front est de glace et le pied de gazons!
C'est là qu'il faut s'asseoir, c'est là qu'il faut
                                        [entendre
Les airs lointains d'un Cor mélancolique et tendre.

357

Souvent un voyageur, lorsque l'air est sans bruit,
De cette voix d'airain fait retentir la nuit ;
À ses chants cadencés autour de lui se mêle
L'harmonieux grelot du jeune agneau qui bêle.

Une biche attentive, au lieu de se cacher,
Se suspend immobile au sommet du rocher,
Et la cascade unit, dans une chute immense,
Son éternelle plainte au chant de la romance.

Âmes des Chevaliers, revenez-vous encor ?
Est-ce vous qui parlez avec la voix du Cor ?
Roncevaux ! Roncevaux ! dans ta sombre vallée
L'ombre du grand Roland n'est donc pas consolée !

II

Tous les preux étaient morts, mais aucun n'avait fui.
Il reste seul debout, Olivier près de lui ;
L'Afrique sur les monts l'entoure et tremble encore.
« Roland, tu vas mourir, rends-toi, criait le More ;

Tous tes Pairs sont couchés dans les eaux des
[torrents. »
Il rugit comme un tigre, et dit : « Si je me rends,
Africain, ce sera lorsque les Pyrénées
Sur l'onde avec leurs corps rouleront entraînées.

— Rends-toi donc, répond-il, ou meurs, car les
[voilà. »
Et du plus haut des monts un grand rocher roula.
Il bondit, il roula jusqu'au fond de l'abîme,
Et de ses pins, dans l'onde, il vint briser la cime.

« Merci, cria Roland ; tu m'as fait un chemin. »
Et jusqu'au pied des monts le roulant d'une main,
Sur le roc affermi comme un géant s'élance,
Et, prête à fuir, l'armée à ce seul pas balance.

III

Tranquilles cependant, Charlemagne et ses preux
Descendaient la montagne et se parlaient entre
                                              [eux...
À l'horizon déjà, par leurs eaux signalées,
De Luz et d'Argelès se montraient les vallées.

L'armée applaudissait. Le luth du troubadour
S'accordait pour chanter les saules de l'Adour ;
Le vin français coulait dans la coupe étrangère ;
Le soldat, en riant, parlait à la bergère.

Roland gardait les monts ; tous passaient sans
                                              [effroi.
Assis nonchalamment sur un noir palefroi
Qui marchait revêtu de housses violettes,
Turpin disait, tenant les saintes amulettes :

« Sire, on voit dans le ciel des nuages de feu ;
Suspendez votre marche ; il ne faut tenter Dieu.
Par Monsieur saint Denis, certes ce sont des âmes
Qui passent dans les airs sur ces vapeurs de
                                              [flammes.

Deux éclairs ont relui, puis deux autres encor. »
Ici l'on entendit le son lointain du cor.
L'empereur étonné, se jetant en arrière,

Suspend du destrier la marche aventurière.
« Entendez-vous ? dit-il. — Oui, ce sont des pasteurs
Rappelant les troupeaux épars sur les hauteurs,
Répondit l'archevêque, ou la voix étouffée
Du nain vert Obéron qui parle avec sa fée. »

Et l'empereur poursuit ; mais son front soucieux
Est plus sombre et plus noir que l'orage des cieux.
Il craint la trahison, et, tandis qu'il y songe,
Le cor éclate et meurt, renaît et se prolonge.

« Malheur ! c'est mon neveu ! malheur ! car si
                                    [Roland
Appelle à son secours, ce doit être en mourant.
Arrière, chevaliers, repassons la montagne !
Tremble encor sous nos pieds, sol trompeur de
                                    [l'Espagne ! »

IV

Sur le plus haut des monts s'arrêtent les chevaux ;
L'écume les blanchit ; sous leurs pieds, Roncevaux
Des feux mourants du jour à peine se colore.
À l'horizon lointain fuit l'étendard du More.

« Turpin, n'as-tu rien vu dans le fond du torrent ?
— J'y vois deux chevaliers : l'un mort, l'autre
                                    [expirant.
Tous deux sont écrasés sous une roche noire ;
Le plus fort, dans sa main, élève un cor d'ivoire,
Son âme en s'exhalant nous appela deux fois. »

Dieu ! que le son du cor est triste le soir au fond des
                                    [bois !

la mort du loup

Alfred de Vigny

I

Les nuages couraient sur la lune enflammée
Comme sur l'incendie on voit fuir la fumée,
Et les bois étaient noirs jusques à l'horizon.
— Nous marchions, sans parler, dans l'humide
[gazon,
Dans la bruyère épaisse et dans les hautes brandes,
Lorsque, sous des sapins pareils à ceux des Landes,
Nous avons aperçu les grands ongles marqués
Par les loups voyageurs que nous avions traqués.
Nous avons écouté, retenant notre haleine
Et le pas suspendu. — Ni le bois ni la plaine
Ne poussaient un soupir dans les airs; seulement
La girouette en deuil criait au firmament;
Car le vent, élevé bien au-dessus des terres,
N'effleurait de ses pieds que les tours solitaires,
Et les chênes d'en bas, contre les rocs penchés,
Sur leurs coudes semblaient endormis et couchés.
— Rien ne bruissait donc, lorsque, baissant la tête,
Le plus vieux des chasseurs qui s'étaient mis en quête
A regardé le sable en s'y couchant; bientôt,

361

Lui que jamais ici l'on ne vit en défaut,
A déclaré tout bas que ces marques récentes
Annonçaient la démarche et les griffes puissantes
De deux grands loups-cerviers et de deux
                                    [louveteaux.
Nous avons tous alors préparé nos couteaux
Et, cachant nos fusils et leurs lueurs trop blanches,
Nous allions pas à pas en écartant les branches.
Trois s'arrêtent, et moi, cherchant ce qu'ils voyaient,
J'aperçois tout à coup deux yeux qui flamboyaient,
Et je vois au-delà quatre formes légères
Qui dansaient sous la lune au milieu des bruyères,
Comme font chaque jour, à grand bruit, sous nos
                                    [yeux,
Quand le maître revient, les lévriers joyeux.
Leur forme était semblable et semblable la danse;
Mais les enfants du Loup se jouaient en silence,
Sachant bien qu'à deux pas, ne dormant qu'à demi,
Se couche dans ses murs l'homme, leur ennemi.
Le père était debout, et plus loin, contre un arbre,
Sa Louve reposait comme celle de marbre
Qu'adoraient les Romains, et dont les flancs velus
Couvaient les demi-dieux Rémus et Romulus.
Le loup vient et s'assied, les deux jambes dressées
Par leurs ongles crochus dans le sable enfoncées.
Il s'est jugé perdu, puisqu'il était surpris,
Sa retraite coupée et tous ses chemins pris;
Alors il a saisi, dans sa gueule brûlante,
Du chien le plus hardi la gorge pantelante
Et n'a pas desserré ses mâchoires de fer,
Malgré nos coups de feu qui traversaient sa chair
Et nos couteaux aigus qui, comme des tenailles,
Se croisaient en plongeant dans ses larges entrailles,
Jusqu'au dernier moment où le chien étranglé,
Mort longtemps avant lui, sous ses pieds a roulé.

alfred de vigny

Le Loup le quitte alors et puis il nous regarde.
Les couteaux lui restaient au flanc jusqu'à la garde,
Le clouaient au gazon tout baigné de son sang;
Nos fusils l'entouraient en sinistre croissant.
— Il nous regarde encore, ensuite il se recouche
Tout en léchant le sang répandu sur sa bouche,
Et, sans daigner savoir comment il a péri,
Refermant ses grands yeux, meurt sans jeter un cri.

II

J'ai reposé mon front sur mon fusil sans poudre,
Me prenant à penser, et n'ai pu me résoudre
À poursuivre sa Louve et ses fils qui, tous trois,
Avaient voulu l'attendre; et, comme je le crois,
Sans ses deux Louveteaux la belle et sombre veuve
Ne l'eût pas laissé seul subir la grande épreuve;
Mais son devoir était de les sauver, afin
De pouvoir leur apprendre à bien souffrir la faim,
À ne jamais entrer dans le pacte des villes
Que l'homme a fait avec les animaux serviles
Qui chassent devant lui, pour avoir le coucher,
Les premiers possesseurs du bois et du rocher.

III

Hélas! ai-je pensé, malgré ce grand nom d'Hommes,
Que j'ai honte de nous, débiles que nous sommes!
Comment on doit quitter la vie et tous ses maux,
C'est vous qui le savez, sublimes animaux!
À voir ce que l'on fut sur terre et ce qu'on laisse,
Seul le silence est grand; tout le reste est faiblesse.
— Ah! je t'ai bien compris, sauvage voyageur,

Et ton dernier regard m'est allé jusqu'au cœur !
Il disait : « Si tu peux, fais que ton âme arrive,
À force de rester studieuse et pensive,
Jusqu'à ce haut degré de stoïque fierté
Où, naissant dans les bois, j'ai tout d'abord monté.
Gémir, pleurer, prier est également lâche.
Fais énergiquement ta longue et lourde tâche
Dans la voie où le Sort a voulu t'appeler,
Puis après, comme moi, souffre et meurs sans
                                              [parler. »

le mont des oliviers

Alfred de Vigny

I

Alors il était nuit, et Jésus marchait seul,
Vêtu de blanc ainsi qu'un mort de son linceul :
Les disciples dormaient au pied de la colline.
Parmi les oliviers, qu'un vent sinistre incline,
Jésus marche à grands pas en frissonnant comme
[eux,
Triste jusqu'à la mort, l'œil sombre et ténébreux,
Le front baissé, croisant les deux bras sur sa robe
Comme un voleur de nuit cachant ce qu'il dérobe ;
Connaissant les rochers mieux qu'un sentier uni,
Il s'arrête en un lieu nommé Gethsémani.
Il se courbe à genoux, le front contre la terre ;
Puis regarde le ciel en appelant : « Mon père ! »
— Mais le ciel reste noir, et Dieu ne répond pas.
Il se lève étonné, marche encore à grands pas.
Froissant les oliviers qui tremblent. Froide et lente

Découle de sa tête une sueur sanglante.
Il recule, il descend, il crie avec effroi :
« Ne pouviez-vous prier et veiller avec moi ? »
Mais un sommeil de mort accable les apôtres.
Pierre à la voix du maître est sourd comme les
[autres.
Le Fils de l'Homme alors remonte lentement ;
Comme un pasteur d'Égypte, il cherche au
[firmament
Si l'Ange ne luit pas au fond de quelque étoile
Mais un nuage en deuil s'étend comme le voile
D'une veuve, et ses plis entourent le désert.
Jésus, se rappelant ce qu'il avait souffert
Depuis trente-trois ans, devint homme, et la crainte
Serra son cœur mortel d'une invincible étreinte.
Il eut froid. Vainement il appela trois fois :
« Mon Père ! » Le vent seul répondit à sa voix.
Il tomba sur le sable assis, et, dans sa peine,
Eut sur le monde et l'homme une pensée humaine.
— Et la terre trembla, sentant la pesanteur
Du Sauveur qui tombait aux pieds du Créateur.

II

Jésus disait : « Ô Père, encor laisse-moi vivre !
Avant le dernier mot ne ferme pas mon livre !
Ne sens-tu pas le monde et tout le genre humain
Qui souffre avec ma chair et frémit dans ta main ?
C'est que la Terre a peur de rester seule et veuve,
Quand meurt celui qui dit une parole neuve,
Et que tu n'as laissé dans son sein desséché
Tomber qu'un mot du ciel par ma bouche épanché.
Mais ce mot est si pur, et sa douceur est telle,

Qu'il a comme enivré la famille mortelle
D'une goutte de vie et de divinité,
Lorsqu'en ouvrant les bras j'ai dit : « Fraternité. »

Père, oh ! si j'ai rempli mon douloureux message :
Si j'ai caché le Dieu sous la face du sage,
Du sacrifice humain si j'ai changé le prix,
Pour l'offrande des corps recevant les esprits,
Substituant partout aux choses le symbole,
La parole au combat, comme au trésor l'obole,
Aux flots rouges du sang les flots vermeils du vin,
Aux membres de la chair le pain blanc sans levain :
Si j'ai coupé les temps en deux parts, l'une esclave
Et l'autre libre ; — au nom du passé que je lave,
Par le sang de mon corps qui souffre et va finir,
Versons-en la moitié pour laver l'avenir !
Père libérateur ! jette aujourd'hui, d'avance,
La moitié de ce sang d'amour et d'innocence.
Sur la tête de ceux qui viendront en disant :
« Il est permis pour tous de tuer l'innocent. »
Nous savons qu'il naîtra, dans le lointain des âges,
Des dominateurs durs escortés de faux sages
Qui troubleront l'esprit de chaque nation
En donnant un faux sens à ma rédemption.
— Hélas ! je parle encor, que déjà ma parole
Est tournée en poison dans chaque parabole ;
Éloigne ce calice impur et plus amer
Que le fiel, ou l'absinthe, ou les eaux de la mer.
Les verges qui viendront, la couronne d'épine,
Les clous des mains, la lance au fond de ma poitrine,
Enfin toute la croix qui se dresse et m'attend,
N'ont rien, mon Père, oh ! rien qui m'épouvante
                                          [autant !
Quand les Dieux veulent bien s'abattre sur les
                                          [mondes,

Ils n'y doivent laisser que des traces profondes ;
Et, si j'ai mis le pied sur ce globe incomplet,
Dont le gémissement sans repos m'appelait,
C'était pour y laisser deux Anges à ma place
De qui la race humaine aurait baisé la trace,
La Certitude heureuse et l'Espoir confiant,
Qui, dans le paradis, marchent en souriant.
Mais je vais la quitter, cette indigente terre,
N'ayant que soulevé ce manteau de misère
Qui l'entoure à grands plis, drap lugubre et fatal,
Que d'un bout tient le Doute et de l'autre le Mal.

« Mal et Doute ! En un mot je puis les mettre en
                                        [poudre.
Vous les aviez prévus, laissez-moi vous absoudre
De les avoirs permis. — C'est l'accusation
Qui pèse de partout sur la création ! —
Dans son tombeau désert faisons monter Lazare.
Du grand secret des morts qu'il ne soit plus avare,
Et de ce qu'il a vu donnons-lui souvenir ;
Qu'il parle. — Ce qui dure et ce qui doit finir,
Ce qu'a mis le Seigneur au cœur de la Nature,
Ce qu'elle prend et donne à toute créature,
Quels sont avec le ciel ses muets entretiens,
Son amour ineffable et ses chastes liens ;
Comment tout s'y détruit et tout s'y renouvelle ;
Pourquoi ce qui s'y cache et ce qui s'y révèle ;
Si les astres des cieux tour à tour éprouvés
Sont comme celui-ci coupables et sauvés ;
Si la terre est pour eux ou s'ils sont pour la terre ;
Ce qu'a de vrai la fable et de clair le mystère,
D'ignorant le savoir et de faux la raison ;
Pourquoi l'âme est liée en sa faible prison,
Et pourquoi nul sentier entre deux larges voies,
Entre l'ennui du calme et des paisibles joies

Et la rage sans fin des vagues passions,
Entre la léthargie et les convulsions ;
Et pourquoi pend la Mort comme une sombre épée
Attristant la Nature à tout moment frappée ;
Si le juste et le bien, si l'injuste et le mal
Sont de vils accidents en un cercle fatal,
Ou si de l'univers ils sont les deux grands pôles,
Soutenant terre et cieux sur leurs vastes épaules ;
Et pourquoi les Esprit du mal sont triomphants
Des maux immérités, de la mort des enfants ;
Et si les Nations sont des femmes guidées
Par les étoiles d'or des divines idées,
Ou de folles enfants sans lampes dans la nuit,
Se heurtant et pleurant, et que rien ne conduit ;
Et si, lorsque des temps l'horloge périssable
Aura jusqu'au dernier versé ses grains de sable,
Un regard de vos yeux, un cri de votre voix,
Un soupir de mon cœur, un signe de ma croix,
Pourra faire ouvrir l'ongle aux Peines éternelles,
Lâcher leur proie humaine et reployer leurs ailes.
— Tout sera révélé dès que l'homme saura
De quels lieux il arrive et dans quels il ira. »

III

Ainsi le divin Fils parlais au divin Père.
Il se prosterne encor, il attend, il espère,
Mais il renonce et dit : « Que votre volonté
Soit faite et non la mienne, et pour l'éternité ! »
Une terreur profonde, une angoisse infinie
Redoublent sa torture et sa lente agonie.
Il regarde longtemps, longtemps cherche sans voir.
Comme un marbre de deuil tout le ciel était noir ;

dix-neuvième siècle

La Terre, sans clartés, sans astre et sans aurore,
Frémissait. — Dans le bois il entendit des pas,
Et puis il vit rôder la torche de Judas.

LE SILENCE

S'il est vrai qu'au Jardin sacré des Écritures,
Le Fils de l'homme ait dit ce qu'on voit rapporté ;
Muet, aveugle et sourd au cri des créatures,
Si le Ciel nous laissa comme un monde avorté,
Le juste opposera le dédain à l'absence
Et ne répondra plus que par un froid silence
Au silence éternel de la Divinité.

correspondances

Charles Baudelaire

La Nature est un temple où de vivants piliers
Laissent parfois sortir de confuses paroles ;
L'homme y passe à travers des forêts de symboles
Qui l'observent avec des regards familiers.

Comme de longs échos qui de loin se confondent
Dans une ténébreuse et profonde unité,
Vaste comme la nuit et comme la clarté,
Les parfums, les couleurs et les sons se répondent.

Il est des parfums frais comme des chairs d'enfants,
Doux comme les hautbois, verts comme les prairies,
— Et d'autres, corrompus, riches et triomphants,

Ayant l'expansion des choses infinies,
Comme l'ambre, le musc, le benjoin et l'encens,
Qui chantent les transports de l'esprit et des sens.

l'invitation au voyage

Charles Baudelaire

Mon enfant, ma sœur,
Songe à la douceur
D'aller là-bas vivre ensemble !
Aimer à loisir
Aimer et mourir
Au pays qui te ressemble !
Les soleils mouillés
De ces ciels brouillés
Pour mon esprit ont les charmes
Si mystérieux
De tes traîtres yeux,
Brillant à travers leurs larmes.

Là, tout n'est qu'ordre et beauté,
Luxe, calme et volupté.

l'invitation au voyage

Des meubles luisants,
Polis par les ans,
Décoreraient notre chambre ;
Les plus rares fleurs
Mêlant leurs odeurs
Aux vagues senteurs de l'ambre,
Les riches plafonds,
Les miroirs profonds,
La splendeur orientale,
Tout y parlerait
À l'âme en secret
Sa douce langue natale.

Là, tout n'est qu'ordre et beauté,
Luxe, calme et volupté.

Vois sur ces canaux
Dormir ces vaisseaux
Dont l'humeur est vagabonde ;
C'est pour assouvir
Ton moindre désir
Qu'ils viennent du bout du monde.
– Les soleils couchants
Revêtent les champs,
Les canaux, la ville entière,
D'hyacinthe et d'or ;
Le monde s'endort
Dans une chaude lumière.

Là, tout n'est qu'ordre et beauté.
Luxe, calme et volupté.

la vie antérieure

Charles Baudelaire

J'ai longtemps habité sous de vastes portiques
Que les soleils marins teignaient de mille feux
Et que leurs grands piliers, droits et majestueux,
Rendaient pareils, le soir, aux grottes basaltiques.

Les houles, en roulant les images des cieux,
Mêlaient d'une façon solennelle et mystique
Les tout-puissants accords de leur riche musique
Aux couleurs du couchant reflété par mes yeux.

C'est là que j'ai vécu dans les voluptés calmes,
Au milieu de l'azur, des vagues, des splendeurs
Et des esclaves nus, tout imprégnés d'odeurs,

Qui me rafraîchissaient le front avec des palmes,
Et dont l'unique soin était d'approfondir
Le secret douloureux qui me faisait languir.

la mort des amants

Charles Baudelaire

Nous aurons des lits pleins d'odeurs légères,
Des divans profonds comme des tombeaux,
Et d'étranges fleurs sur des étagères,
Écloses pour nous sous des cieux plus beaux.

Usant à l'envi leurs chaleurs dernières,
Nos deux cœurs seront deux vastes flambeaux,
Qui réfléchiront leurs doubles lumières
Dans nos deux esprits, ces miroirs jumeaux.

Un soir fait de rose et de bleu mystique,
Nous échangerons un éclair unique,
Comme un long sanglot, tout chargé d'adieux ;

Et plus tard un Ange, entrouvrant les portes,
Viendra ranimer, fidèle et joyeux,
Les miroirs ternis et les flammes mortes.

l'étranger

Charles Baudelaire

— Qui aimes-tu le mieux, homme énigmatique, dis?
ton père, ta mère, ta sœur ou ton frère?
— Je n'ai ni père, ni mère, ni sœur, ni frère.
— Tes amis?
— Vous vous servez là d'une parole dont le sens m'est
resté jusqu'à ce jour inconnu.
— Ta patrie?
— J'ignore sous quelle latitude elle est située.
— La beauté?
— Je l'aimerais volontiers, déesse et immortelle.
— L'or?
— Je le hais comme vous haïssez Dieu.
— Eh! qu'aimes-tu donc, extraordinaire étranger?
— J'aime les nuages... les nuages qui passent... là-
bas... là-bas... les merveilleux nuages!

l'albatros

Charles Baudelaire

Souvent, pour s'amuser, les hommes d'équipage
Prennent des albatros, vastes oiseaux des mers,
Qui suivent, indolents compagnons de voyage,
Le navire glissant sur les gouffres amers.

À peine les ont-ils déposés sur les planches,
Que ces rois de l'azur, maladroits et honteux,
Laissent piteusement leurs grandes ailes blanches
Comme des avirons traîner à côté d'eux.

Ce voyageur ailé, comme il est gauche et veule !
Lui, naguère si beau, qu'il est comique et laid !
L'un agace son bec avec un brûle-gueule,
L'autre mime, en boitant, l'infirme qui volait !

Le Poète est semblable au prince des nuées
Qui hante la tempête et se rit de l'archer ;
Exilé sur le sol au milieu des huées,
Ses ailes de géant l'empêchent de marcher.

la beauté

Charles Baudelaire

Je suis belle, ô mortels! comme un rêve de pierre,
Et mon sein, où chacun s'est meurtri tour à tour,
Est fait pour inspirer au poète un amour
Éternel et muet ainsi que la matière.

Je trône dans l'azur comme un sphinx incompris;
J'unis un cœur de neige à la blancheur des cygnes;
Je hais le mouvement qui déplace les lignes,
Et jamais je ne pleure et jamais je ne ris.

Les poètes, devant mes grandes attitudes,
Que j'ai l'air d'emprunter aux plus fiers monuments,
Consumeront leurs jours en d'austère études;

Car j'ai, pour fasciner ces dociles amants,
De purs miroirs qui font toutes choses plus belles :
Mes yeux, mes larges yeux aux clartés éternelles!

harmonie du soir

Charles Baudelaire

Voici venir les temps où vibrant sur sa tige
Chaque fleur s'évapore ainsi qu'un encensoir,
Les sons et les parfums tournent dans l'air du soir,
Valse mélancolique et langoureux vertige!

Chaque fleur s'évapore ainsi qu'un encensoir;
Le violon frémit comme un cœur qu'on afflige;
Valse mélancolique et langoureux vertige!
Le ciel est triste et beau comme un grand reposoir.

Le vent frémit comme un cœur qu'on afflige,
Un cœur tendre, qui hait le néant vaste et noir!
Le ciel est triste et beau comme un grand reposoir;
Le soleil s'est noyé dans son sang qui se fige.

Un cœur tendre, qui hait le néant vaste et noir,
Du passé lumineux recueille tout vestige!
Le soleil s'est noyé dans son sang qui se fige…
Ton souvenir en moi luit comme un ostensoir!

réversibilité

Charles Baudelaire

Ange plein de gaîté, connaissez-vous l'angoisse,
La honte, les remords, le sanglots, les ennuis,
Et les vagues terreurs de ces affreuses nuits
Qui compriment le cœur comme un papier qu'on
[froisse ?
Ange plein de gaîté, connaissez-vous l'angoisse ?

Ange plein de bonté, connaissez-vous la haine,
Les poings crispés dans l'ombre et les larmes de fiel,
Quand la Vengeance bat son infernal rappel
Et de nos facultés se fait le capitaine ?
Ange plein de bonté, connaissez-vous la haine ?

Ange bien de santé, connaissez-vous les Fièvres,
Qui, le long des grands murs de l'hospice blafard,
Comme des exilés, s'en vont d'un pied traînard,
Cherchant le soleil rare et remuant les lèvres ?
Ange plein de santé, connaissez-vous les Fièvres ?

charles baudelaire

Ange plein de beauté, connaissez-vous les rides,
Et la peur de vieillir et ce hideux tourment
De lire la secrète horreur du dévoûment
Dans des yeux où longtemps burent nos yeux avides?
Ange plein de beauté, connaissez-vous les rides?

Ange plein de bonheur, de joie et de lumières,
David mourant aurait demandé la santé
Aux émanations de ton corps enchanté;
Mais de toi je n'implore, ange, que tes prières,
Ange plein de bonheur, de joie et de lumières!

l'horloge

Charles Baudelaire

Horloge! dieu sinistre, effrayant, impassible,
Dont le doigt nous menace et nous dit : « *Souviens-toi!*
Les vibrantes Douleurs dans ton cœur plein d'effroi
Se planteront bientôt comme dans une cible ;

« Le plaisir vaporeux fuira vers l'horizon
Ainsi qu'une sylphide au fond de la coulisse ;
Chaque instant te dévore un morceau du délice
À chaque homme accordé pour toute sa saison.

« Trois mille six cents fois par heure, la Seconde
Chuchote : *Souviens-toi!* — Rapide avec sa voix
D'insecte, Maintenant dit : Je suis Autrefois,
Et j'ai pompé ta vie avec ma trompe immonde!

« *Remember! Souviens-toi!* prodigue! *Esto memor!*
(Mon gosier de métal parle toutes les langues.)
Les minutes, mortel folâtre, sont des gangues
Qu'il ne faut pas lâcher sans en extraire l'or!

« *Souviens-toi* que le Temps est un joueur avide
Qui gagne sans tricher, à tout coup ! c'est la loi.
Le jour décroît ; la nuit augmente ; *souviens-toi !*
Le gouffre a toujours soif ; la clepsydre se vide.

« Tantôt sonnera l'heure où le divin Hasard,
Où l'auguste Vertu, ton épouse encor vierge,
Où le Repentir même (oh ! la dernière auberge !),
Où tout te dira : Meurs, vieux lâche ! il est trop tard ! »

les phares

Charles Baudelaire

Rubens, fleuve d'oubli, jardin de la paresse,
Oreiller de chair fraîche où l'on ne peut aimer,
Mais où la vie afflue et s'agite sans cesse,
Comme l'air dans le ciel et la mer dans la mer;

Léonard de Vinci, miroir profond et sombre,
Où des anges charmants, avec un doux souris
Tout chargé de mystère, apparaissent à l'ombre
Des glaciers et des pins qui ferment leur pays;

Rembrandt, triste hôpital tout rempli de murmures,
Et d'un grand crucifix décoré seulement,
Où la prière en pleurs s'exhale des ordures,
Et d'un rayon d'hiver traversé brusquement;

Michel-Ange, lieu vague où l'on voit des Hercules
Se mêler à des Christs, et se lever tout droits
Des fantômes puissants qui dans les crépuscules
Déchirent leur suaire en étirant leurs doigts;

Colères de boxeur, impudences de faune,
Toi qui sus ramasser la beauté des goujats,
Grand cœur gonflé d'orgueil, homme débile et jaune,
Puget, mélancolique empereur des forçats;

Watteau, ce carnaval où bien des cœurs illustres,
Comme des papillons, errent en flamboyant,
Décors frais et légers éclairés par des lustres
Qui versent la folie à ce bal tournoyant;…

Delacroix, lac de sang hanté des mauvais anges,
Ombragé par un bois des sapins toujours vert,
Où, sous un ciel chagrin, des fanfares étranges
Passent, comme un soupir étouffé de Weber;

Ces malédictions, ces blasphèmes, ces plaintes,
Ces extases, ces cris, ces pleurs, ces *Te Deum*,
Sont un écho redit par mille labyrinthes;
C'est pour les cœurs mortels un divin opium!

C'est un cri répété par mille sentinelles,
Un ordre renvoyé par mille porte-voix;
C'est un phare allumé sur mille citadelles,
Un appel de chasseurs perdus dans les grands bois!

Car c'est vraiment, Seigneur, le meilleur témoignage
Que nous puissions donner de notre dignité
Que cet ardent sanglot qui roule d'âge en âge
Et vient mourir au bord de votre éternité!

le poison

Charles Baudelaire

Le vin sait revêtir le plus sordide bouge
    D'un luxe miraculeux,
Et fait surgir plus d'un portique fabuleux
    Dans l'or de sa vapeur rouge,
Comme un soleil couchant dans un ciel nébuleux.

L'opium agrandit ce qui n'a pas de bornes,
    Allonge l'illimité,
Approfondit le temps, creuse la volupté,
    Et de plaisirs noirs et mornes
Remplit l'âme au delà de sa capacité.

Tout cela ne vaut pas le poison qui découle
    De tes yeux, de tes yeux verts,
Lacs où mon âme tremble et se voit à l'envers…
    Mes songes viennent en foule
Pour se désaltérer à ces gouffres amers.

Tout cela ne vaut pas le terrible prodige
    De ta salive qui mord,
Qui plonge dans l'oubli mon âme sans remord,
    Et, charriant le vertige,
La roule défaillante aux rives de la mort!

spleen

Charles Baudelaire

Je suis comme le roi d'un pays pluvieux,
Riche, mais impuissant, jeune et pourtant très vieux,
Qui, de ses précepteurs méprisant les courbettes,
S'ennuie avec ses chiens comme avec d'autres bêtes.
Rien ne peut l'égayer, ni gibier, ni faucon,
Ni son peuple mourant en face du balcon.
Du bouffon favori la grotesque ballade
Ne distrait plus le front de ce cruel malade ;
Son lit fleurdelisé se transforme en tombeau,
Et les dames d'atour, pour qui tout prince est beau,
Ne savent plus trouver d'impudique toilette
Pour tirer un souris de ce jeune squelette.
Le savant qui lui fait de l'or n'a jamais pu
De son être extirper l'élément corrompu,
Et dans ces bains de sang qui des Romains nous
                                        [viennent,
Et dont sur leurs vieux jours les puissants se
                                        [souviennent,
Il n'a su réchauffer ce cadavre hébété
Où coule au lieu de sang l'eau verte du Léthé.

387

le revenant

Charles Baudelaire

Comme les anges à l'œil fauve,
Je reviendrai dans ton alcôve
Et vers toi glisserai sans bruit
Avec les ombres de la nuit;

Et je te donnerai, ma brune,
Des baisers froids comme la lune
Et des caresses de serpent
Autour d'une fosse rampant.

Quand viendra le matin livide,
Tu trouveras ma place vide,
Où jusqu'au soir il fera froid.

Comme d'autres par la tendresse,
Sur ta vie et sur ta jeunesse,
Moi, je veux régner par l'effroi.

un nom

Alphonse de Lamartine

Il est un nom caché dans l'ombre de mon âme,
Que j'y lis nuit et jour et qu'aucun œil n'y voit,
Comme un anneau perdu que la main d'une femme
Dans l'abîme des mers laissa glisser du doigt.

Dans l'arche de mon cœur, qui pour lui seul s'entr'ouvre,
Il dort enseveli sous une clef d'airain ;
De mystère et de peur mon amour le recouvre,
Comme après une fête on referme un écrin.

Si vous le demandez, ma lèvre est sans réponse.
Mais, tel qu'un talisman formé d'un mot secret,
Quand seul avec l'écho ma bouche le prononce,
Ma nuit s'ouvre, et dans l'âme un être m'apparaît.

En jour éblouissant l'ombre se transfigure ;
Des rayons, échappés par les fentes des cieux
Colorent de pudeur une blanche figure
Sur qui l'ange ébloui n'ose lever les yeux.

dix-neuvième siècle

C'est une vierge enfant, et qui grandit encore ;
Il pleut sur ce matin des beautés et des jours ;
De pensée en pensée on voit son âme éclore,
Comme son corps charmant de contours en
                                    [contours.

Un éblouissement de jeunesse et de grâce
Fascine le regard où son charme est resté.
Quand elle fait un pas, on dirait que l'espace
S'éclaire et s'agrandit pour tant de majesté.

Dans ses cheveux bronzés jamais le vent ne joue.
Dérobant un regard qu'une boucle interrompt,
Ils serpentent collés au marbre de sa joue,
Jetant l'ombre pensive aux secrets de son front.

Son teint calme, et veiné des taches de l'opale,
Comme s'il frissonnait avant la passion,
Nuance sa fraîcheur des moires d'un lis pâle,
Où la bouche a laissé sa moite impression.

Sérieuse en naissant jusque dans son sourire,
Elle aborde la vie avec recueillement ;
Son cœur, profond et lourd chaque fois qu'il respire,
Soulève avec son sein un poids de sentiment.

Soutenant sur sa main sa tête renversée,
Et fronçant les sourcils qui couvrent son œil noir,
Elle semble lancer l'éclair de sa pensée
Jusqu'à des horizons qu'aucun œil ne peut voir.

alphonse de lamartine

Comme au sein de ces nuits sans brumes et sans
                              [voiles,
Où dans leur profondeur l'œil surprend les cieux nus,
Dans ses beaux yeux d'enfant, firmament plein
                              [d'étoiles,
Je vois poindre et nager des astres inconnus.

Des splendeurs de cette âme un reflet me traverse ;
Il transforme en Éden ce morne et froid séjour ;
Le flot mort de mon sang s'accélère, et je berce
Des mondes de bonheur sur ces vagues d'amour.

— Oh ! dites-nous ce nom, ce nom qui fait qu'on aime,
Qui laisse sur la lèvre une saveur de miel !
— Non, je ne le dis pas sur la terre à moi-même ;
Je l'emporte au tombeau pour m'embellir le ciel.

le lac

Alphonse de Lamartine

Ainsi, toujours poussés vers de nouveaux rivages,
Dans la nuit éternelle emportés sans retour,
Ne pourrons-nous jamais sur l'océan des âges
        Jeter l'ancre un seul jour ?

Ô lac ! l'année à peine a fini sa carrière,
Et près des flots chéris qu'elle devait revoir,
Regarde ! je viens seul m'asseoir sur cette pierre
        Où tu la vis s'asseoir !

Tu mugissais ainsi sous ces roches profondes,
Ainsi tu te brisais sur leurs flancs déchirés,
Ainsi le vent jetait l'écume de tes ondes
        Sur ses pieds adorés.

Un soir, t'en souvient-il ? nous voguions en silence,
On n'entendait au loin, sur l'onde et sous les cieux,
Que le bruit des rameurs qui frappaient en cadence
        Tes flots harmonieux.

alphonse de lamartine

Tout à coup des accents inconnus à la terre
Du rivage charmé frappèrent les échos :
Le flot fut attentif, et la voix qui m'est chère
       Laissa tomber ces mots :

« Ô temps ! suspends ton vol ; et vous heures
                          [propices !
       Suspendez votre cours :
Laissez-nous savourer les rapides délices
       Des plus beaux de nos jours !

« Assez de malheureux ici-bas vous implorent,
       Coulez, coulez pour eux ;
Prenez avec leurs jours les soins qui les dévorent,
       Oubliez les heureux.

« Mais je demande en vain quelques moments encore,
       Le temps m'échappe et fuit ;
Je dis à cette nuit : sois plus lente ; et l'aurore
       Va dissiper la nuit.

« Aimons donc, aimons donc ! de l'heure fugitive,
       Hâtons- nous, jouissons !
L'homme n'a point de port, le temps n'a point de
                        [rive ;
       Il coule, et nous passons ! »

Temps jaloux, se peut-il que ces moments d'ivresse,
Où l'amour à longs flots nous verse le bonheur,
S'envolent loin de nous de la même vitesse
       Que les jours du malheur ?

Eh quoi! n'en pourrons-nous fixer au moins la trace?
Quoi! passés pour jamais! quoi! tout entiers perdus!
Ce temps qui les donna, ce temps qui les efface,
      Ne nous les rendra plus!

Éternité, néant, passé, sombres abîmes,
Que faites-vous des jours que vous engloutissez?
Parlez : nous rendrez-vous ces extases sublimes
      Que vous nous ravissez?

Ô lac! rochers muets! grottes! forêt obscure!
Vous que le temps épargne ou qu'il peut rajeunir,
Gardez de cette nuit, gardez, belle nature,
      Au moins le souvenir!

Qu'il soit dans ton repos, qu'il soit dans tes orages,
Beau lac, et dans l'aspect de tes riants coteaux,
Et dans ces noirs sapins, et dans ces rocs sauvages
      Qui pendent sur tes eaux.

Qu'il soit dans le zéphyr qui frémit et qui passe,
Dans les bruits de tes bords par tes bords répétés,
Dans l'astre au front d'argent qui blanchit ta surface
      De ses molles clartés.

Que le vent qui gémit, le roseau qui soupire,
Que les parfums légers de ton air embaumé,
Que tout ce qu'on entend, l'on voit ou l'on respire,
      Tout dise : Ils ont aimé!

l'automne

Alphonse de Lamartine

Salut, bois couronnés d'un reste de verdure !
Feuillages jaunissants sur les gazons épars !
Salut, derniers beaux jours ! le deuil de la nature
Convient à la douleur et plaît à mes regards.

Je suis d'un pas rêveur le sentier solitaire ;
J'aime à revoir encor, pour la dernière fois,
Ce soleil pâlissant, dont la faible lumière
Perce à peine à mes pieds l'obscurité des bois.

Oui, dans ces jours d'automne où la nature expire,
À ses regards voilés je trouve plus d'attraits ;
C'est l'adieu d'un ami, c'est le dernier sourire
Des lèvre que la mort va fermer pour jamais.

Ainsi, prêt à quitter l'horizon de la vie,
Pleurant de mes longs jours l'espoir évanoui,
Je me retourne encore, et d'un regard d'envie
Je contemple ces biens dont je n'ai pas joui.

Terre, soleil, vallons, belle et douce nature,
Je vous dois une larme aux bords de mon tombeau!
L'air est si parfumé! la lumière est si pure!
Aux regards d'un mourant le soleil est si beau!

Je voudrais maintenant vider jusqu'à la lie
Ce calice mêlé de nectar et de fiel :
Au fond de cette coupe où je buvais la vie,
Peut-être restait-il une goutte de miel?

Peut-être l'avenir me gardait-il encore
Un retour de bonheur dont l'espoir est perdu?
Peut-être, dans la foule, une âme que j'ignore
Aurait compris mon âme, et m'aurait répondu!…

La fleur tombe en livrant ses parfums au zéphire;
À la vie, au soleil, ce sont là ses adieux :
Moi, je meurs; et mon âme, au moment qu'elle
                                        [expire
S'exhale comme un son triste et mélodieux.

l'isolement

Alphonse de Lamartine

Souvent sur la montagne, à l'ombre du vieux chêne,
Au coucher du soleil, tristement je m'assieds ;
Je promène au hasard mes regards sur la plaine,
Dont le tableau changeant se déroule à mes pieds.

Ici gronde le fleuve aux vagues écumantes ;
Il serpente, et s'enfonce en un lointain obscur ;
Là le lac immobile étend ses eaux dormantes
Où l'étoile du soir se lève dans l'azur.

Au sommet des ces monts couronnés de bois sombres,
Le crépuscule encor jette un dernier rayon ;
Et le char vaporeux de la reine des ombres
Monte et blanchit déjà les bords de l'horizon.

Cependant, s'élançant de la flèche gothique,
Un son religieux se répand dans les airs :
Le voyageur s'arrête, et la cloche rustique
Aux derniers bruits du jour mêle de saints concerts.

Mais à ces doux tableaux mon âme indifférente
N'éprouve devant eux ni charmes ni transports ;
Je contemple la terre ainsi qu'une ombre errante :
Le soleil des vivants n'échauffe plus les morts.

De colline en colline en vain portant ma vue,
Du sud à l'aquilon, de l'aurore au couchant,
Je parcours tous les points de l'immense étendue,
Et je dis : « Nulle part le bonheur ne m'attend. »

Que me font ces vallons, ces palais, ces chaumières,
Vains objets dont pour moi le charme est envolé ?
Fleuves, rochers, forêts, solitudes si chères,
Un seul être vous manque, et tout est dépeuplé !

Que le tour du soleil ou commence ou s'achève,
D'un œil indifférent je le suis dans son cours ;
En un ciel sombre ou pur qu'il se couche ou se lève,
Qu'importe le soleil ? je n'attends rien des jours.

Quand je pourrais le suivre en sa vaste carrière,
Mes yeux verraient partout le vide et les déserts :
Je ne désire rien de tout ce qu'il éclaire ;
Je ne demande rien à l'immense univers.

Mais peut-être au delà des bornes de sa sphère,
Lieux où le vrai soleil éclaire d'autres cieux,
Si je pouvais laisser ma dépouille à la terre,
Ce que j'ai tant rêvé paraîtrait à mes yeux !

alphonse de lamartine

Là, je m'enivrerais à la source où j'aspire ;
Là, je retrouverais et l'espoir et l'amour,
Et ce bien idéal que toute âme désire,
Et qui n'a pas de nom au terrestre séjour !

Que ne puis-je, porté sur le char de l'Aurore,
Vague objet de mes vœux, m'élancer jusqu'à toi !
Sur la terre d'exil pourquoi resté-je encore ?
Il n'est rien de commun entre la terre et moi.

Quand la feuille des bois tombe dans la prairie,
Le vent du soir s'élève et l'arrache aux vallons ;
Et moi, je suis semblable à la feuille flétrie :
Emportez-moi comme elle, orageux aquilons.

le vallon

Alphonse de Lamartine

Mon cœur, lassé de tout, même de l'espérance,
N'ira plus de ses vœux importuner le sort ;
Prêtez-moi seulement, vallon de mon enfance,
Un asile d'un jour pour attendre la mort.

Voici l'étroit sentier de l'obscure vallée :
Du flanc de ces coteaux pendent des bois épais,
Qui, courbant sur mon front leur ombre entremêlée,
Me couvrent tout entier de silence et de paix.

Là, deux ruisseaux cachés sous des ponts de verdure
Tracent en serpentant les contours du vallon ;
Ils mêlent un moment leur onde et leur murmure,
Et non loin de leur source ils se perdent sans nom.

La source de mes jours comme eux s'est écoulée ;
Elle a passé sans bruit, sans nom et sans retour :
Mais leur onde est limpide, et mon âme troublée
N'aura pas réfléchi les clartés d'un beau jour.

alphonse de lamartine

La fraîcheur de leurs lits, l'ombre qui les couronne,
M'enchaînent tout le jour sur les bords des
                                    [ruisseaux ;
Comme un enfant bercé par un chant monotone,
Mon âme s'assoupit au murmure des eaux.

Ah ! c'est là qu'entouré d'un rempart de verdure,
D'un horizon borné qui suffit à mes yeux,
J'aime à fixer mes pas, et, seul dans la nature,
À n'entendre que l'onde, à ne voir que les cieux.

J'ai trop vu, trop senti, trop aimé dans ma vie ;
Je viens chercher vivant le calme du Léthé.
Beaux lieux, soyez pour moi ces bords où l'on
                                    [oublie :
L'oubli seul désormais est ma félicité.

Mon cœur est en repos, mon âme est en silence ;
Le bruit lointain du monde expire en arrivant,
Comme un son éloigné qu'affaiblit la distance,
À l'oreille incertaine apporté par le vent.

D'ici je vois la vie, à travers un nuage,
S'évanouir pour moi dans l'ombre du passé ;
L'amour seul est resté, comme une grande image
Survit seule au réveil dans un songe effacé.

Repose-toi, mon âme, en ce dernier asile,
Ainsi qu'un voyageur qui, le cœur plein d'espoir,
S'assied, avant d'entrer, aux portes de la ville,
Et respire un moment l'air embaumé du soir.

Comme lui, de nos pieds secouons la poussière ;
L'homme par ce chemin ne repasse jamais ;
Comme lui, respirons au bout de la carrière
Ce calme avant-coureur de l'éternelle paix.

Tes jours, sombres et courts comme les jours
                                    [d'automne
Déclinent comme l'ombre au pendant des coteaux ;
L'amitié te trahit, la pitié t'abandonne,
Et seule, tu descends le sentier des tombeaux.

Mais la nature est là qui t'invite et qui t'aime ;
Plonge-toi dans son sein qu'elle t'ouvre toujours ;
Quand tout change pour toi, la nature est la même,
Et le même soleil se lève sur tes jours.

De lumière et d'ombrage elle t'entoure encore :
Détache ton amour des faux biens que tu perds ;
Adore ici l'écho qu'adorait Pythagore,
Prête avec lui l'oreille aux célestes concerts.

Suis le jour dans le ciel, suis l'ombre sur la terre ;
Dans les plaines de l'air vole avec l'aquilon ;
Avec les doux rayons de l'astre du mystère
Glisse à travers les bois dans l'ombre du vallon.

Dieu, pour le concevoir, a fait l'intelligence :
Sous la nature enfin découvre son auteur !
Une voix à l'esprit parle dans son silence :
Qui n'a pas entendu cette voix dans son cœur ?

l'immortalité

Alphonse de Lamartine

Le soleil de nos jours pâlit dès son aurore ;
Sur nos fronts languissants à peine il jette encore
Quelques rayons tremblants qui combattent la nuit :
L'ombre croît, le jour meurt, tout s'efface et tout fuit.
   Qu'un autre à cet aspect frisonne et s'attendrisse,
Qu'il recule en tremblant des bords du précipice,
Qu'il ne puisse de loin entendre sans frémir
Le triste chant des morts tout prêt à retentir,
Les soupirs étouffés d'une amante ou d'un frère
Suspendus sur les bords de son lit funéraire,
Ou l'airain gémissant, dont les sons éperdus
Annoncent aux mortels qu'un malheureux n'est plus !
   Je te salue, ô Mort ! Libérateur céleste,
Tu ne m'apparais point sous cet aspect funeste
Que t'a prêté longtemps l'épouvante ou l'erreur ;
Ton bras n'est point armé d'un glaive destructeur,
Ton front n'est point cruel, ton œil n'est point perfide ;
Au secours des douleurs un Dieu clément te guide ;

dix-neuvième siècle

Tu n'anéantis pas, tu délivres ! ta main,
Céleste messager, porte un flambeau divin.
Quand mon œil fatigué se ferme à la lumière,
Tu viens d'un jour plus pur inonder ma paupière ;
Et l'Espoir, près de toi, rêvant sur un tombeau,
Appuyé sur la Foi, m'ouvre un monde plus beau.
Viens donc, viens détacher mes chaînes corporelles !
Viens, ouvre ma prison ; viens, prête-moi tes ailes !
Que tardes-tu ? Parais ; que je m'élance enfin
Vers cet Être inconnu, mon principe et ma fin !

Qui m'en a détaché ? Qui suis-je, et que dois-je être ?
Je meurs, et ne sais pas ce que c'est que de naître.
Toi qu'en vain j'interroge, esprit, hôte inconnu,
Avant de m'animer, quel ciel habitais-tu ?
Quel pouvoir t'a jeté sur ce globe fragile ?
Quelle main t'enferma dans ta prison d'argile ?
Par quels nœuds étonnants, par quels secrets rapports
Le corps tient-il à toi comme tu tiens au corps,
Quel jour séparera l'âme de la matière ?
Pour quel nouveau palais quitteras-tu la terre ?
As-tu tout oublié ? Par-delà le tombeau,
Vas-tu renaître encor dans un oubli nouveau ?
Vas-tu recommencer une semblable vie ?
Ou dans le sein de Dieu, ta source et ta patrie,
Affranchi pour jamais de tes liens mortels,
Vas-tu jouir enfin de tes droits éternels ?

Oui, tel est mon espoir, ô moitié de ma vie !
C'est par lui que déjà mon âme raffermie
A pu voir sans effroi sur tes traits enchanteurs
Se faner du printemps les brillantes couleurs ;
C'est par lui que, percé du trait qui me déchire,
Jeune encore, en mourant, vous me verrez sourire,
Et que des pleurs de joie, à nos dernier adieux,
À ton dernier regard brilleront dans mes yeux.

alphonse de lamartine

« Vain espoir ! » s'écriera le troupeau d'Épicure…
Qu'un autre vous réponde, ô sages de la terre !
Laissez-moi mon erreur ; j'aime, il faut que j'espère ;
Notre faible raison se trouble et se confond.
Oui, la raison se tait ; mais l'instinct vous répond.
Pour moi, quand je verrais dans les célestes plaines
Les astres, s'écartant de leurs routes certaines,
Dans les champs de l'éther l'un par l'autre heurtés,
Parcourir au hasard les cieux épouvantés ;
Quand j'entendrais gémir et se briser la terre ;
Quand je verrais son globe errant et solitaire,
Flottant loin des soleils, pleurant l'homme détruit,
Se perdre dans les champs de l'éternelle nuit ;
Et quand, dernier témoin de ces scènes funèbres,
Entouré du chaos, de la mort, des ténèbres,
Seul je serais debout : seul, malgré on effroi,
Être infaillible et bon, j'espérerais en toi,
Et certain du retour de l'éternelle aurore,
Sur les mondes détruits je t'attendrais encore !

Souvent, tu t'en souviens, dans cet heureux séjour
Où naquit d'un regard notre immortel amour,
Tantôt sur les sommets de ces rochers antiques,
Tantôt aux bords déserts des lacs mélancoliques,
Sur l'aile du désir loin du monde emportés,
Je plongeais avec toi dans ces obscurités.
Les ombres, à longs plis descendant des montagnes,
Un moment à nos yeux dérobaient les campagnes ;
Mais bientôt, s'avançant sans éclat et sans bruit,
Le chœur mystérieux des astres de la nuit,
Nous rendant les objets voilés à notre vue,
De ses molles lueurs revêtait l'étendue.
Telle, en nos temples saints par le jour éclairés,
Quand les rayons du soir pâlissent par degrés,
La lampe, répandant sa pieuse lumière,

405

D'un jour plus recueilli remplit le sanctuaire.
   Dans ton ivresse alors tu ramenais mes yeux
Et des cieux à la terre et de la terre aux cieux :
« Dieu caché, disais-tu, la nature est ton temple !
L'esprit te voit partout quand notre œil la contemple ;
De tes perfections, qu'il cherche à concevoir,
Ce monde est le reflet, l'image, le miroir ;
Le jour est ton regard, la beauté ton sourire ;
Partout le cœur t'adore et l'âme te respire ;
Éternel, infini, tout-puissant et tout bon,
Ces vastes attributs n'achèvent pas ton nom ;
Et l'esprit, accablé sous ta sublime essence,
Célèbre ta grandeur jusque dans son silence.
Et cependant, ô Dieu ! par sa sublime loi,
Cet esprit abattu s'élance encore à toi,
Et, sentant que l'amour est la fin de son être,
Impatient d'aimer, brûle de te connaître. »
   Tu disais ; et nos cœurs unissaient leurs soupirs
Vers cet être inconnu qu'attestaient nos désirs :
À genoux devant lui, l'aimant dans ses ouvrages,
Et l'aurore et le soir lui portaient nos hommages,
Et nos yeux enivrés contemplaient tour à tour
La terre notre exil, et le ciel son séjour.
Ah ! si dans ces instants où l'âme fugitive
S'élance et veut briser le sein qui la captive,
Ce Dieu, du haut du ciel répondant à nos vœux,
D'un trait libérateur nous eût frappés tous deux,
Nos âmes, d'un seul bond remontant vers leur
                        [source,
Ensemble auraient franchi les mondes dans leur
                        [course ;
À travers l'infini, sur l'aile de l'amour,
Elles auraient monté comme un rayon du jour,
Et, jusqu'à Dieu lui-même arrivant éperdues,
Se seraient dans son sein pour jamais confondues !

Ces vœux nous trompaient-ils? Au néant destinés,
Est-ce pour le néant que les êtres sont nés?
Partageant le destin du corps qui la recèle,
Dans la nuit du tombeau l'âme s'engloutit-elle?
Tombe-t-elle en poussière? ou, prête à s'envoler,
Comme un son qui n'est plus va-t-elle s'exhaler?
Après un vain soupir, après l'adieu suprême,
De tout ce qui t'aimait n'est-il plus rien qui t'aime?
Ah! sur ce grand secret n'interroge que toi!
Vois mourir ce qui t'aime, Elvire, et réponds-moi!

l'occident

Alphonse de Lamartine

Et la mer s'apaisait, comme une urne écumante
Qui s'abaisse au moment où le foyer pâlit,
Et, retirant du bord sa vague encor fumante,
Comme pour s'endormir rentrait dans son grand lit;

Et l'astre qui tombait de nuage en nuage
Suspendait sur les flots son orbe sans rayon,
Puis plongeait la moitié de sa sanglante image,
Comme un navire en feu qui sombre à l'horizon;

Et la moitié du ciel pâlissait, et la brise
Défaillait dans la voile, immobile et sans voix,
Et les ombres couraient, et sous leur teinte grise
Tout, sur le ciel et l'eau s'effaçait à la fois;

Et dans mon âme aussi pâlissante à mesure,
Tous les bruits d'ici-bas tombaient avec le jour,
Et quelque chose en moi, comme dans la nature,
Pleurait, priait, souffrait, bénissait tour à tour!

alphonse de lamartine

Et, vers l'occident seul, une porte éclatante
Laissait voir la lumière à flots d'or ondoyer,
Et la nue empourprée imitait une tente
Qui voile sans l'éteindre un immense foyer;

Et les ombres, les vents, et les flots de l'abîme,
Vers cette arche de feu tout paraissait courir,
Comme si la nature et tout ce qui l'anime
En perdant la lumière avait craint de mourir!

La poussière du soir y volait de la terre.
L'écume à blancs flocons sur la vague y flottait;
Et mon regard long, triste, errant, involontaire,
Les suivait, et de pleurs sans chagrin s'humectait.

Et tout disparaissait; et mon âme oppressée
Restait vide et pareille à l'horizon couvert;
Et puis il s'élevait une seule pensée,
Comme une pyramide au milieu du désert.

Ô lumière! où vas-tu? Globe épuisé de flamme,
Nuages, aquilons, vagues, où courez-vous?
Poussière, écume, nuit; vous, mes yeux; toi, mon
[âme,
Dites, si vous savez où donc allons-nous tous?

À toi, grand Tout, dont l'astre est la pâle étincelle,
En qui la nuit, le jour, l'esprit vont aboutir!
Flux et reflux divin de vie universelle,
Vaste océan de l'Être où tout va s'engloutir!

chant III, strophe 5

Lautréamont

… Une lanterne rouge, drapeau du vice, suspendue à l'extrémité d'une tringle, balançait sa carcasse au fouet des quatre vents, au-dessus d'une porte massive et vermoulue. Un corridor sale, qui sentait la cuisse humaine, donnait sur un préau, où cherchaient leur pâture des coqs et des poules, plus maigres que leurs ailes. Sur la muraille qui servait d'enceinte au préau, et située du côté de l'ouest, étaient parcimonieusement pratiquées diverses ouvertures, fermées par un guichet grillé. La mousse recouvrait ce corps de logis, qui, sans doute, avait été un couvent et servait, à l'heure actuelle, avec le reste du bâtiment, comme demeure de toutes ces femmes qui montraient chaque jour, à ceux qui entraient, l'intérieur de leur vagin, en échange d'un peu d'or. J'étais sur un pont, dont les piles plongeaient dans l'eau fangeuse d'un fossé de ceinture. De sa surface élevée, je contemplais dans la campagne cette construction penchée sur la vieillesse et les moindres détails de son architecture intérieure. Quelquefois, la grille d'un guichet s'élevait sur elle-même en grinçant, comme par l'impulsion ascendante d'une main qui violentait la nature du fer : un homme présentait sa tête à l'ouverture dégagée à moitié, avançait ses épaules, sur lesquelles tombait le plâtre écaillé, faisait suivre, dans cette extraction laborieuse, son corps couvert de toiles d'araignées.

(extrait)

les chants de maldoror

Lautréamont

…Vieil océan, aux vagues de cristal, tu ressembles proportionnellement à ces marques azurées que l'on voit sur le dos meurtri des mousses; tu es un immense bleu, appliqué sur le corps de la terre : j'aime cette comparaison. Ainsi, à ton premier aspect, un souffle prolongé de tristesse, qu'on croirait être le murmure de ta brise suave, passe, en laissant des ineffaçable traces, sur l'âme profondément ébranlée, et tu rappelles au souvenir de tes amants, sans qu'on s'en rende toujours compte, les rudes commencements de l'homme, où il fait connaissance avec la douleur, qui ne le quitte plus. Je te salue, vieil océan!

Vieil océan, ta forme harmonieusement sphérique, qui réjouit la face grave de la géométrie, ne me rappelle que trop les petits yeux de l'homme, pareils à ceux du sanglier pour la petitesse, et à ceux des oiseaux de nuit pour la perfection circulaire du contour. Cependant, l'homme s'est cru beau dans tous les siècles. Moi, je suppose plutôt que l'homme ne croit à sa beauté que par amour-propre; mais qu'il n'est pas beau réellement et qu'il s'en doute; car, pourquoi regarde-t-il la figure de son semblable avec tant de mépris? Je te salue, vieil océan!

Vieil océan, tu es le symbole de l'identité : toujours égal à toi-même. Tu ne varies pas d'une manière essentielle, et si tes vagues sont quelque part une furie, plus loin, dans quelque autre zone, elles sont dans le calme le plus complet. Tu n'es pas comme l'homme, qui s'arrête dans la rue, pour voir deux bouledogues s'empoigner au cou, mais qui ne s'arrête pas quand un enterrement passe; qui est ce matin accessible, et ce soir de mauvaise humeur; qui rit aujourd'hui et pleure demain. Je te salue, vieil océan!...

(extrait)

la dernière feuille

Théophile Gautier

Dans la forêt chauve et rouillée
Il ne reste plus au rameau
Qu'une pauvre feuille oubliée,
Rien qu'une feuille et qu'un oiseau.

Il ne reste plus dans mon âme
Qu'un seul amour pour y chanter,
Mais le vent d'automne qui brame
Ne permet pas de l'écouter ;

L'oiseau s'en va, la feuille tombe,
L'amour s'éteint, car c'est l'hiver,
Petit oiseau, viens sur ma tombe
Chanter, quand l'arbre sera vert !

premier sourire de printemps

Théophile Gautier

Tandis qu'à leurs œuvres perverses
Les hommes courent haletants,
Mars qui rit, malgré les averses,
Prépare en secret le printemps.

Pour les petites pâquerettes,
Sournoisement lorsque tout dort,
Il repasse des collerettes
Et cisèle des boutons d'or.

Dans le verger et dans la vigne,
Il s'en va, furtif perruquier,
Avec une houppe de cygne,
Poudrer à frimas l'amandier.

La nature au lit se repose ;
Lui, descend au jardin désert
Et lace les boutons de rose
Dans leur corset de velours vert.

dix-neuvième siècle

Tout en composant des solfèges
Qu'aux merles il siffle à mi-voix,
Il sème aux prés les perce-neige
Et les violettes au bois.

Sur le cresson de la fontaine
Où le cerf boit, l'oreille au guet,
De sa main cachée il égrène
Les grelots d'argent du muguet.

Sous l'herbe, pour que tu la cueilles,
Il met la fraise au teint vermeil,
Et te tresse un chapeau de feuilles
Pour te garantir du soleil.

Puis, lorsque sa besogne est faite,
Et que son règne va finir,
Au seuil d'avril tournant la tête,
Il dit : « Printemps, tu peux venir ! »

carmen

Théophile Gautier

Carmen est maigre, — un trait de bistre
Cerne son œil de gitana;
Ses cheveux sont d'un noir sinistre;
Sa peau, le diable la tanna.

Les femmes disent qu'elle est laide,
Mais tous les hommes en sont fous;
Et l'archevêque de Tolède
Chante la messe à ses genoux;

Car sur sa nuque d'ambre fauve
Se tord un énorme chignon
Qui, dénoué, fait dans l'alcôve
Une mante à son corps mignon,

Et, parmi sa pâleur, éclate
Une bouche aux rires vainqueurs,
Piment rouge, fleur écarlate,
Qui prend sa pourpre au sang des cœurs.

dix-neuvième siècle

Ainsi faite, la moricaude
Bat les plus altières beautés,
Et de ses yeux la lueur chaude
Rend la flamme aux satiétés;

Elle a, dans sa laideur piquante,
Un grain de sel de cette mer
D'où jaillit, nue et provocante,
L'âcre Vénus du gouffre amer.

le pin des landes

Théophile Gautier

On ne voit, en passant par les Landes désertes,
Vrai Sahara français, poudré de sable blanc,
Surgir de l'herbe sèche et des flaques d'eaux vertes
D'autre arbre que le pin avec sa plaie au flanc ;

Car pour lui dérober ses larmes de résine,
L'homme, avare bourreau de la création,
Qui ne vit qu'aux dépens de ceux qu'il assassine,
Dans son tronc douloureux ouvre un large sillon !

Sans regretter son sang qui coule goutte à goutte,
Le pin verse son baume et sa sève qui bout,
Et se tient toujours droit sur le bord de la route,
Comme un soldat blessé qui veut mourir debout.

Le poète est ainsi dans les Landes du monde ;
Lorsqu'il est sans blessure, il garde son trésor.
Il faut qu'il ait au cœur une entaille profonde
Pour épancher ses vers, divines larmes d'or !

419

l'alouette

Jules Michelet

L'oiseau des champs par excellence, l'oiseau du laboureur, c'est l'alouette, sa compagne assidue, qu'il retrouve partout dans son sillon pénible pour l'encourager, le soutenir, lui chanter l'espérance. Espoir, c'est la vieille devise de nos Gaulois, et c'est pour cela qu'ils avaient pris comme oiseau national cet humble oiseau si pauvrement vêtu, mais si riche de cœur et de chant.

La nature semble avoir traité sévèrement l'alouette. La disposition de se ses ongles la rend impropre à percher sur les arbres. Elle niche à terre, tout près du pauvre lièvre et sans abri que le sillon. Quelle vie précaire, aventurée, au moment où elle couve! Que de soucis, que d'inquiétudes! À peine une motte de gazon dérobe au chien, au milan, au faucon, le doux trésor de cette mère. Elle couve à la hâte, elle élève à la hâte la tremblante couvée. Qui ne croirait que cette infortunée participera à la mélancolie de son triste voisin, le lièvre? « Cet animal est triste et la crainte le ronge. » (La Fontaine)

Mais le contraire a lieu par un miracle inattendu de gaieté et d'oubli facile, de légèreté, si l'on veut, et d'insouciance française : l'oiseau national, à peine hors de danger, retrouve toute sa sérénité, son chant, son indomptable joie. Autre merveille : ses périls, sa vie précaire, ses épreuves cruelles n'endurcissent pas son cœur; elle reste bonne autant que gaie, sociable et confiante, offrant un modèle, assez rare parmi les oiseaux, d'amour fraternel; l'alouette, comme l'hirondelle, au besoin, nourrira ses sœurs.

Deux choses la soutiennent et l'animent : la lumière et l'amour. Elle aime la moitié de l'année. Deux fois, trois fois, elle s'impose le périlleux bonheur de la maternité, le travail incessant d'une éducation de hasards. Mais quand l'amour lui manque, la lumière lui reste et la ranime. Le moindre rayon de lumière suffit pour lui rendre son chant.

C'est la fille du jour. Dès qu'il commence, quand l'horizon s'empourpre et que le soleil va paraître, elle part du sillon comme une flèche, porte au ciel l'hymne de joie. Sainte poésie, fraîche comme l'aube, pure et gaie comme un cœur d'enfant! Cette voix encore, puissante, donne le signal aux moissonneurs. « Il faut partir, dit le père; n'entendez-vous pas l'alouette? »

le crapaud

Tristan Corbière

Un chant dans une nuit sans air…
— La lune plaque en métal clair
Les découpures du vert sombre.

Un chant ; comme un écho, tout vif
Enterré là, sous le massif…
— Ça se tait : Viens, c'est là, dans l'ombre…

— Un crapaud ! — Pourquoi cette peur,
Près de moi, ton soldat fidèle ?
Vois-le, poète tondu, sans aile,
Rossignol de la boue… — Horreur !

— Il chante. — Horreur !!! — Horreur pourquoi ?
Vois-tu pas son œil de lumière…
Non : il s'en va, froid, sous sa pierre.

Bonsoir — ce crapaud-là, c'est moi.

la rapsode foraine et le pardon de Sainte-Anne

Tristan Corbière

Mère taillée à coups de hache,
Tout cœur de chêne dur et bon ;
Sous l'or de sa robe se cache
L'âme en pièce d'un franc Breton !

— Vieille verte à la face usée
Comme la pierre du torrent,
Par des larmes d'amour creusée,
Séchée avec des pleurs de sang…

— Toi, dont la mamelle tarie
S'est refait, pour avoir porté
La Virginité de Marie,
Une mâle virginité !

dix-neuvième siècle

— Servante-maîtresse altière,
Très haute devant le Très-haut ;
Au pauvre monde, pas fière,
Dame pleine de comme-il-faut !

— Bâton des aveugles ! Béquille
Des vieilles ! Bras des nouveau-nés !
Mère de madame ta fille !
Parente des abandonnés !

— Ô fleur de la pucelle neuve !
Fruit de l'épouse au sein grossi !
Reposoir de la femme veuve…
Et du veuf Dame-de-Merci !

— Arche de Joachim ! Aïeule !
Médaille de cuivre effacé !
Gui sacré ! Trèfle quatre-feuilles !
Mont d'Horeb ! Souche de Jessé !

— Ô toi qui recouvrais la cendre,
Qui filais comme on fait chez nous,
Quand le soir venait à descendre,
Tenant l'Enfant sur tes genoux ;

Toi qui fus là, seule, pour faire
Son maillot à Bethléem,
Et là, pour coudre son suaire
Douloureux, à Jérusalem !…

Des croix profondes sont tes rides,
Tes cheveux sont blancs comme fils…
— Préserve des regards arides
Le berceau de nos petit-fils…

Fais venir et conserve en joie
Ceux à naître et ceux qui sont nés,
Et verse, sans que Dieu te voie,
L'eau de tes yeux sur les damnés.

Reprends dans leur chemise blanche
Les petits qui sont en langueur…
Rappelle à l'éternel Dimanche
Les vieux qui traînent en longueur.

— Drangon-gardien de la Vierge,
Garde la crèche sous ton œil.
Que, près de toi, Joseph-Concierge
Garde la propreté du seuil !

Prends pitié de la fille-mère,
Du petit au bord du chemin…
Si quelqu'un leur jette la pierre,
Que la pierre se change en pain !

— Dame bonne en mer et sur terre,
Montre-nous le ciel et le port,
Dans la tempête ou dans la guerre…
Ô Fanal de la bonne mort !

Humble : à tes pieds n'as point d'étoile,
Humble… et brave pour protéger !
Dans la nue apparaît ton voile,
Pâle auréole du danger.

— Aux perdus dont la vie est grise,
(— Sauf respect — perdus de boisson)
Montre le clocher de l'église
Et le chemin de la maison.

dix-neuvième siècle

Prête ta douce et chaste flamme
Aux chrétiens qui sont ici…
Ton remède de bonne femme
Pour tes bêtes-à-corne aussi !

Montre à nos femmes et servantes
L'ouvrage et la fécondité…
— Le bonjour aux âmes parentes
Qui sont bien dans l'éternité !

— Nous mettrons un cordon de cire,
De cire-vierge jaune autour
De ta chapelle et ferons dire
Ta messe basse au point du jour.

Préserve notre cheminée
Des sorts et du monde malin…
À Pâques te sera donnée
Une quenouille avec du lin.

Si nos corps sont puants sur terre,
Ta grâce est un bain de santé ;
Répands sur nous, au cimetière,
Ta bonne odeur de sainteté.

— À l'an prochain ! — Voici ton cierge :
(C'est deux livres qu'il a coûté)
… Respects à Madame la Vierge,
Sans oublier la Trinité.

paris nocturne

Tristan Corbière

Ce n'est pas une ville,
c'est un monde

— C'est la mer : — calme plat — et la grande marée,
Avec un grondement lointain, s'est retirée.
Le flot va revenir, se roulant dans son bruit —
— Entendez-vous gratter les crabes de la nuit…

— C'est le Styx asséché ; Le chiffonnier Diogène,
Sa lanterne à la main, s'en vient errer sans gêne.
Le long du ruisseau noir, les poètes pervers
Pêchent ; leur crâne creux leur sert de boîte à vers.

— C'est le champ : Pour glaner les impures charpies
S'abat le vol tournant des hideuse harpies.
Le lapin de gouttière, à l'affût des rongeurs,
Fuit les fils de Bondy, nocturnes vendangeurs.

— C'est la mort : La police gît — En haut, l'amour
Fait la sieste en tétant la viande d'un bras lourd,
Où le baiser éteint laisse sa plaque rouge…
L'heure est seule — Écoutez :… pas un rêve ne bouge.

— C'est la vie : Écoutez : la source vive chante
L'éternelle chanson, sur la tête gluante
D'un dieu marin tirant ses membres nus et verts
Sur le lit de la morgue… Et les yeux grand'ouverts !

épitaphe

Tristan Corbière

Il se tua d'ardeur, ou mourut de paresse,
S'il vit, c'est par l'oubli ; voici ce qu'il se laisse :
Son seul regret fut de n'être pas sa maîtresse.

Il ne naquit par aucun bout,
Fut toujours poussé vent-de-bout,
Et fut un arlequin-ragoût,
Mélange adultère de tout.
Du *je-ne-sais-quoi,* — mais ne sachant où ;
De l'or, — mais avec pas le sou ;
Des nerfs, — sans nerf ; vigueur sans force ;
De l'élan, — avec une entorse ;
De l'âme, — et pas de violon ;
De l'amour, — mais pire étalon.
— Trop de noms pour avoir un nom. —

Coureur d'idéal, — sans idée ;
Rime riche, — et jamais rimée ;
Sans avoir été, — revenu ;
Se retrouvant partout perdu.

dix-neuvième siècle

Poète, en dépit de ses vers ;
Artiste sans art, — à l'envers ;
Philosophe, — à tort à travers.

Un drôle sérieux, — pas drôle.
Acteur : il ne sut pas son rôle ;
Peintre : il jouait de la musette ;
Et musicien : de la palette.

Une tête ! — mais pas de tête ;
Trop fou pour savoir être bête ;
Prenant pour un trait le mot *très*.
— Ses vers faux furent ses seuls vrais.

Oiseau rare — et de pacotille ;
Très mâle… et quelquefois très *fille* ;
Capable de tout, — bon à rien ;
Gâchant bien le mal, mal le bien.

Prodigue comme était l'enfant
Du Testament, — sans testament.
Brave, et souvent, par peur du plat,
Mettant ses deux pieds dans le plat.

Coloriste enragé, — mais blême ;
Incompris… — surtout de lui-même ;
Il pleura, chanta juste faux ;
— Et fut un défaut sans défauts.

Ne fut quelqu'un, ni quelque chose.
Son naturel était la *pose*.
Pas poseur, posant pour l'*unique*;
Trop naïf, étant trop cynique;
Ne croyant à rien, croyant tout.
— Son goût était dans le dégoût.

Trop crû, — parce qu'il fut trop cuit,
Ressemblant à rien moins qu'à lui,
Il s'amusa de son ennui,
Jusqu'à s'en réveiller la nuit.
Flâneur au large, — à la dérive,
Épave qui jamais n'arrive…

Trop Soi pour se pouvoir souffrir,
L'esprit à sec et la tête ivre,
Fini, mais ne sachant finir,
Il mourut en s'attendant vivre
Et vécut s'attendant mourir.

Ci-gît, — cœur sans cœur, mal planté,
Trop réussi — comme raté.

puisque j'ai mis ma lèvre...

Victor Hugo

Puisque j'ai mis ma lèvre à ta coupe encor pleine ;
Puisque j'ai dans tes mains posé mon front pâli ;
Puisque j'ai respiré parfois la douce haleine
De ton âme, parfum dans l'ombre enseveli ;

Puisqu'il me fut donné de t'entendre me dire
Les mots où se répand le cœur mystérieux ;
Puisque j'ai vu pleurer, puisque j'ai vu sourire
Ta bouche sur ma bouche et tes yeux sur mes yeux…

Je puis maintenant dire aux rapides années :
— Passez ! passez toujours ! je n'ai plus à vieillir !
Allez-vous-en avec vos fleurs toutes fanées ;
J'ai dans l'âme une fleur que nul ne peut cueillir !

Votre aile en le heurtant ne fera rien répandre
Du vase où je m'abreuve et que j'ai bien rempli.
Mon âme a plus de feu que vous n'avez de cendre !
Mon cœur a plus d'amour que vous n'avez d'oubli !

les djinns

Victor Hugo

E com i gru van cantando lor lai,
Facendo in aer di se lunga riga,
Cosi vid'io venir traendo guai
Ombre portate dalla detta briga.
DANTE.

Et comme les grues qui font dans l'air
De longues files vont chantant leur plainte,
Ainsi je vis venir traînant des gémissements
Les ombres emportées par cette tempête.

Murs, ville,
Et port,
Asile
De mort,
Mer grise
Où brise
La brise,
Tout dort.

dix-neuvième siècle

Dans la plaine
Naît un bruit.
C'est l'haleine
De la nuit.
Elle brame
Comme une âme
Qu'une flamme
Toujours suit.

La voix plus haute
Semble un grelot.
D'un nain qui saute
C'est le galop.
Il fuit, s'élance,
Puis en cadence
Sur un pied danse
Au bout d'un flot.

La rumeur approche,
L'écho la redit.
C'est comme la cloche
D'un couvent maudit,
Comme un bruit de foule
Qui tonne et qui roule,
Et tantôt s'écroule,
Et tantôt grandit.

Dieu! la voix sépulcrale
Des Djinns!... — Quel bruit ils font!
Fuyons sous la spirale
De l'escalier profond!
Déjà s'éteint ma lampe,
Et l'ombre de la rampe,
Qui le long du mur rampe,
Monte jusqu'au plafond.

C'est l'essaim des Djinns qui passe,
Et tourbillonne en sifflant.
Les ifs, que leur vol fracasse,
Craquent comme un pin brûlant.
Leur troupeau lourd et rapide,
Volant dans l'espace vide,
Semble un nuage livide
Qui porte un éclair au flanc.

Ils sont tout près! — Tenons fermée
Cette salle où nous les narguons.
Quel bruit dehors! Hideuse armée
De vampires et de dragons!
La poutre du toit descellée
Ploie ainsi qu'une herbe mouillée,
Et la vieille porte rouillée
Tremble à déraciner ses gonds.

Cris de l'enfer! voix qui hurle et qui pleure.
L'horrible essaim, poussé par l'aquilon,
Sans doute, ô ciel! s'abat sur ma demeure.
Le mur fléchit sous le noir bataillon.
La maison crie et chancelle penchée,
Et l'on dirait que, du sol arrachée,
Ainsi qu'il chasse une feuille séchée,
Le vent la roule avec leur tourbillon!

Prophète! si ta main me sauve
De ces impurs démons des soirs,
J'irai prosterner mon front chauve
Devant tes sacrés encensoirs!
Fais que sur ces portes fidèles
Meure leur souffle d'étincelles,
Et qu'en vain l'ongle de leur ailes
Grince et crie à ces vitraux noirs!

dix-neuvième siècle

Ils sont passés! — Leur cohorte
S'envole et fuit, et leurs pieds
Cessent de battre ma porte
De leurs coups multipliés.
L'air est plein d'un bruit de chaînes,
Et dans les forêts prochaines
Frissonnent tous les grands chênes,
Sous leur vol de feu pliés!

De leurs ailes lointaines
Le battement décroît,
Si confus dans les plaines,
Si faible, que l'on croit
Ouïr la sauterelle
Crier d'une voix grêle,
Ou pétiller la grêle
Sur le plomb d'un vieux toit.

D'étrange syllabes
Nous viennent encor:
Ainsi, des arabes
Quand sonne le cor,
Un chant sur la grève
Par instants s'élève,
Et l'enfant qui rêve
Fait des rêves d'or.

Les Djinns funèbres,
Fils du trépas,
Dans les ténèbres
Pressent leurs pas;
Leur essaim gronde;
Ainsi, profonde,
Murmure une onde
Qu'on ne voit pas.

Ce bruit vague
Qui s'endort,
C'est la vague
Sur le bord ;
C'est la plainte
Presque éteinte
D'une sainte
Pour un mort.

On doute
La nuit…
J'écoute :
Tout fuit.
Tout passe ;
L'espace
Efface
Le bruit.

booz endormi

Victor Hugo

Booz s'était couché, de fatigue accablé ;
Il avait tout le jour travaillé dans son aire,
Puis avait fait son lit à la place ordinaire ;
Booz dormait auprès des boisseaux pleins de blé.

Ce vieillard possédait des champs de blés et d'orge ;
Il était, quoique riche, à la justice enclin ;
Il n'avait pas de fange en l'eau de son moulin ;
Il n'avait pas d'enfer dans le feu de sa gorge.

Sa barbe était d'argent comme un ruisseau d'avril,
Sa gerbe n'était point avare ni haineuse ;
Quand il voyait passer quelque pauvre glaneuse :
« Laisser tomber exprès des épis, » disait-il.

Cet homme marchait pur loin des sentiers obliques,
Vêtu de probité candide et de lin blanc ;
Et, toujours du côté des pauvres ruisselant,
Ses sacs de grains semblaient des fontaines publiques.

Booz était bon maître et fidèle parent ;
Il était généreux, quoiqu'il fût économe ;
Les femmes regardaient Booz plus qu'un jeune
                                        [homme,
Car le jeune homme est beau, mais le vieillard est
                                        [grand.

Le vieillard, qui revient vers la source première,
Entre aux jours éternels et sort des jours changeants ;
Et l'on voit de la flamme aux yeux des jeunes gens,
Mais dans l'œil du vieillard on voit de la lumière.

Donc, Booz dans la nuit dormait parmi les siens ;
Près des meules, qu'on eût prises pour des
                                        [décombres,
Les moissonneurs couchés faisaient des groupes
                                        [sombres
Et ceci se passait dans des temps très anciens.

Les tribus d'Israël avaient pour chef un juge ;
La terre, où l'homme errait sous la tente,
                                        [inquiet
Des empreintes de pieds de géants qu'il voyait,
Etait encor mouillée et molle du déluge.

dix-neuvième siècle

Comme dormait Jacob, comme dormait Judith,
Booz, les yeux fermés, gisait sous la feuillée ;
Or, la porte du ciel s'étant entre-bâillée
Au-dessus de sa tête, un songe en descendit.

Et ce songe était tel, que Booz vit un chêne
Qui, sorti de son ventre, allait jusqu'au ciel bleu ;
Une race y montait comme une longue chaîne ;
Un roi chantait en bas, en haut mourait un Dieu.

Et Booz murmurait avec la voix de l'âme :
« Comment se pourrait-il que de moi ceci vint ?
Le chiffre de mes ans a passé quatre-vingt,
Et je n'ai pas de fils, et je n'ai plus de femme.

« Voilà longtemps que celle avec qui j'ai dormi,
Ô Seigneur ! a quitté ma couche pour la vôtre ;
Et nous sommes encor tout mêlés l'un à l'autre,
Elle à demi vivante et moi mort à demi.

« Une race naîtrait de moi ! Comment le croire ?
Comment se pourrait-il que j'eusse des enfants ?
Quand on est jeune, on a des matins triomphants,
Le jour sort de la nuit comme d'une victoire ;

« Mais, vieux, on tremble ainsi qu'à l'hiver le bouleau ;
Je suis veuf, je suis seul, et sur moi le soir tombe,
Et je courbe, ô mon Dieu ! mon âme vers la tombe,
Comme un bœuf ayant soif penche son front vers
                                        [l'eau. »

Ainsi parlait Booz dans le rêve et l'extase,
Tournant vers Dieu ses yeux par le sommeil noyés;
Le cèdre ne sent pas une rose à sa base,
Et lui ne sentait pas une femme à ses pieds.

Pendant qu'il sommeillait, Ruth, une Moabite,
S'était couchée aux pieds de Booz, le sein nu,
Espérant on ne sait quel rayon inconnu,
Quand viendrait du réveil la lumière subite.

Booz ne savait point qu'une femme était là,
Et Ruth ne savait point ce que Dieu voulait d'elle.
Un frais parfum sortait des touffes d'asphodèle;
Les souffles de la nuit flottaient sur Galgala.

L'ombre était nuptiale, auguste et solennelle;
Les anges y volaient sans doute obscurément,
Car on voyait passer dans la nuit, par moment,
Quelque chose de bleu qui paraissait une aile.

La respiration de Booz qui dormait
Se mêlait au bruit sourd des ruisseaux sur la
                                    [mousse.
On était dans le mois où la nature est douce,
Les collines ayant des lis sur leur sommet.

Ruth songeait et Booz dormait; l'herbe était noire,
Les grelots des troupeaux palpitaient vaguement;
Une immense bonté tombait du firmament;
C'était l'heure tranquille où les lions vont boire.

441

dix-neuvième siècle

Tout reposait dans Ur et dans Jérimadeth;
Les astres émaillaient le ciel profond et sombre;
Le croissant fin et clair parmi ces fleurs de l'ombre
Brillait à l'occident, et Ruth se demandait,

Immobile, ouvrant l'œil à moitié sous ses voiles,
Quel dieu, quel moissonnneur de l'éternel été
Avait, en s'en allant, négligemment jeté
Cette faucille d'or dans le champ des étoiles.

tristesse d'olympio

Victor Hugo

Les champs n'étaient point noirs, les cieux n'étaient
[pas mornes :
Non, le jour rayonnait dans un azur sans bornes
Sur la terre étendu,
L'air était plein d'encens et les prés de verdures
Quant il revit ces lieux où par tant de blessures
Son cœur s'est répandu !

L'automne souriait ; les coteaux vers la plaine
Penchaient leurs bois charmants qui jaunissaient à
[peine ;
Le ciel était doré ;
Et les oiseaux, tournés vers celui que tout nomme,
Disant peut-être à Dieu quelque chose de l'homme,
Chantaient leur chant sacré !

Il voulut tout revoir, l'étang près de la source,
La masure où l'aumône avait vidé leur bourse,
Le vieux frêne plié,
Les retraites d'amour au fond des bois perdues,
L'arbre où dans les baisers leurs âmes confondues
Avaient tout oublié !

443

Il chercha le jardin, la maison isolée,
La grille d'où l'œil plonge en une oblique allée,
      Les vergers en talus.
Pâle, il marchait. — Au bruit de son pas grave et
                            [sombre
Il voyait à chaque arbre, hélas! se dresser l'ombre
      Des jours qui ne sont plus!

Il entendait frémir dans la forêt qu'il aime
Ce doux vent qui, faisant tout vibrer en nous-même,
      Y réveille l'amour,
Et, remuant le chêne ou balançant la rose,
Semble l'âme de tout qui va sur chaque chose
      Se poser tour à tour!

Les feuilles qui gisaient dans le bois solitaire,
S'efforçant sous ses pas de s'élever de terre,
      Couraient dans le jardin;
Ainsi, parfois, quand l'âme est triste, nos pensées
S'envolent un moment sur leurs ailes blessées,
      Puis retombent soudain.

Il contempla longtemps les formes magnifiques
Que la nature prend dans les champs pacifiques;
      Il rêva jusqu'au soir;
Tout le jour il erra le long de la ravine,
Admirant tour à tour le ciel, face divine,
      Le lac, divin miroir!

Hélas! se rappelant ses douces aventures,
Regardant, sans entrer, par-dessus les clôtures,
      Ainsi qu'un paria,
Il erra tout le jour. Vers l'heure où la nuit tombe,
Il se sentit le cœur triste comme une tombe,
      Alors il s'écria :

— « Ô douleur! j'ai voulu, moi, dont l'âme est
                              [troublée,
Savoir si l'urne encor conservait la liqueur,
Et voir ce qu'avait fait cette heureuse vallée
De tout ce que j'avais laissé là de mon cœur!

« Que peu de temps suffit pour changer toutes choses!
Nature au front serein, comme vous oubliez!
Et comme vous brisez dans vos métamorphoses
Les fils mystérieux où nos cœurs sont liés!

« Nos chambres de feuillage en halliers sont changées;
L'arbre où fut notre chiffre est mort ou renversé;
Nos roses dans l'enclos ont été ravagées
Par les petits enfants qui sautent le fossé!

« Un mur clôt la fontaine où, par l'heure échauffée,
Folâtre, elle buvait en descendant des bois;
Elle prenait de l'eau dans sa main, douce fée,
Et laissait retomber des perles de ses doigts!

« On a pavé la route âpre et mal aplanie,
Où, dans le sable pur se dessinant si bien,
Et de sa petitesse étalant l'ironie,
Son pied charmant semblait rire à côté du mien!

« La borne du chemin, qui vit des jours sans nombre,
Où jadis pour m'attendre elle aimait à s'asseoir,
S'est usée en heurtant, lorsque la route est sombre,
Les grands chars gémissants qui reviennent le soir.

« La forêt ici manque et là s'est agrandie.
De tout ce qui fut nous presque rien n'est vivant;
Et, comme un tas de cendre éteinte et refroidie,
L'amas des souvenirs se disperse à tout vent!

445

« N'existons-nous donc plus ? Avons-nous eu notre
                                        [heure ?
Rien ne la rendra-t-il à nos cris superflus ?
L'air joue avec la branche au moment où je pleure ;
Ma maison me regarde et ne me connaît plus.

« D'autres vont maintenant passer où nous
                                        [passâmes.
Nous y sommes venus, d'autres vont y venir ;
Et le songe qu'avaient ébauché nos deux âmes,
Ils le continueront sans pouvoir le finir !

« Car personne ici-bas ne termine et n'achève ;
Les pires des humains sont comme les meilleurs ;
Nous nous réveillons tout au même endroit du rêve.
Tout commence en ce monde et tout finit ailleurs.

« Oui, d'autres à leur tour viendront, couples sans
                                        [tache,
Puiser dans cet asile heureux, calme, enchanté,
Tout ce que la nature à l'amour qui se cache
Mêle de rêverie et de solennité !

« D'autres auront nos champs, nos sentiers, nos
                                        [retraites.
Ton bois, ma bien-aimée, est à des inconnus.
D'autres femmes viendront, baigneuses indiscrètes,
Troubler le flot sacré qu'ont touché tes pieds nus !

« Quoi donc ! c'est vainement qu'ici nous nous
                                        [aimâmes !
Rien ne nous restera de ces coteaux fleuris
Où nous fondions notre être en y mêlant nos
                                        [flammes !
L'impassible nature a déjà tout repris.

« Oh! dites-moi, ravins, frais ruisseaux, treilles
                                    [mûres,
Rameaux chargés de nids, grottes, forêts, buissons,
Est-ce que vous ferez pour d'autres vos murmures?
Est-ce que vous direz à d'autres vos chansons?

« Nous vous comprenions tant! doux, attentifs,
                                    [austères,
Tous nos échos s'ouvraient si bien à votre voix!
Et nous prêtions si bien, sans troubler vos mystères,
L'oreille aux mots profonds que vous dites parfois!

« Répondez, vallon pur, répondez, solitude,
Ô nature abritée en ce désert si beau,
Lorsque nous dormirons tous deux dans l'attitude
Que donne aux morts pensifs la forme du
                                    [tombeau;

« Est-ce que vous serez à ce point insensible
De nous savoir couchés, morts avec nos amours,
Et de continuer votre fête paisible,
Et de toujours sourire et de chanter toujours?

« Est-ce que, nous sentant errer dans vos retraites,
Fantômes reconnus par vos monts et vos bois,
Vous ne nous direz pas de ces choses secrètes
Qu'on dit en revoyant des amis d'autrefois?

« Est-ce que vous pourrez, sans tristesse et sans
                                    [plainte,
Voir nos ombres flotter où marchèrent nos pas,
Et la voir m'entraîner, dans une morne étreinte,
Vers quelque source en pleurs qui sanglote tout
                                    [bas?

447

dix-neuvième siècle

« Et s'il est quelque part, dans l'ombre où rien ne
                                                    [veille,
Deux amants sous vos fleurs abritant leurs transports,
Ne leur irez-vous pas murmurer à l'oreille :
— « Vous qui vivez, donnez une pensée aux
                                                    [morts ! »

« Dieu nous prête un moment les prés et les fontaines,
Les grands bois frissonnants, les rocs profonds et
                                                    [sourds,
Et les cieux azurés et les lacs et les plaines,
Pour y mettre nos cœurs, nos rêves, nos amours !

« Puis il nous les retire. Il souffle notre flamme,
Il plonge dans la nuit l'antre où nous rayonnons ;
Et dit à la vallée, où s'imprima notre âme,
D'effacer notre trace et d'oublier nos noms.

« Eh bien ! oubliez-nous, maison, jardin, ombrages !
Herbe, use notre seuil ! ronce, cache nos pas !
Chantez, oiseaux ! ruisseaux, coulez ! croissez,
                                                    [feuillages !
Ceux que vous oubliez ne vous oublieront pas.

« Car vous êtes pour nous l'ombre de l'amour
                                                    [même !
Vous êtes l'oasis qu'on rencontre en chemin !
Vous êtes, ô vallon, la retraite suprême
Où nous avons pleuré nous tenant par la main !

« Toutes les passions s'éloignent avec l'âge,
L'une emportant son masque et l'autre son couteau,
Comme un essaim chantant d'histrions en voyage
Dont le groupe décroît derrière le coteau.

« Mais toi, rien ne t'efface, Amour ! toi qui nous
                                 [charmes,
Toi qui, torche ou flambeau, luis dans notre
                                 [brouillard !
Tu nous tiens par la joie et surtout par les larmes ;
Jeune homme on te maudit, on t'adore vieillard.

« Dans ces jours où la tête au poids des ans s'incline,
Où l'homme, sans projets, sans but, sans visions,
Sent qu'il n'est déjà plus qu'une tombe en ruine
Où gisent ses vertus et ses illusions ;

« Quand notre âme en rêvant descend dans nos
                                 [entrailles,
Comptant dans notre cœur, qu'enfin la glace atteint,
Comme on compte les morts sur un champ de
                                 [bataille,
Chaque douleur tombée et chaque songe éteint,

« Comme quelqu'un qui cherche en tenant une
                                 [lampe,
Loin des objets réels, loin du monde rieur,
Elle arrive à pas lents par une obscure rampe
Jusqu'au fond désolé du gouffre intérieur ;

« Et là, dans cette nuit qu'aucun rayon n'étoile,
L'âme, en un repli sombre où tout semble finir,
Sent quelque chose encor palpiter sous un voile...
— C'est toi qui dors dans l'ombre, ô sacré souvenir ! »

oceano nox

Victor Hugo

Saint-Valéry-sur-Somme

Oh ! combien de marins, combien de capitaines
Qui sont partis joyeux pour des courses lointaines,
Dans ce morne horizon se sont évanouis !
Combien ont disparu, dure et triste fortune !
Dans une mer sans fond, par une nuit sans lune,
Sous l'aveugle océan à jamais enfouis !

Combien de patrons morts avec leurs équipages !
L'ouragan de leur vie a pris toutes les pages,
Et d'un souffle il a tout dispersé sur les flots !
Nul ne saura leur fin dans l'abîme plongée.
Chaque vague en passant d'un butin s'est chargée ;
L'une a saisi l'esquif, l'autre les matelots !

Nul ne sait votre sort, pauvres têtes perdues !
Vous roulez à travers les sombres étendues,
Heurtant de vos fronts morts des écueils inconnus.
Oh ! que de vieux parents, qui n'avaient plus qu'un
                                                    [rêve,
Sont morts en attendant tous les jours sur la grève
Ceux qui ne sont pas revenus !

On s'entretient de vous parfois dans les veillées.
Maint joyeux cercle, assis sur des ancres rouillées,
Mêle encor quelque temps vos noms d'ombre couverts
Aux rires, aux refrains, aux récits d'aventures,
Aux baisers qu'on dérobe à vos belles futures,
Tandis que vous dormez dans les goëmons verts!

On demande : — Où sont-ils? sont-ils rois dans
[quelque île?
Nous ont-ils délaissés pour un bord plus fertile? —
Puis votre souvenir même est enseveli.
Le corps se perd dans l'eau, le nom dans la mémoire.
Le temps, qui sur toute ombre en verse une plus noire,
Sur le sombre océan jette le sombre oubli.

Bientôt des yeux de tous votre ombre est disparue.
L'un n'a-t-il pas sa barque et l'autre sa charrue?
Seules, durant ces nuits où l'orage est vainqueur,
Vos veuves aux fronts blancs, lasses de vous attendre,
Parlent encor de vous en remuant la cendre
De leur foyer et de leur cœur!

Et quant la tombe enfin a fermé leur paupière,
Rien ne sait plus vos noms, pas même une humble
[pierre
Dans l'étroit cimetière où l'écho nous répond,
Pas même un saule vert qui s'effeuille à l'automne,
Pas même la chanson naïve et monotone

Que chante un mendiant à l'angle d'un vieux pont!
Où sont-ils, les marins sombrés dans les nuits noires?
Ô flots, que vous savez des lugubres histoires!
Flots profonds, redoutés de mères à genoux!
Vous vous les racontez en montant les marées,
Et c'est ce qui vous fait ces voix désespérées
Que vous avez le soir quand vous venez vers nous!

451

demain, dès l'aube...

Victor Hugo

Demain, dès l'aube, à l'heure où blanchit la campagne,
Je partirai. Vois-tu, je sais que tu m'attends.
J'irai par la forêt, j'irai par la montagne.
Je ne puis demeurer loin de toi plus longtemps.

Je marcherai les yeux fixés sur mes pensées,
Sans rien voir au dehors, sans entendre aucun bruit,
Seul, inconnu, le dos courbé, les mains croisées,
Triste, et le jour pour moi sera comme la nuit.

Je ne regarderai ni l'or du soir qui tombe,
Ni les voiles au loin descendant vers Harfleur,
Et quand j'arriverai, je mettrai sur ta tombe
Un bouquet de houx vert et de bruyères en fleur.

à villequier

Victor Hugo

Maintenant que Paris, ses pavés et ses marbres,
Et sa brume et ses toits sont bien loin de mes yeux;
Maintenant que je suis sous les branches des arbres,
Et que je puis songer à la beauté des cieux;

Maintenant que du deuil qui m'a fait l'âme obscure
      Je sors, pâle et vainqueur,
Et que je sens la paix de la grande nature
      Qui m'entre dans le cœur;

Maintenant que je puis, assis au bord des ondes,
Ému par ce superbe et tranquille horizon,
Examiner en moi les vérités profondes
Et regarder les fleurs qui sont dans le gazon;

Maintenant, ô mon Dieu! que j'ai ce calme sombre
      De pouvoir désormais
Voir de mes yeux la pierre où je sais que dans l'ombre
      Elle dort pour jamais;

Maintenant qu'attendri par ces divins spectacles,
Plaines, forêts, rochers, vallons, fleuve argenté,
Voyant ma petitesse et voyant vos miracles,
Je reprends ma raison devant l'immensité;

dix-neuvième siècle

Je viens à vous, Seigneur, père auquel il faut croire ;
        Je vous porte, apaisé,
Les morceaux de ce cœur tout plein de votre gloire
        Que vous avez brisé ;

Je viens à vous, Seigneur ! confessant que vous êtes
Bon, clément, indulgent et doux, ô Dieu vivant !
Je conviens que vous seul savez ce que vous faites,
Et que l'homme n'est rien qu'un jonc qui tremble au
                            [vent ;

Je dis que le tombeau qui sur les morts se ferme
        Ouvre le firmament ;
Et que ce qu'ici-bas nous prenons pour le terme
        Est le commencement ;

Je conviens à genoux que vous seul, père auguste,
Possédez l'infini, le réel, l'absolu ;
Je conviens qu'il est bon, je conviens qu'il est juste
Que mon cœur ait saigné, puisque Dieu l'a voulu !

Je ne résiste plus à tout ce qui m'arrive
        Par votre volonté.
L'âme de deuils en deuils, l'homme de rive en rive,
        Roule à l'éternité.

Nous ne voyons jamais qu'un seul côté des choses ;
L'autre plonge en la nuit d'un mystère effrayant.
L'homme subit le joug sans connaître les causes.
Tout ce qu'il voit est court, inutile et fuyant.

Vous faites revenir toujours la solitude
        Autour de tous ses pas.
Vous n'avez pas voulu qu'il eût la certitude
        Ni la joie ici-bas !

Dès qu'il possède un bien, le sort le lui retire.
Rien ne lui fut donné, dans ses rapides jours,
Pour qu'il s'en puisse faire une demeure, et dire :
C'est ici ma maison, mon champ et mes amours !

Il doit voir peu de temps tout ce que ses yeux voient ;
        Il vieillit sans soutiens.
Puisque ces choses sont, c'est qu'il faut qu'elles soient ;
        J'en conviens, j'en conviens !

Le monde est sombre, ô Dieu ! l'immuable harmonie
Se compose des pleurs aussi bien que des chants ;
L'homme n'est qu'un atome en cette ombre infinie,
Nuit où montent les bons, où tombent les méchants.

Je sais que vous avez bien autre chose à faire
        Que de nous plaindre tous,
Et qu'un enfant qui meurt, désespoir de sa mère,
        Ne vous fait rien, à vous !

Je sais que le fruit tombe au vent qui le secoue ;
Que l'oiseau perd sa plume et la fleur son parfum ;
Que la création est une grande roue
Qui ne peut se mouvoir sans écraser quelqu'un ;

Les mois, les jours, les flots des mers, les yeux qui
                                [pleurent,
        Passent sous le ciel bleu ;
Il faut que l'herbe pousse et que les enfants meurent ;
        Je le sais, ô mon Dieu !

Dans vos cieux, au-delà de la sphère des nues,
Au fond de cet azur immobile et dormant,
Peut-être faites-vous des choses inconnues
Où la douleur de l'homme entre comme élément.

dix-neuvième siècle

Peut-être est-il utile à vos desseins sans nombre
      Que des êtres charmants
S'en aillent, emportés par le tourbillon sombre
      Des noirs événements.

Nos destins ténébreux vont sous des lois immenses
Que rien ne déconcerte et que rien n'attendrit.
Vous ne pouvez avoir de subites clémences
Qui dérangent le monde, ô Dieu, tranquille esprit !

Je vous supplie, ô Dieu ! de regarder mon âme,
      Et de considérer
Qu'humble comme un enfant et doux comme une
                         [femme
      Je viens vous adorer !

Considérez encor que j'avais, dès l'aurore,
Travaillé, combattu, pensé, marché, lutté,
Expliquant la nature à l'homme qui l'ignore,
Eclairant toute chose avec votre clarté ;

Que j'avais, affrontant la haine et la colère,
      Fait ma tâche ici-bas,
Que je ne pouvais pas m'attendre à ce salaire,
      Que je ne pouvais pas

Prévoir que, vous aussi, sur ma tête qui ploie,
Vous appesantiriez votre bras triomphant,
Et que, vous qui voyiez comme j'ai peu de joie,
Vous me reprendriez si vite mon enfant !

Qu'une âme ainsi frappée à se plaindre est sujette,
      Que j'ai pu blasphémer,
Et vous jeter mes cris comme un enfant qui jette
      Une pierre à la mer !

Considérez qu'on doute, ô mon Dieu ! quand on
                                    [souffre,
Que l'œil qui pleure trop finit par s'aveugler.
Qu'un être que son deuil plonge au plus noir du gouffre,
Quand il ne vous voit plus, ne peut vous contempler,

Et qu'il ne se peut pas que l'homme, lorsqu'il sombre
            Dans les afflictions,
Ait présente à l'esprit la sérénité sombre
            Des constellations !

Aujourd'hui, moi qui fus faible comme une mère,
Je me courbe à vos pieds devant vos cieux ouverts.
Je me sens éclairé dans ma douleur amère
Par un meilleur regard jeté sur l'univers.

Seigneur, je reconnais que l'homme est en délire,
            S'il ose murmurer ;
Je cesse d'accuser, je cesse de maudire,
            Mais laissez-moi pleurer !

Hélas ! laissez les pleurs couler de ma paupière,
Puisque vous avez fait les hommes pour cela !
Laissez-moi me pencher sur cette froide pierre
Et dire à mon enfant : Sens-tu que je suis là ?

Laissez-moi lui parler, incliné sur ses restes,
            Le soir, quand tout se tait,
Comme si, dans sa nuit rouvrant ses yeux célestes,
            Cet ange m'écoutait !

Hélas ! vers le passé tournant un œil d'envie,
Sans que rien ici-bas puisse m'en consoler,
Je regarde toujours ce moment de ma vie
Où je l'ai vue ouvrir son aile et s'envoler !

dix-neuvième siècle

Je verrai cet instant jusqu'à ce que je meure,
        L'instant, pleurs superflus !
Où je criai : L'enfant que j'avais tout à l'heure,
        Quoi donc ! je ne l'ai plus !

Ne vous irritez pas que je sois de la sorte,
Ô mon Dieu ! cette plaie a si longtemps saigné !
L'angoisse dans mon âme est toujours la plus forte,
Et mon cœur est soumis, mais n'est pas résigné.

Ne vous irritez pas ! fronts que le deuil réclame,
        Mortels sujets aux pleurs,
Il nous est malaisé de retirer notre âme
        Des ces grandes douleurs.

Voyez-vous, nos enfants nous sont bien nécessaires,
Seigneur ; quand on a vu dans sa vie, un matin,
Au milieu des ennuis, des peines, des misères,
Et de l'ombre que fait sur nous notre destin,

Apparaître un enfant, tête chère et sacrée,
        Petit être joyeux,
Si beau, qu'on a cru voir s'ouvrir à son entrée
        Une porte des cieux ;

Quand on a vu, seize ans, de cet autre soi-même
Croître la grâce aimable et la douce raison,
Lorsqu'on a reconnu que cet enfant qu'on aime
Fait le jour dans notre âme et dans notre maison,

Que c'est la seule joie ici-bas qui persiste
        De tout ce qu'on rêva,
Considérez que c'est une chose bien triste
        De le voir qui s'en va !

couchant d'hiver

Jules Laforgue

Quel couchant douloureux nous avons eu ce soir!
Dans les arbres pleurait un vent de désespoir,
Abattant du bois mort dans les feuilles rouillées.
À travers le lacis des branches dépouillées
Dont l'eau-forte sabrait le ciel bleu-clair et froid,
Solitaire et navrant, descendait l'astre-roi.
Ô Soleil! l'autre été, magnifique en ta gloire,
Tu sombrais, radieux comme un grand Saint-Ciboire,
Incendiant l'azur! À présent, nous voyons
Un disque safrané, malade, sans rayons,
Qui meurt à l'horizon balayé de cinabre,
Tout seul, dans un décor poitrinaire et macabre,
Colorant faiblement les nuages frileux
En blanc morne et livide, en verdâtre fielleux,
Vieil or, rose-fané, gris de plomb, lilas pâle.
Oh! c'est fini, fini! longuement le vent râle,
Tout est jaune et poussif; les jours sont résolus,
La Terre a fait son temps; ses reins n'en peuvent plus
Et ses pauvres enfants, grêles, chauves et blêmes
D'avoir trop médité les éternels problèmes,
Grelottants et voûtés sous le poids des foulards
Au gaz jaune et mourant des brumeux boulevards,

D'un œil vide et muet contemplent leurs absinthes,
Riant amèrement, quand des femmes enceintes
Défilent, étalant leurs ventres et leurs seins,
Dans l'orgueil bestial des esclaves divins…
Ouragans inconnus des débâcles finales,
Accourez! déchaînez vos trombes de rafales!
Prenez ce globe immonde et poussif! balayez
Sa lèpre de cités et ses fils ennuyés!
Et jetez ses débris sans nom au noir immense!
Et qu'on ne sache rien dans la grande innocence
Des soleils éternels, des étoiles d'amour,
De ce Cerveau pourri qui fut la Terre, un jour!

l'hiver qui vient

Jules Laforgue

Blocus sentimental! Messageries du Levant!...
Oh! tombée de la pluie! Oh! tombée de la nuit,
Oh! le vent!...
La Toussaint, la Noël et la Nouvelle Année,
Oh! dans les bruines, toutes mes cheminées!...
D'usines...

On ne peut plus s'asseoir, tous les bancs sont
                                [mouillés;
Crois-moi, c'est bien fini jusqu'à l'année prochaine,
Tant les bancs sont mouillés, tant les bois sont
                                [rouillés,
Et tant les cors ont fait ton ton, ont fait ton taine!...

Ah! nuées accourues des côtes de la Manche,
Vous nous avez gâté notre dernier dimanche.

Il bruine;
Dans la forêt mouillée, les toiles d'araignées
Ploient sous les gouttes d'eau, et c'est leur ruine.

dix-neuvième siècle

Soleils plénipotentiaires des travaux en blonds
[Pactoles
Des spectacles agricoles,
Où êtes-vous ensevelis?
Ce soir un soleil fichu gît au haut du coteau,
Gît sur le flanc, dans les genêts, sur son manteau :
Un soleil blanc comme un crachat d'estaminet
Sur une litière de jaunes genêts,
De jaunes genêts d'automne.
Et les cors lui sonnent!
Qu'il revienne…
Qu'il revienne à lui!
Taïaut! taïaut! et hallali!
Ô triste antienne, as-tu fini!…
Et font les fous!…
Et il gît là, comme une glande arrachée dans un cou,
Et il frissonne, sans personne!…

Allons, allons et hallali!
C'est l'Hiver bien connu qui s'amène;
Oh! les tournants des grandes routes,
Et sans petit Chaperon Rouge qui chemine!…
Oh! leur ornières des chars de l'autre mois,
Montant en donquichottesques rails
Vers les patrouilles des nuées en déroute
Que le vent malmène vers les transatlantiques
[bercails!…
Accélérons, accélérons, c'est la saison bien connue,
[cette fois.

Et le vent, cette nuit, il en a fait de belles!
Ô dégâts, ô nids, ô modestes jardinets!
Mon cœur et mon sommeil : ô échos des cognées!…

Tous ces rameaux avaient encor leurs feuilles vertes,
Les sous-bois ne sont plus qu'un fumier de feuilles
                                    [mortes ;
Feuilles, folioles, qu'un bon vent vous emporte
Vers les étangs par ribambelles,
Ou pour le feu du garde-chasse,
Ou les sommiers des ambulances
Pour les soldats loin de la France.

C'est la saison, c'est la saison, la rouille envahit les
                                    [masses,
La rouille ronge en leurs spleens kilométriques
Les fils télégraphiques des grandes routes où nul ne passe.

Les cors, les cors, les cors — mélancoliques !...
Mélancoliques !...
S'en vont, changeant de ton,
Changeant de ton et de musique,
Ton ton, ton taine, ton ton !...
Les cors, les cors, les cors...
S'en sont allés au vent du Nord.

Je ne puis plus quitter ce ton ; que d'échos !...
C'est la saison, c'est la saison, adieu vendanges !...
Voici venir les pluies d'une patience d'ange,
Adieu vendanges, et adieu tous les paniers,
Tous les paniers Watteau des bourrées sous les
                                    [marronniers.
C'est la toux dans les dortoirs du lycée qui rentre,
C'est la tisane sans le foyer,
La phtisie pulmonaire attristant le quartier
Et toute la misère des grands centres.

463

dix-neuvième siècle

Mais, lainages, caoutchoucs, pharmacie, rêve,
Rideaux écartés du haut des balcons des grèves
Devant l'océan de toitures des faubourgs,
Lampes, estampes, thé, petits-fours,
Serez-vous pas mes seules amours !
(Oh ! et puis, est-ce que tu connais, outre les pianos,
Le sobre et vespéral mystère hebdomadaire
Des statistiques sanitaires
Dans les journaux ?)

Non, non ! c'est la saison et la planète falote !
Que l'autan, que l'autan
Effiloche les savates que le Temps se tricote !
C'est la saison. Oh déchirements ! c'est la saison !
Tous les ans, tous les ans,
J'essaierai en chœur d'en donner la note.

le vaisseau fantôme

Jules Laforgue

Il était un petit navire
Où Ugolin mena ses fils,
Sous prétexte, le vieux vampire !
De les fair'voyager gratis.

Au bout de cinq à six semaines,
Les vivres vinrent à manquer,
Il dit : « Vous mettez pas en peine ;
Mes fils n'm'ont jamais dégoûté ! »

On tira z'à la courte paille,
Formalité ! raffinement !
Car cet homme, il n'avait pas d'entrailles
Qu'pour en calmer les tiraill'ments,

465

dix-neuvième siècle

Et donc, stoïque et légendaire,
Ugolin mangea ses enfants,
Afin d'leur conserver un père…
Oh! quand j'y song', mon cœur se fend.

Si cette histoire vous embête,
C'est que vous êtes un sans-cœur!
Ah! j'ai du cœur par d'ssus la tête,
Oh! rien partout que rir's moqueurs!…

le hareng saur

Charles Cros

À Guy

Il était un grand mur blanc — nu, nu, nu,
Contre le mur une échelle — haute, haute, haute,
Et, par terre, un hareng saur — sec, sec, sec.

Il vient, tenant dans ses mains — sales, sales, sales,
Un marteau lourd, un grand clou — pointu, pointu,
[pointu,
Un peloton de ficelle — gros, gros, gros.

Alors il monte à l'échelle — haute, haute, haute,
Et plante le clou pointu — toc, toc, toc,
Tout en haut du grand mur blanc — nu, nu, nu.

Il laisse aller le marteau — qui tombe, qui tombe,
[qui tombe,
Attache au clou la ficelle — longue, longue, longue,
Et, au bout le hareng saur — sec, sec, sec.

467

dix-neuvième siècle

Il redescend de l'échelle — haute, haute, haute,
L'emporte avec le marteau — lourd, lourd, lourd,
Et puis, il s'en va ailleurs — loin, loin, loin.

Et, depuis, le hareng saur — sec, sec, sec,
Au bout de cette ficelle — longue, longue, longue,
Très lentement se balance — toujours, toujours,
                                        [toujours.

J'ai composé cette histoire — simple, simple, simple,
Pour mettre en fureur les gens — graves, graves,
                                        [graves,
Et amuser les enfants — petits, petits, petits.

testament

Charles Cros

Si mon âme claire s'éteint
Comme une lampe sans pétrole,
Si mon esprit, en haut, déteint
Comme une guenille folle,

Si je moisis, diamantin,
Entier, sans tache, sans vérole,
Si le bégaiement bête atteint
Ma persuasive parole,

Et si je meurs, soûl, dans un coin,
C'est que ma patrie est bien loin,
Loin de la France et de la terre.

Ne craignez rien, je ne maudis
Personne. Car un paradis
Matinal s'ouvre et me fait taire.

insoumission

Charles Cros

Vivre tranquille en sa maison,
Vertueux, ayant bien raison,
Vaut autant boire du poison.

Je ne veux pas de maladie,
Ma fierté n'est pas refroidie,
J'entends la jeune mélodie.

J'entends le bruit de l'eau qui court,
J'entends gronder l'orage lourd,
L'art est long et le temps est court.

Tant mieux, puisqu'il y a des pêches,
Du vin frais et des filles fraîches,
Et l'incendie et ses flammèches.

On naît filles, on naît garçons.
On vit en chantant des chansons,
On meurt en buvant des boissons

le vaisseau-piano

Charles Cros

Le vaisseau file avec une vitesse éblouissante sur l'océan de la fantaisie.

Entraîné par les vigoureux efforts des rameurs, esclaves de diverses races imaginaires.

Imaginaires, puisque leurs profils sont tous inattendus, puisque leurs torses nus sont de couleurs rares ou impossibles chez les races réelles.

Il y en a de verts, de bleus, de rouge-carmin, d'orangés, de jaunes, de vermillons comme sur les peintures murales égyptiennes.

Au milieu du vaisseau est une estrade surélevée et sur l'estrade un très long piano à queue.

Une femme, la Reine des fictions, est assise devant le clavier. Sous ses doigts roses, l'instrument rend des sons veloutés et puissants qui couvrent le chuchotement des vagues et les soupirs de forces des rameurs.

dix-neuvième siècle

L'océan de la fantaisie est dompté, aucune vague n'en sera assez audacieuse pour gâter le dehors du piano, chef-d'œuvre d'ébénisterie en palissandre miroitant, ni pour mouiller le feutre des marteaux et rouiller l'acier des cordes.

La symphonie dit la roue aux rameurs et au timonier.

Quelle route? Et à quel port conduit-elle? Les rameurs n'en savent rien, ni le timonier. Mais ils vont, sur l'océan de la fantaisie, toujours en avant, toujours plus courageux.

Voguer, en avant,! La Reine de la fiction le dit en sa symphonie sans fin. Chaque mille parcouru est du bonheur conquis, puisque c'est s'approcher du but suprême et ineffable, fût-il l'infini inaccessible.

En avant, en avant, en avant!

chanson
de la côte

Charles Cros

Voici rentrer l'officier de marine,
Il a de noirs favoris.
Le vent de mer a gonflé sa narine,
Il dit combien de vaisseaux il a pris.

Voici rentrer l'officier de marine,
Il a de beaux galons d'or.
Il veut surprendre, au logis, Mathurine
Sa femme, son plus précieux trésor.

Voici rentrer l'officier de marine,
Il veut revoir sa maison,
Son lard qui sèche et ses sacs de farine,
Ses pommiers lourds de pommes à foison.

473

dix-neuvième siècle

Repars bien vite, officier de marine,
Tes pommiers on a coupés,
Tes sacs vidés, ton lard frit. Mathurine
Avec des gens de terre t'a trompé.

Repars bien vite, officier de marine,
Pour un voyage bien long.
Tes favoris seront blancs, ta narine
Sera ridée au troisième galon.

ronde flamande

Charles Cros

Si j'étais roi de la forêt,
    Je mettrais une couronne
Toute d'or ; en velours bleuet
    J'aurais un trône,

En velours bleu, garni d'argent
    Comme un livre de prière,
J'aurais un verre en diamant
    Rempli de bière,

Rempli de bière ou de vin blanc,
    Je dormirais sur des roses.
Dire qu'un roi peut avoir tant
    De belles choses.

Dire qu'un roi prend quand il veut
    La plus belle fille du monde
Dont les yeux sont du plus beau bleu,
    Et la plus blonde,

Avec des tresses comme en a
      Jusqu'aux genoux, Marguerite.
Si j'étais roi, c'est celle-là
      Que j'aurais vite.

J'irais la prendre à son jardin,
      Sur l'eau, dans ma barque noire,
Mât de nacre et voile en satin.
      Rames d'ivoire.

Satin blanc, nacre et câbles d'or…
      Des flûtes, des mandolines
Pour bercer la belle qui dort
      Sur des hermines !

Hermine, agrès d'or et d'argent,
      Doux concert, barque d'ébène,
Couronne et verre en diamant…
      J'en suis en peine.

Je n'ai que mon cœur de garçon.
      Marguerite se contente
D'être ma reine en la chanson
      Que je lui chante.

tristesse
de septembre

Ephraïm Mikhaël

À madame Élisabeth Dayre

Quand le vent automnal sonne le deuil des chênes,
Je sens en moi, non le regret du clair été,
Mais l'ineffable horreur des floraisons prochaines.

C'est par l'avril futur que je suis attristé ;
Et je plains les forêts puissantes, condamnées
À verdir tous les ans pendant l'éternité.

Car, depuis des milliers d'innombrables années,
Ce sont des blés pareils et pareilles fleurs,
Invariablement écloses et fanées ;

Ce sont les mêmes vents susurrants ou hurleurs,
La même odeur parmi les herbes reverdies,
Et les mêmes baisers et les mêmes douleurs.

dix-neuvième siècle

Maintenant les forêts vont s'endormir, raidies
Par les givres, pour leur sommeil de peu d'instants.
Puis, sur l'immensité des plaines engourdies,

Sur la rigidité blanche des grands étangs,
Je verrai reparaître à l'heure convenue —
Comme un fantôme impitoyable — le printemps ;

Ô les soleils nouveaux ! la saison inconnue !

après trois ans

Paul Verlaine

Ayant poussé la porte étroite qui chancelle,
Je me suis promené dans le petit jardin
Qu'éclairait doucement le soleil du matin,
Pailletant chaque fleur d'une humide étincelle.

Rien n'a changé. J'ai tout revu : l'humble tonnelle
De vigne folle avec les chaises de rotin...
Le jet d'eau fait toujours son murmure argentin
Et le vieux tremble sa plainte sempiternelle.

Les roses comme avant palpitent ; comme avant,
Les grands lys orgueilleux se balancent au vent.
Chaque alouette qui va et vient m'est connue.

Même j'ai retrouvé debout la Velléda,
Dont le plâtre s'écaille au bout de l'avenue,
— Grêle, parmi l'odeur fade du réséda.

chanson d'automne

Paul Verlaine

Les sanglots longs
Des violons
De l'automne
Blessent mon cœur
D'une langueur
Monotone.

Tout suffocant
Et blême, quand
Sonne l'heure,
Je me souviens
Des jours anciens
Et je pleure ;

Et je m'en vais
Au vent mauvais
Qui m'emporte
Deçà, delà,
Pareil à la
Feuille morte.

il pleure dans mon cœur...

Paul Verlaine

Il pleut doucement sur la ville
Arthur Rimbaud

Il pleure dans mon cœur
Comme il pleut sur la ville,
Quelle est cette langueur
Qui pénétre mon cœur?

Ô bruit doux de la pluie
Par terre et sur les toits!
Pour mon cœur qui s'ennuie
Ô le chant de la pluie!

Il pleure sans raison
Dans ce cœur qui s'écœure.
Quoi! nulle trahison?
Ce deuil est sans raison.

C'est bien la pire peine
De ne savoir pourquoi,
Sans amour et sans haine,
Mon cœur a tant de peine!

colloque sentimental

Paul Verlaine

Dans le vieux parc solitaire et glacé
Deux formes ont tout à l'heure passé.

Leurs yeux sont morts et leurs lèvres sont molles.
Et l'on entend à peine leurs paroles.

Dans le vieux parc solitaire et glacé
Deux spectres ont évoqué le passé.

— Te souvient-il de notre extase ancienne?
— Pourquoi voulez-vous donc qu'il m'en souvienne?

— Ton cœur bat-il toujours à mon seul nom?
Toujours vois-tu mon âme en rêve? — Non.

— Ah! les beaux jours de bonheur indicible
Où nous joignions nos bouches! — C'est possible.

— Qu'il était bleu, le ciel, et grand, l'espoir!
— L'espoir a fui, vaincu, vers le ciel noir.

Tels ils marchaient dans les avoines folles,
Et la nuit seule entendit leurs paroles.

mon rêve famillier

Paul Verlaine

Je fais parfois ce rêve étrange et pénétrant
D'une femme inconnue et que j'aime, et qui m'aime,
Et qui n'est, chaque fois, ni tout à fait la même
Ni tout à fait une autre, et qui m'aime et me
[comprend.

Car elle me comprend, et mon cœur, transparent
Pour elle seule, hélas! cesse d'être un problème
Pour elle seule, et les moiteurs de mon front blême,
Elle seule les sait rafraîchir, en pleurant.

Est-elle brune, blonde ou rousse? — Je l'ignore.
Son nom? Je me souviens qu'il est doux et sonore
Comme ceux des aimés que la Vie exila.

Son regard est pareil au regard des statues,
Et, pour sa voix, lointaine, et calme, et grave, elle a
L'inflexion des voix chères qui se sont tues.

gaspard hauser chante

Paul Verlaine

Je suis venu, calme orphelin,
Riche de mes seuls yeux tranquilles,
Vers les hommes des grandes villes :
Ils ne m'ont pas trouvé malin.

À vingt ans un trouble nouveau,
Sous le nom d'amoureuses flammes,
M'a fait trouver belles les femmes :
Elles ne m'ont pas trouvé beau.

Bien que sans patrie et sans roi
Et très brave ne l'étant guère,
J'ai voulu mourir à la guerre :
La mort n'a pas voulu de moi.

Suis-je né trop tôt ou trop tard ?
Qu'est-ce que je fais en ce monde ?
Ô vous tous, ma peine est profonde :
Priez pour le pauvre Gaspard !

la lune blanche

Paul Verlaine

La lune blanche
Luit dans les bois;
De chaque branche
Part une voix
Sous la ramée…

Ô bien-aimée.

L'étang reflète,
Profond miroir,
La silhouette
Du saule noir
Où le vent pleure…

Rêvons; c'est l'heure.

Un vaste et tendre
Apaisement
Semble descendre
Du firmament
Que l'astre irise…

C'est l'heure exquise.

green

Paul Verlaine

Voici des fruits, des fleurs, des feuilles et des
[branches,
Et puis voici mon cœur qui ne bat que pour vous
Ne le déchirez pas avec vos deux mains blanches
Et qu'à vos yeux si beaux l'humble présent soit doux.

J'arrive tout couvert encore de rosée
Que le vent du matin vient glacer à mon front.
Souffrez que ma fatigue, à vos pieds reposée,
Rêve des chers instants qui la délasseront.

Sur votre jeune sein laissez rouler ma tête
Toute sonore encor de vos derniers baisers;
Laissez-la s'apaiser de la bonne tempête,
Et que je dorme un peu puisque vous reposez.

ô mon dieu...

Paul Verlaine

Ô mon Dieu vous m'avez blessé d'amour
Et la blessure est encore vibrante,
Ô mon Dieu, vous m'avez blessé d'amour.

Ô mon Dieu, votre crainte m'a frappé
Et la brûlure est encor là qui tonne,
Ô mon Dieu, votre crainte m'a frappé.

Ô mon Dieu, j'ai connu que tout est vil
Et votre gloire en moi s'est installée,
Ô mon Dieu, j'ai connu que tout est vil.

Noyez mon âme aux flots de votre Vin,
Fondez ma vie au Pain de votre table,
Noyez mon âme aux flots de votre Vin.

Voici mon sang que je n'ai pas versé,
Voici ma chair indigne de souffrance, ·
Voici mon sang que je n'ai pas versé.

Voici mon front qui n'a pu que rougir,
Pour l'escabeau de vos pieds adorables,
Voici mon front qui n'a pu que rougir.

Voici mes mains qui n'ont pas travaillé,
Pour les charbons ardents et l'encens rare,
Voici mes mains qui n'ont pas travaillé.

dix-neuvième siècle

Voici mon cœur qui n'a battu qu'en vain,
Pour palpiter aux ronces du Calvaire,
Voici mon cœur qui n'a battu qu'en vain.

Voici mes pieds, frivoles voyageurs,
Pour accourir au cri de votre grâce,
Voici mes pieds, frivoles voyageurs.

Voici ma voix, bruit maussade et menteur,
Pour les reproches de la Pénitence,
Voici ma voix, bruit maussade et menteur.

Voici mes yeux, luminaires d'erreur,
Pour être éteints aux pleurs de la prière,
Voici mes yeux, luminaires d'erreur.

Hélas, Vous, Dieu d'offrande et de pardon,
Quel est le puits de mon ingratitude,
Hélas, Vous, Dieu d'offrande et de pardon,

Dieu de terreur et Dieu de sainteté,
Hélas! ce noir abîme de mon crime,
Dieu de terreur et Dieu de sainteté,

Vous, Dieu de paix, de joie et de bonheur,
Toutes mes peurs, toutes mes ignorances,
Vous, Dieu de paix, de joie et de bonheur,

Vous connaissez tout cela, tout cela,
Et que je suis plus pauvre que personne,
Vous connaissez tout cela, tout cela,

Mais, ce que j'ai, mon Dieu, je vous le donne.

vous êtes calme...

Paul Verlaine

Vous êtes calme, vous voulez un vœu discret,
Des secrets à mi-voix dans l'ombre et le silence,
Le cœur qui se répand plutôt qu'il ne s'élance,
Et ces timides, moins transis qu'il ne paraît.

Vous accueillez d'un geste exquis telles pensées
Qui ne marchent qu'en ordre et font le moins de
[bruit.
Votre main, toujours prête à la chute du fruit,
Patiente avec l'arbre et s'abstient de poussées.

Et si l'immense amour de vos commandements
Embrasse et presse tout en sa sollicitude,
Vos conseils vont dicter aux meilleurs et l'étude
Et le travail des plus humbles recueillements.

dix-neuvième siècle

Le pécheur, s'il prétend vous connaître et vous
[plaire,
Ô vous qui nous aimant si fort parliez si peu,
Doit et peut, à tout temps du jour comme en tout lieu,
Bien faire obscurément son devoir et se taire,

Se taire pour le monde, un pur sénat de fous,
Se taire sur autrui, des âmes précieuses,
Car nous taire vous plaît, même aux heures pieuses,
Même à la mort, sinon devant le prêtre et vous.

Donnez-leur le silence et l'amour du mystère,
Ô Dieu glorifieur du bien fait en secret,
À ces timides moins transis qu'il ne paraît,
Et l'horreur, et le pli des choses de la terre.

Donnez-leur, ô mon Dieu, la résignation,
Toute forte douceur, l'ordre et l'intelligence,
Afin qu'au jour suprême ils gagnent l'indulgence
De l'Agneau formidable en la neuve Sion,

Afin qu'il puissent dire : « Au moins nous sûmes
[croire. »
Et que l'Agneau terrible, ayant tout supputé,
Leur réponde : « Venez, vous avez mérité,
Pacifiques, ma paix, et douloureux, ma gloire. »

le bateau ivre

Arthur Rimbaud

Comme je descendais des Fleuves impassibles,
Je ne me sentis plus guidé par les haleurs :
Des Peaux-rouges criards les avaient pris pour cibles,
Les ayant cloués nus aux poteaux de couleurs.

J'étais insoucieux de tous les équipages,
Porteur de blés flamands ou de cotons anglais.
Quand avec mes haleurs ont fini ces tapages,
Les Fleuves m'ont laissé descendre où je voulais.

Dans les clapotements furieux des marées,
Moi, l'autre hiver, plus sourd que les cerveaux
                              [d'enfants,
Je courus ! Et les Péninsules démarrées
N'ont pas subi tohu-bohus plus triomphants.

La tempête a béni mes éveils maritimes.
Plus léger qu'un bouchon j'ai dansé sur les flots
Qu'on appelle rouleurs éternels de victimes,
Dix nuits, sans regretter l'œil niais des falots !

dix-neuvième siècle

Plus douce qu'aux enfants la chair des pommes
[sûres,
L'eau verte pénétra ma coque de sapin
Et des taches de vins bleus et des vomissures
Me lava, dispersant gouvernail et grappin.

Et dès lors, je me suis baigné dans le Poème
De la Mer, infusé d'astres, et lactescent,
Dévorant les azurs verts; où, flottaison blême
Et ravie, un noyé pensif parfois descend;

Où, teignant tout à coup les bleuités, délires
Et rythmes lents sous les rutilements du jour,
Plus fortes que l'alcool, plus vastes que nos lyres,
Fermentent les rousseurs amères de l'amour!

Je sais les cieux crevant en éclairs, et les trombes
Et les ressacs et les courants : je sais le soir,
L'aube exaltée ainsi qu'un peuple de colombes,
Et j'ai vu quelquefois ce que l'homme a cru voir.

J'ai vu le soleil bas, taché d'horreurs mystiques,
Illuminant de longs figements violets,
Pareils à des acteurs de drames très antiques
Les flots roulant au loin leurs frissons de volets!

J'ai rêvé la nuit verte aux neiges éblouies,
Baiser montant aux yeux des mers avec lenteurs,
La circulation des sèves inouïes,
Et l'éveil jaune et bleu des phosphores chanteurs!

J'ai suivi, des mois pleins, pareille aux vacheries
Hystériques, la houle à l'assaut des récifs,
Sans songer que les pieds lumineux des Maries
Pussent forcer le mufle aux Océans poussifs!

arthur rimbaud

J'ai heurté, savez-vous, d'incroyables Florides
Mêlant aux fleurs des yeux de panthères à peaux
D'hommes! Des arcs-en-ciel tendus comme des brides
Sous l'horizon des mers, à de glauques troupeaux.

J'ai vu fermenter les marais énormes, nasses
Où pourrit dans les joncs tout un Léviathan!
Des écroulements d'eaux au milieu des bonaces,
Et les lointains vers les gouffres cataractant!

Glaciers, soleils d'argent, flots nacreux, cieux de braises,
Échouages hideux au fond des golfes bruns
Où les serpents géants dévorés des punaises
Choient, des arbres tordus, avec de noirs parfums!

J'aurais voulu montrer aux enfants ces dorades
Du flot bleu, ces poissons d'or, ces poissons chantants.
— Des écumes de fleurs ont bercé mes dérades
Et d'ineffables vents m'ont ailé par instants.

Parfois, martyr lassé des pôles et des zones,
La mer dont le sanglot faisait mon roulis doux
Montait vers moi ses fleurs d'ombre aux ventouses
                                                    [jaunes
Et je restais, ainsi qu'une femme à genoux…

Presque île, ballottant sur mes bords les querelles
Et les fientes d'oiseaux clabaudeurs aux yeux blonds.
Et je voguais, lorsqu'à travers mes liens frêles
Des noyés descendaient dormir, à reculons!…

Or moi, bateau perdu sous les cheveux des anses,
Jeté par l'ouragan dans l'éther sans oiseau,
Moi dont les Monitors et les voiliers des Hanses
N'auraient pas repêché la carcasse ivre d'eau;

dix-neuvième siècle

Libre, fumant, monté de brumes violettes,
Moi qui trouais le ciel rougeoyant comme un mur
Qui porte, confiture exquise aux bons poètes,
Des lichens de soleil et des morves d'azur ;

Qui courais, taché de lunules électriques,
Planche folle, escorté des hippocampes noirs,
Quand les juillets faisaient crouler à coups de triques
Les cieux ultramarins aux ardents entonnoirs ;

Moi qui tremblais, sentant geindre à cinquante lieues
Le rut des Béhémosts et les Maelstroms épais,
Fileur éternel des immobilités bleues,
Je regrette l'Europe aux anciens parapets !

J'ai vu des archipels sidéraux ! et des îles
Dont les cieux délirants sont ouverts au vogueur :
— Est-ce en ces nuits sans fond que tu dors et t'exiles,
Million d'oiseaux d'or, ô future Vigueur ?

Mais, vrai, j'ai trop pleuré ! Les Aubes sont navrantes.
Toute lune est atroce et tout soleil amer :
L'âcre amour m'a gonflé de torpeurs enivrantes.
Oh que ma quille éclate ! Oh que j'aille à la mer !

Si je désire une eau d'Europe, c'est la flache
Noire et froide où vers le crépuscule embaumé
Un enfant accroupi plein de tristesses, lâche
Un bateau frêle comme un papillon de mai.

Je ne puis plus, baigné de vos langueurs, ô lames,
Enlever leur sillage aux porteurs de cotons,
Ni traverser l'orgueil des drapeaux et des flammes,
Ni nager sous les yeux horribles des pontons.

sensation

Arthur Rimbaud

Par les soirs bleus d'été, j'irai dans les sentiers,
Picoté par les blés, fouler l'herbe menue :
Rêveur, j'en sentirai la fraîcheur à mes pieds.
Je laisserai le vent baigner ma tête nue.

Je ne parlerai pas, je ne penserai rien :
Mais l'amour infini me montera dans l'âme,
Et j'irai loin, bien loin, comme un bohémien,
Par la Nature, — heureux comme avec une femme.

voyelles

Arthur Rimbaud

A noir, E blanc, I rouge, U vert, Ô bleu : voyelles,
Je dirai quelque jour vos naissances latentes :
A, noir corset velu des mouches éclatantes
Qui bombinent autour des puanteurs cruelles,

Golfes d'ombre ; E, candeurs des vapeurs et des
[tentes,
Lances des glaciers fiers, rois blancs, frissons
[d'ombrelles ;
I, pourpres, sang craché, rire des lèvres belles
Dans la colère ou les ivresses pénitentes ;

U, cycles, vibrements divins des mers virides,
Paix des pâtis semés d'animaux, paix des rides
Que l'alchimie imprime aux grands fronts studieux ;

Ô, suprême Clairon plein des strideurs étranges,
Silences traversés des Mondes et des Anges :
— Ô l'Oméga, rayon violet de Ses Yeux !

les effarés

Arthur Rimbaud

Noirs dans la neige et dans la brume,
Au grand soupirail qui s'allume,
Leurs culs en rond,

À genoux, cinq petits — misère !
Regardent le Boulanger faire
Le lourd pain blond.

Ils voient le fort bras blanc qui tourne
la pâte grise et qui l'enfourne
Dans un trou clair.

Ils écoutent le bon pain cuire.
Le Boulanger au gras sourire
Grogne un vieil air.

Ils sont blottis, pas un ne bouge,
Au souffle du soupirail rouge
Chaud comme un sein.

dix-neuvième siècle

Quand, pour quelque médianoche,
Façonné comme une brioche
On sort le pain,

Quand, sous les poutres enfumées,
Chantent les croûtes parfumées
Et les grillons,

Que ce trou chaud souffle la vie,
Ils ont leur âme si ravie
Sous leurs haillons,

Ils se ressentent si bien vivre,
Les pauvres Jésus pleins de givre,
Qu'ils sont là tous

Collant leurs petits museaux roses
Au treillage, grognant des choses
Entre les trous,

Tout bêtes, faisant leurs prières
Et repliés vers ces lumières
Du ciel rouvert,

Si fort, qu'ils crèvent leur culotte
Et que leur chemise tremblote
Au vent d'hiver.

le dormeur du val

Arthur Rimbaud

C'est un trou de verdure où chante une rivière
Accrochant follement aux herbes des haillons
D'argent; où le soleil, de la montagne fière,
Luit : c'est un petit val qui mousse de rayons.

Un soldat jeune, bouche ouverte, tête nue,
Et la nuque baignant dans le frais cresson bleu,
Dort; il est étendu dans l'herbe, sous la nue,
Pâle dans son lit vert où la lumière pleut.

Les pieds dans les glaïeuls, il dort. Souriant comme
Sourirait un enfant malade, il fait un somme.
Nature, berce-le chaudement : il a froid.

Les parfums ne font pas frissonner sa narine;
Il dort dans le soleil, la main sur sa poitrine,
Tranquille. Il a deux trous rouges au côté droit.

ophélie

Arthur Rimbaud

I

Sur l'onde calme et noire où dorment les étoiles,
La blanche Ophélia flotte comme un grand lys,
Flotte très lentement, couchée en ses longs voiles…
— On entend dans les bois lointains des hallalis.

Voici plus de mille ans que la triste Ophélie
Passe, fantôme blanc, sur le long fleuve noir;
Voici plus de mille ans que sa douce folie
Murmure sa romance à la brise du soir.

Le vent baise ses seins et déploie en corolle
Ses grands voiles bercés mollement par les eaux.
Les saules frissonnant pleurent sur son épaule.
Sur son grand front rêveur s'inclinent les roseaux.

Les nénuphars froissés soupirent autour d'elle;
Elle éveille parfois, dans un aulne qui dort,
Quelque nid d'où s'échappe un petit frisson d'aile :
— Un chant mystérieux tombe des astres d'or.

II

Ô pâle Ophélia, belle comme la neige,
Oui, tu mourus, enfant, par un fleuve emporté !
— C'est que les vents tombant des grands monts de
[Norvège
T'avaient parlé tout bas de l'âpre liberté.

C'est qu'un souffle tordant ta grande chevelure,
À ton esprit rêveur portait d'étranges bruits ;
Que ton cœur entendait la voix de la Nature
Dans les plaintes de l'arbre et les soupirs des nuits ;

C'est que la voix des mers folles, un immense râle,
Brisait ton sein d'enfant, trop humain et trop doux ;
C'est qu'un matin d'avril, un beau cavalier pâle,
Un pauvre fou, s'assit muet à tes genoux !

Ciel ! Amour ! Liberté ! Quel rêve, ô pauvre Folle !
Tu te fondais en lui comme une neige au feu :
Tes grandes visions étranglaient ta parole.
— Et l'Infini terrible effara ton œil bleu.

III

— Et le Poète dit qu'aux rayons des étoiles
Tu viens chercher, la nuit, les fleurs que tu cueillis,
Et qu'il a vu sur l'eau, couchée en ses longs voiles,
La blanche Ophélia flotter, comme un grand lys.

le buffet

Arthur Rimbaud

C'est un large buffet sculpté; le chêne sombre,
Très vieux, a prix cet air si bon des vieilles gens;
Ce buffet est ouvert et verse dans son ombre
Comme un flot de vin vieux, des parfums
                               [engageants;

Tout plein, c'est un fouillis de vieilles vieilleries,
De linges odorants et jaunes, de chiffons
De femmes ou d'enfants, de dentelles flétries,
De fichus de grand-mère où sont peints des griffons;

— C'est là qu'on trouverait les médaillons, les mèches
De cheveux blancs ou blonds, les portraits, les fleurs
                               [sèches
Dont le parfum se même à des parfums de fruits.

Ô buffet du vieux temps, tu sais bien des histoires,
Et tu voudrais conter tes contes, et tu bruis
Quand s'ouvrent lentement tes grandes portes noires.

alchimie du verbe

Arthur Rimbaud

À moi. L'histoire d'une de mes folies.

Depuis longtemps, je me vantais de posséder tous les paysages possibles, et trouvais dérisoires les célébrités de la peinture et de la poésie modernes.

J'aimais les peintures idiotes, dessus de portes, décors, toiles de saltimbanques, enseignes, enluminures populaires ; la littérature démodée, latin d'église, livres érotiques sans orthographe, romans de nos aïeules, contes de fées, petits livres de l'enfance, opéras vieux, refrains niais, rythmes naïfs.

Je rêvais croisades, voyages de découvertes dont on n'a pas de relations, républiques sans histoires, guerres de religion étouffées, révolutions de mœurs, déplacements de races et de continents ; je croyais à tous les enchantements.

J'inventai la couleur des voyelles ! — *A* noir, *E* blanc, *I* rouge, *O* bleu, *U* vert. — Je réglai la forme et le mouvement de chaque consonne et, avec des rythmes instinctifs, je me flattai d'inventer un verbe poétique accessible, un jour ou l'autre, à tous les sens. Je réservais la traduction.

Ce fut d'abord une étude. J'écrivais des silences, des nuits, je notais l'inexprimable. Je fixais des vertiges.

Loin des oiseaux, des troupeaux, des villageoises,
Que buvais-je, à genoux dans cette bruyère
Entourée de tendres bois de noisetiers,
Dans un brouillard d'après-midi tiède et vert ?

Que pouvais-je boire dans cette jeune Oise,
— Ormeaux sans voix, gazon sans fleurs, ciel
                              [couvert ! —
Boire à ces gourdes jaunes, loin de ma case
Chérie ? Quelque liqueur d'or qui fait suer.

Je faisais une louche enseigne d'auberge.
— Un orage vint chasser le ciel. Au soir
L'eau des bois se perdait sur les sables vierges,
Le vent de Dieu jetait des glaçons aux mares ;

Pleurant, je voyais de l'or, — et ne pus boire. —

———————

À quatre heures du matin, l'été,
Le sommeil d'amour dure encore.
Sous les bocages s'évapore
    L'odeur du soir fêté.

Là-bas, dans leur vaste chantier
Au soleil des Hespérides,
Déjà s'agitent —en bras de chemise –
    Les Charpentiers.

Dans leurs Déserts de mousse, tranquilles,
Ils préparent les lambris précieux
    Où la ville
    Peindra de faux cieux.

arthur rimbaud

Ô, pour ces Ouvriers charmants
Sujets d'un roi de Babylone,
Vénus ! quitte un instant les Amants
Dont l'âme est en couronne.

   Ô Reine des Bergers,
Porte aux travailleurs l'eau-de-vie,
Que leurs forces soient en paix
En attendant le bain dans la mer à midi.

———————

La vieillerie poétique avait une bonne part dans mon alchimie du verbe.

Je m'habituai à l'hallucination simple : je voyais très-franchement une mosquée à la place d'une usine, une école de tambours faite par des anges, des calèches sur les routes du ciel, un salon au fond d'un lac ; les monstres, les mystères ; un titre de vaudeville dressait des épouvantes devant moi.

Puis j'expliquai mes sophismes magiques avec l'hallucination des mots !

Je finis par trouver sacré le désordre de mon esprit. J'étais oisif, en proie à une lourde fièvre : j'enviais la félicité des bêtes, — les chenilles qui représentent l'innocence des limbes, les taupes, le sommeil de la virginité !

Mon caractère s'aigrissait. Je disais adieu au monde dans d'espèces de romances […]

nuit de neige

Guy de Maupassant

La grande plaine est blanche, immobile et sans voix.
Pas un bruit, pas un son ; toute vie est éteinte.
Mais on entend parfois, comme une morne plainte,
Quelque chien sans abri qui hurle au coin d'un bois.

Plus de chansons dans l'air, sous nos pieds plus de
[chaumes.
L'hiver s'est abattu sur toute floraison.
Des arbres dépouillés dressent à l'horizon
Leurs squelettes blanchis ainsi que des fantômes.

La lune est large et pâle, et semble se hâter.
On dirait qu'elle a froid dans le grand ciel austère.
De son morne regard elle parcourt la terre,
Et, voyant tout désert, s'empresse à nous quitter.

Et froids tombent sur nous les rayons qu'elle darde,
Fantastiques lueurs qu'elle s'en va semant ;
Et la neige s'éclaire au loin, sinistrement,
Aux étranges reflets de la clarté blafarde.

Oh! la terrible nuit pour les petits oiseaux!
Un vent glacé frissonne et court par les allées.
Eux, n'ayant plus l'asile ombragé des berceaux,
Ne peuvent pas dormir sur leurs pattes gelées.

Dans les grands arbres nus que couvre le verglas
Ils sont là, tout tremblants, sans rien qui les protège;
De leur œil inquiet ils regardent la neige,
Attendant jusqu'au jour la nuit qui ne vient pas.

les oies sauvages

Guy de Maupassant

Tout est muet ; l'oiseau ne jette plus ses cris.
La morne plaine est blanche au loin sous le ciel gris.
Seuls, les grands corbeaux noirs qui vont cherchant
[leurs proies.
Fouillent du bec la neige et tachent sa pâleur.
Voilà qu'à l'horizon s'élève une clameur ;
Elle approche, elle vient : c'est la tribu des oies.
Ainsi qu'un trait lancé, toutes, le cou tendu,
Allant toujours plus vite en leur vol éperdu.
Passent, fouettant le vent de leur aile sifflante.
Le guide conduit ces pèlerins des airs
Delà les océans, les bois et les déserts,
Comme pour exciter leur allure trop lente,
De moment en moment jette son cri perçant.
Comme un double ruban la caravane ondoie,
Bruit étrangement, et par le ciel déploie
Son grand triangle ailé qui va s'élargissant.
Mais leurs frères captifs répandus dans la plaine,
Engourdis par le froid, cheminent gravement.
Un enfant en haillons en sifflant les promène
Comme de lourds vaisseaux balancés lentement.

guy de maupassant

Ils entendent le cri de la tribu qui passe ;
Ils érigent leur tête ; et, regardant s'enfuir
Les libres voyageurs au travers de l'espace,
Les captifs tout à coup se lèvent pour partir
Ils agitent en vain leurs ailes impuissantes,
Et, dressés sur leurs pieds, sentent confusément
À cet appel errant, se lever grandissantes
La liberté première au fond du cœur dormant
La fièvre de l'espace et des tièdes rivages.
Dans les champs pleins de neige ils courent effarés,
Et, jetant par le ciel des cris désespérés,
Ils répondent longtemps à leurs frères sauvages.

midi

Charles-Marie Leconte de Lisle

Midi, roi des étés, épandu sur la plaine,
Tombe en nappes d'argent des hauteurs du ciel bleu.
Tout se tait. L'air flamboie et brûle sans haleine;
La terre est assoupie en sa robe de feu.

L'étendue est immense, et les champs n'ont point
[d'ombre,
Et la source est tarie où buvaient les troupeaux;
La lointaine forêt, dont la lisière est sombre,
Dort là-bas, immobile, en un pesant repos.

Seuls, les grands blés mûris, tels qu'une mer dorée,
Se déroulent au loin, dédaigneux du sommeil;
Pacifiques enfants de la terre sacrée,
Ils épuisent sans peur la coupe du soleil.

Parfois, comme un soupir de leur âme brûlante,
Du sein des épis lourds qui murmurent entre eux,
Une ondulation majestueuse et lente
S'éveille, et va mourir à l'horizon poudreux.

charles-marie leconte de lisle

Non loin, quelques bœufs blancs, couchés parmi les
                                        [herbes,
Bavent avec lenteur sur leurs fanons épais,
Et suivent de leurs yeux languissants et superbes
Le songe intérieur qu'ils n'achèvent jamais.

Homme, si, le cœur plein de joie ou d'amertume,
Tu passais vers midi dans les champs radieux,
Fuis ! la nature est vide et le soleil consume :
Rien n'est vivant ici, rien n'est triste ou joyeux.

Mais si, désabusé des larmes et du rire,
Altéré de l'oubli de ce monde agité,
Tu veux, ne sachant plus pardonner ou maudire,
Goûter une suprême et morne volupté,

Viens ! le soleil te parle en paroles sublimes ;
Dans sa flamme implacable absorbe-toi sans fin ;
Et retourne à pas lents vers les cités infimes,
Le cœur trempé sept fois dans le néant divin.

les éléphants

Charles-Marie Leconte de Lisle

Le sable rouge est comme une mer sans limite,
Et qui flambe, muette, affaissée en son lit.
Une ondulation immobile remplit
L'horizon aux vapeurs de cuivre où l'homme habite.

Nulle vie et nul bruit. Tous les lions repus
Dorment au fond de l'antre éloigné de cent lieues.
Et la girafe boit dans les fontaines bleues,
Là-bas, sous les dattiers des panthères connus.

Pas un oiseau ne passe en fouettant de son aile
L'air épais où circule un immense soleil.
Parfois quelque boa, chauffé dans son sommeil,
Fait onduler son dos où l'écaille étincelle.

Tel l'espace enflammé brûle sous les cieux clairs
Mais, tandis que tout dort aux normes solitudes,
Les éléphants rugueux, voyageurs lents et rudes,
Vont au pays natal à travers les déserts.

charles-marie leconte de lisle

D'un point de l'horizon, comme des masses brunes,
Ils viennent, soulevant la poussière, et l'on voit,
Pour ne point dévier du chemin le plus droit,
Sous leur pied large et sur crouler au loin les dunes.

Celui qui tient la tête est un vieux chef. Son corps
Est gercé comme un tronc que le temps ronge et mine.
Sa tête est comme un roc et l'arc de son échine
Se voûte puissamment à ses moindres efforts.

Sans ralentir jamais et sans hâter sa marche,
Il guide au but certain ses compagnons poudreux ;
Et, creusant par derrière un sillon sablonneux,
Les pèlerins massifs suivent leur patriarche.

L'oreille en éventail, la trompe entre les dents,
Ils cheminent, l'œil clos. Leur ventre bat et fume,
Et leur sueur dans l'air embrasé monte en brume ;
Et bourdonnent autour mille insectes ardents.

Mais qu'importent la soif et la mouche vorace,
Et le soleil cuisant leur dos noir et plissé ?
Ils rêvent en marchant du pays délaissé,
Des forêts de figuiers où s'abrita leur race.

Ils reverront le fleuve échappé des grands monts,
Où nage en mugissant l'hippopotame énorme,
Où, blanchis par la lune et projetant leur forme,
Ils descendaient pour boire en écrasant les joncs.

Aussi, pleins de courage et de lenteur, ils passent
Comme une ligne noire, au sable illimité ;
Et le désert reprend son immobilité
Quand les lourds voyageurs à l'horizon s'effacent.

le rêve du jaguar

Charles-Marie Leconte de Lisle

Sous les noirs acajous, les lianes en fleur,
Dans l'air lourd, immobile et saturé de mouches,
Pendent, et, s'enroulant en bas parmi les souches,
Bercent le perroquet splendide et querelleur,
L'araignée au dos jaune et les singes farouches.
C'est là que le tueur de bœufs et de chevaux,
Le long des vieux troncs morts à l'écorce moussue,
Sinistre et fatigué, revient à pas égaux.
Il va, frottant ses reins musculeux qu'il bossue ;
Et, du mufle béant par la soif alourdi,
Un souffle rauque et bref, d'une brusque secousse,
Trouble les grands lézards, chauds des feux de midi,
Dont la fuite étincelle à travers l'herbe rousse.
En un creux du bois sombre interdit au soleil
Il s'affaisse, allongé sur quelque roche plate ;
D'un large coup de langue il se lustre la patte ;
Il cligne ses yeux d'or hébétés de sommeil ;
Et, dans l'illusion de ses forces inertes,
Faisant mouvoir sa queue et frissonner ses flancs,
Il rêve qu'au milieu des plantations vertes,
Il enfonce d'un bond ses ongles ruisselants
Dans la chair des taureaux effarés et beuglants.

les fenêtres

Stéphane Mallarmé

Las du triste hôpital, et de l'encens fétide
Qui monte en la blancheur banale des rideaux
Vers le grand crucifix ennuyé du mur vide,
Le moribond sournois y redresse un vieux dos,

Se traîne et va, moins pour chauffer sa pourriture
Que pour voir du soleil sur les pierres, coller
Les poils blancs et les os de la maigre figure
Aux fenêtres qu'un beau rayon clair veut hâler,

Et la bouche, fiévreuse et d'azur bleu vorace,
Telle, jeune, elle alla respirer son trésor,
Une peau virginale et de jadis! encrasse
D'un long baiser amer les tièdes carreaux d'or.

Ivre, il vit, oubliant l'horreur des saintes huiles,
Les tisanes, l'horloge et le lit infligé,
La toux; et quand le soir saigne parmi les tuiles,
Son œil, à l'horizon de lumière gorgé,

dix-neuvième siècle

Voit des galères d'or, belles comme des cygnes,
Sur un fleuve de pourpre et de parfums dormir
En berçant l'éclair fauve et riche de leurs lignes
Dans un grand nonchaloir chargé de souvenir !

Ainsi, pris du dégoût de l'homme à l'âme dure
Vautré dans le bonheur, où ses seuls appétits
Mangent, et qui s'entête à chercher cette ordure
Pour l'offrir à la femme allaitant ses petits,

Je fuis et je m'accroche à toutes les croisées
D'où l'on tourne l'épaule à la vie, et, béni,
Dans leur verre, lavé d'éternelles rosées,
Que dore le matin chaste de l'Infini

Je me mire et me vois ange ! et je meurs, et j'aime
— Que la vitre soit l'art, soit la mysticité —
À renaître, portant mon rêve en diadème,
Au ciel antérieur où fleurit la Beauté !

Mais, hélas ! Ici-bas est maître : sa hantise
Vient m'écœurer parfois jusqu'en cet abri sûr,
Et le vomissement impur de la Bêtise
Me force à me boucher le nez devant l'azur.

Est-il moyen, ô Moi qui connais l'amertume,
D'enfoncer le cristal par le monstre insulté
Et de m'enfuir, avec mes deux ailes sans plumes
— Au risque de tomber pendant l'éternité ?

le tombeau
d'edgar poe

Tel qu'en Lui-même enfin l'éternité le change,
Le poète suscite avec un glaive nu
Son siècle épouvanté de n'avoir pas connu
Que la mort triomphait dans cette voix étrange !

Eux, comme un vil sursaut d'hydre oyant jadis l'ange
Donner un sens plus pur aux mots de la tribu,
Proclamèrent très haut le sortilège bu
Dan le flot sans honneur de quelque noir mélange.

Du sol et de la nue hostiles, ô grief !
Si notre idée avec ne sculpte un bas-relief
Dont la tombe de Poe éblouissante s'orne,

Calme bloc ici-bas chu d'un désastre obscur,
Que ce granit du moins montre à jamais sa borne
Aux noirs vols du Blasphème épars dans le futur !

mysticis umbraculis

Stéphane Mallarmé

Elle dormait : son doigt tremblait, sans améthyste
Et nu, sous sa chemise, après un soupir triste
Il s'arrêta, levant au nombril la batiste.

Et son ventre sembla de la neige où serait,
Cependant qu'un rayon redore la forêt,
Tombé le nid moussu d'un gai chardonneret.

l'azur

Stéphane Mallarmé

De l'éternel Azur la sereine ironie
Accable, belle indolemment comme les fleurs,
Le poète impuissant qui maudit son génie
À travers un désert stérile de Douleurs.

Fuyant, les yeux fermés, je le sens qui regarde,
Avec l'intensité d'un remords atterrant,
Mon âme vide. Où fuir? Et quelle nuit hagarde
Jeter, lambeaux, jeter sur ce mépris navrant?

Brouillards, montez! Versez vos cendres monotones
Avec de longs haillons de brume dans les cieux
Qui noiera le marais livide des automnes,
Et bâtissez un grand plafond silencieux!

Et toi, sors des étangs léthéens et ramasse
En t'en venant la vase et les pâles roseaux,
Cher Ennui, pour boucher d'une main jamais lasse
Les grands trous bleus que font méchamment les
                                    [oiseaux.   519

dix-neuvième siècle

Encor! que sans répit les tristes cheminées
Fument, et que de suie une errante prison
Éteigne dans l'horreur de ses noires traînées
Le soleil se mourant jaunâtre à l'horizon!

— Le Ciel est mort. — Vers toi, j'accours! donne, ô
[matière,
L'oubli de l'Idéal cruel et du Péché
À ce martyr qui vient partager la litière
Où le bétail heureux des hommes est couché,

Car j'y veux, puisque enfin ma cervelle, vidée
Comme le pot de fard gisant au pied d'un mur,
N'a plus l'art d'attifer la sanglotante idée,
Lugubrement bâiller vers un trépas obscur...

En vain! l'Azur triomphe, et je l'entends qui chante
Dans les cloches. Mon âme, il se fait voix pour plus
Nous faire peur avec sa victoire méchante,
Et du métal vivant sort en bleus angélus!

Il roule par la brume, ancien et traverse
Ta native agonie ainsi qu'un glaive sûr;
Où fuir dans la révolte inutile et perverse?
Je suis hanté. L'Azur! l'Azur! l'Azur! l'Azur!

apparition

Stéphane Mallarmé

La lune s'attristait. Des séraphins en pleurs
Rêvant, l'archet aux doigts, dans le calme des fleurs
Vaporeuses, tiraient de mourantes violes
De blancs sanglots glissant sur l'azur des corolles.

C'était le jour béni de ton premier baiser.
Ma songerie aimant à me martyriser
S'enivrait savamment du parfum de tristesse
Que même sans regret et sans déboire laisse
La cueillaison d'un Rêve au cœur qui l'a cueilli.
J'errais donc, l'œil rivé sur le pavé vieilli,
Quand, avec du soleil aux cheveux, dans la rue

Et dans le soir, tu m'es en riant apparue.
Et j'ai cru voir la fée au chapeau de clarté
Qui jadis sur mes beaux sommeils d'enfant gâté
Passait, laissant toujours de ses mains mal fermées
Neiger de blancs bouquets d'étoiles parfumées.

la vierge, le vivace

Stéphane Mallarmé

Le vierge, le vivace et le bel aujourd'hui
Va-t-il nous déchirer avec un coup d'aile ivre
Ce lac dur oublié que hante sous le givre
Le transparent glacier des vols qui n'ont pas fui !

Un cygne d'autrefois se souvient que c'est lui
Magnifique mais qui sans espoir se délivre
Pour n'avoir pas chanté la région où vivre
Quand du stérile hiver a resplendi l'ennui.

Tout son col secouera cette blanche agonie
Par l'espace infligée à l'oiseau qui le nie,
Mais non l'horreur du sol où le plumage est pris.

Fantôme qu'à ce lieu son pur éclat assigne,
Il s'immobilise au songe froid de mépris
Que vêt parmi l'exil inutile le Cygne.

le nénuphar blanc

Stéphane Mallarmé

J'avais beaucoup ramé, d'un grand geste net assoupi, les yeux au dedans fixés sur l'entier oubli d'aller, comme le rire de l'heure coulait alentour. Tant d'immobilité paressait que frôlé d'un bruit inerte où fila jusqu'à motié la yole, je ne vérifiai l'arrêt qu'à l'étincellement stable d'initiales sur les avirons mis à nu, ce qui me rappela à mon identité mondaine.

Qu'arrivait-il, où étais-je?

Il fallut, pour voir clair en l'aventure, me remémorer mon départ tôt, ce juillet de flamme, sur l'intervalle vif entre ses végétations dormantes d'un toujours étroit et distrait ruisseau, en quête des floraisons d'eau et avec un dessein de reconnaître l'emplacement occupé par la propriété de l'amie d'une amie, à qui je devais improviser un bonjour. Sans que le ruban d'aucune herbe me retînt devant un paysage plus que l'autre chassé avec son reflet en l'onde par le même impartial coup de rame, je

523

venais échouer dans quelque touffe de roseaux, terme mystérieux de ma course, au milieu de la rivière : où tout de suite élargie en fluvial bosquet, elle étale un nonchaloir d'étang plissé des hésitations à partir qu'a une source.

L'inspection détaillée m'apprit que cet obstacle de verdure en pointe sur le courant, masquait l'arche unique d'un pont prolongé, à terre, d'ici et de là, par une haie clôturant des pelouses. Je me rendis compte. Simplement le parc de Madame..., l'inconnue à saluer.

Un joli voisinage, pendant la saison, la nature d'une personne qui s'est choisi retraite aussi humidement impénétrable ne pouvant être que conforme à mon goût. Sûr, elle avait fait de ce cristal son miroir intérieur à l'abri de l'indiscrétion éclatante des après-midi; elle y venait et la buée d'argent glaçant des saules ne fut bientôt que la limpidité de son regard habitué à chaque feuille.

Toute je l'évoquais lustrale.

Courbé dans la sportive attitude où me maintenait de la curiosité, comme sous le silence spacieux de ce que s'annonçait l'étrangère, je souris au commencement d'esclavage dégagé par une possibilité féminine : que ne signifiaient pas mal les courroies attachant le soulier du rameur au bois de l'embarcation, comme on ne fait qu'un avec l'instrument des ses sortilèges.

« — Aussi bien une quelconque... » allais-je

terminer.

Quand un imperceptible bruit me fit douter si l'habitante du bord hantait mon loisir, ou inespérément le bassin.

Le pas cessa, pourquoi?

Subtil secret des pieds qui vont, viennent, conduisent l'esprit où le veut la chère ombre enfouie en de la batiste et les dentelles d'une jupe affluant sur le sol comme pour circonvenir du talon à l'orteil, dans une flottaison, cette initiative par quoi la marche s'ouvre, tout au bas et les plis rejetés en traîne, une échappée, de sa double flèche savante.

Connaît-elle un motif à sa station, elle-même la promeneuse : et n'est-ce, moi, tendre trop haut la tête, pour ces joncs à ne dépasser et toute la mentale somnolence où se voile ma lucidité, que d'interroger jusque-là le mystère.

« — À quel type s'ajustent vos traits, je sens leur précision, Madame, interrompre chose installée ici par le bruissement d'une venue, oui! ce charme instinctif d'en dessous que ne défend pas contre l'explorateur la plus authentiquement nouée, avec une boucle en diamant, des ceintures.
Si vague concept se suffit : et ne transgressera le délice empreint de généralité qui permet et ordonne d'exclure tous visages, au point que la révélation d'un (n'allez point le pencher, avéré, sur le furtif seuil où je règne) chasserait mon trouble, avec lequel il n'a que faire. »

Ma présentation, en cette tenue de maraudeur aquatique, je la peux tenter, avec l'excuse du hasard.

Séparés, on est ensemble : je m'immisce à de sa confuse intimité dans ce suspens sur l'eau où mon songe attarde l'indécise, mieux que visite, suivie d'autres, l'autorisera. Que de discours oiseux en comparaison de celui que je tins pour n'être pas entendu, faudra-t-il, avant de retrouver aussi intuitif accord que maintenant, l'ouïe au ras de l'acajou vers le sable entier qui s'est tu !

La pause se mesure au temps de ma détermination.

Conseille, ô mon rêve, que faire ?

Résumer d'un regard la vierge absence éparse en cette solitude et, comme on cueille, en mémoire d'un site, l'un de ces magiques nénuphars clos qui y surgissent tout à coup, enveloppant de leur creuse blancheur un rien, fait de songes intacts, du bonheur qui n'aura pas lieu et de mon souffle ici retenu dans la peur d'une apparition, partir avec : tacitement, en déramant peu à peu sans du heurt briser l'illusion ni que le clapotis de la bulle visible d'écume enroulée à ma fuite ne jette aux pieds survenus de personne la ressemblance transparente du rapt de mon idéale fleur.

Si, attirée par un sentiment d'insolite, elle a paru, la Méditative ou la Hautaine, la Farouche, la Gaie, tant pis pour cette indicible mine que j'ignore à jamais ! car j'accomplis selon les règles la manœuvre : me dégageai, virai et je contournais déjà une ondulation du ruisseau, emportant comme un noble œuf de cygne, tel que n'en jaillira le vol, mon imaginaire trophée, qui ne se gonfle d'autre chose sinon de la vacance exquise de soi qu'aime, l'été, à poursuivre, dans les allées de son parc, toute dame, arrêtée parfois et longtemps, comme au bord d'une source à franchir ou de quelque pièce d'eau.

brise marine

Stéphane Mallarmé

La chair est triste, hélas! et j'ai lu tous les livres.
Fuir! là-bas fuir! Je sens que des oiseaux sont ivres
D'être parmi l'écume inconnue et les cieux!
Rien, ni les vieux jardins reflétés par les yeux
Ne retiendra ce cœur qui dans la mer se trempe
Ô nuits! ni la clarté déserte de ma lampe
Sur le vide papier que sa blancheur défend
Et ni la jeune femme allaitant son enfant.
Je partirai! Steamer balançant ta mâture,
Lève l'ancre pour une exotique nature!
Un Ennui, désolé par les cruels espoirs,
Croit encore à l'adieu suprême des mouchoirs!
Et, peut-être, les mâts, invitant les orages,
Sont-ils de ceux qu'un vent penche sur les naufrages
Perdus, sans mâts, sans mâts, ni fertiles îlots...
Mais, ô mon cœur, entends le chant des matelots!

le coffret

Georges Rodenbach

Ma mère, pour ses jours de deuil et de souci,
Garde, dans un tiroir secret de sa commode,
Un petit coffre en fer rouillé, de vieille mode,
Et ne me l'a fait voir que deux fois jusqu'ici.

Comme un cercueil, la boîte est funèbre et massive,
Et contient les cheveux de ses parents défunts,
Dans des sachets jaunis aux pénétrants parfums,
Qu'elle vient quelquefois baiser le soir, pensive !

Quand sont mortes mes sœurs blondes, on l'a rouvert
Pour y mettre des fleurs et deux boucles frisées !
Hélas ! nous ne gardions d'elles, chaînes brisées,
Que ces deux anneaux d'or dans ce coffret de fer.

Et toi ! puisque ton front vers le tombeau se penche,
Ô mère, quand viendra l'inévitable jour
Où j'irai dans la boîte enfermer à mon tour
Un peu de tes cheveux…, que la mèche soit

[blanche !…

mon âme est une infante

Albert Samain

Mon âme est une infante en robe de parade,
Dont l'exil se reflète, éternel et royal,
Aux grands miroirs déserts d'un vieil Escurial,
Ainsi qu'une galère oubliée en la rade.

Aux pieds de son fauteuil allongés noblement,
Deux lévriers d'Ecosse aux yeux mélancoliques
Chassent, quand il lui plaît, les bêtes symboliques
Dans la forêt du rêve et de l'enchantement.

Son page favori, qui s'appelle Naguère,
Lui dit d'ensorcelants poèmes à mi-voix,
Cependant qu'immobile, une tulipe aux doigts,
Elle écoutait mourir en elle leur mystère...

Le parc alentour d'elle étend ses frondaisons,
Ses marbres, ses bassins, ses rampes à balustres ;
Et, grave, elle s'enivre à ces songes illustres
Que recèlent pour nous les nobles horizons.

Elle est là résignée, et douce, et sans surprise,
Sachant trop pour lutter comme tout est fatal,
Et se sentant, malgé quelque dédain natal,
Sensible à la pitié comme l'onde à la brise.

Elle est là résignée, et douce en ses sanglots,
Plus sombre seulement quand elle évoque en songe
Quelque Armada sombrée à l'éternel mensonge,
Et tant de beaux espoirs endormis sous les flots.

Des soirs trop lourds de pourpre où sa fierté soupire,
Les portraits de Van Dyck aux beaux doigts longs et
[purs,
Pâles en velours noir sur l'or vieilli des murs,
En leurs grands airs défunts la fond rêver d'empire.

Les vieux mirages d'or ont dissipé son deuil,
Et dans les visions où son ennui s'échappe,
Soudain — gloire ou soleil — un rayon qui la frappe
Allume en elle tous les rubis de l'orgueil.

Mais d'un sourire triste elle apaise ces fièvres ;
Et, redoutant la foule aux tumultes de fer,
Elle écoute la vie — au loin — comme la mer…
Et le secret se fait plus profond sur ses lèvres.

dix-neuvième siècle

Rien n'émeut d'un frisson l'eau pâle de ses yeux,
Où s'est assis l'esprit voilé des villes mortes ;
Et par les salles, où sans bruit tournent les portes,
Elle va, s'enchantant de mots mystérieux.

L'eau vaine des jets d'eau là-bas tombe en cascade,
Et, pâle à la croisée, une tulipe aux doigts,
Elle est là, reflétée aux miroirs d'autrefois,
Ainsi qu'une galère oubliée en la rade.

Mon âme est une infante en robe de parade.

keepsake

Albert Samain

Sa robe était de tulle avec des roses pâles,
Et rose pâle était sa lèvre, et ses yeux froids,
Froids et bleus comme l'eau qui rêve au fond des
[bois.
La mer Tyrrhénienne aux langueurs amicales

Berçait sa vie éparse en suaves pétales.
Très douce elle mourait, ses petits pieds en croix ;
Et, quand elle chantait, le cristal de sa voix
Faisait saigner au cœur ses blessures natales.

Toujours à son poing maigre un bracelet de fer,
Où son nom de blancheur était gravé « Stéphane »,
Semblait l'anneau rivé de l'exil très amer.

Dans un parfum d'héliotrope diaphane
Elle mourait, fixant les voiles sur la mer,
Elle mourait parmi l'automne... vers l'hiver...

Et c'était comme une musique qui se fane...

533

automne

Albert Samain

À pas lents et suivis du chien de la maison,
Nous refaisons la route à présent trop connue.
Un pâle automne saigne au fond de l'avenue,
Et des femmes en deuil passent à l'horizon.

Comme dans un préau d'hospice ou de prison,
L'air est calme et d'une tristesse contenue ;
Et chaque feuille d'or tombe, l'heure venue,
Ainsi qu'un souvenir, lente, sur le gazon.

Le Silence entre nous marche... Cœurs de mensonge,
Chacun, las du voyage, et mûr pour d'autres songes,
Rêve égoïstement de retourner au port.

Mais les bois ont, ce soir, tant de mélancolie
Que notre cœur, s'émeut à son tour et s'oublie
À parler du passé, sous le ciel qui s'endort,

Doucement, à mi-voix, comme d'un enfant mort...

matin sur le port

Albert Samain

Le soleil, par degrés, de la brume émergeant,
Dore la vieille tour et le haut des mâtures ;
Et, jetant son filet sur les vagues obscures,
Fait scintiller la mer dans ses mailles d'argent.

Voici surgir, touchés par un rayon lointain,
Des portiques de marbre et des architectures ;
Et le vent épicé fait rêver d'aventures
dans la clarté limpide et fine du matin.

L'étendard déployé sur l'arsenal palpite ;
Et de petits enfants, qu'un jeu frivole excite,
Font sonner en courant les anneaux du vieux mur,

Pendant qu'un beau vaisseau, peint de pourpre et
[d'azur,
Bondissant et léger sur l'écume sonore,
S'en va, tout frissonnant de voiles, dans l'aurore.

la cuisine

Albert Samain

Dans la cuisine où flotte une senteur de thym,
Au retour du marché, comme un soir de butin,
S'entassent pêle-mêle avec les lourdes viandes
Les poireaux, les radis, les oignons en guirlandes,
Les grands choux violets, le rouge potiron,
La tomate vernie et le pâle citron.
Comme un grand cerf-volant la raie énorme et plate
Gît, fouillée au couteau d'une plaie écarlate.
Un lièvre au poil rougi traîne sur les pavés
Avec des yeux pareils à des raisins crevés.
D'un tas d'huîtres vidé d'un panier couvert d'algues
Monte l'odeur du large et la fraîcheur des vagues.
Les cailles, les perdreaux au doux ventre ardoisé
Laissent, du sang au bec, pendre leur cou brisé ;
C'est un étal vibrant de fruits verts, de légumes,
De nacre, d'argent clair, d'écailles et de plumes.
Un tronçon de saumon saigne et, vivant encor,
Un grand homard de bronze, acheté sur le port,
Parmi la victuaille au hasard entassée,
Agite, agonisant, une antenne cassée.

le temps des cerises

Jean-Baptiste Clément

Quand nous en serons au temps des cerises,
Et gai rossignol et merle moqueur
Seront tous en fête.
Les belles auront la folie en tête
Et les amoureux du soleil au cœur.
Quand nous en seront au temps des cerises,
Sifflera bien mieux le merle moqueur.

Mais il est bien court le temps des cerises,
Où l'on s'en va deux cueillir en rêvant
Des pendants d'oreilles,
Cerises d'amour aux robes pareilles
Tombant sous la feuille en gouttes de sang.
Mais il est bien court le temps des cerises,
Pendants de corail qu'on cueille en rêvant.

dix-neuvième siècle

Quand vous en serez au temps des cerises,
Si vous avez peur des chagrins d'amour
Évitez les belles.
Moi qui ne crains pas les peines cruelles,
Je ne vivrai pas sans souffrir un jour.
Quand vous en serez au temps des cerises,
Vous aurez aussi des chagrins d'amour.

J'aimerai toujours le temps des cerises :
C'est de ce temps-là que je garde au cœur
Une plaie ouverte,
Et dame Fortune, en m'étant offerte,
Ne saurait jamais calmer ma douleur.
J'aimerai toujours le temps des cerises
Et le souvenir que je garde au cœur.

si j'allais au noir cimetière...

Louise Michel

Si j'allais au noir cimetière,
Frères, jetez sur votre sœur
Comme une espérance dernière
De rouges œillets tout en fleur.

Dans les derniers temps de l'Empire
Lorsque le peuple s'éveillait,
Rouge œillet ce fut ton sourire
Qui nous dit que tout renaissait.

Aujourd'hui, va fleurir dans l'ombre
Des noires et tristes prisons
Va fleurir près du captif sombre
Et dis-lui bien que nous l'aimons.

Dis-lui que par le temps rapide
Tout appartient à l'avenir
Que le vainqueur au front livide
Plus que le vaincu peut mourir.

le cygne

Sully Prudhomme

Sans bruit, sous le miroir des lacs profonds et calmes,
Le cygne chasse l'onde avec ses larges palmes,
Et glisse. Le duvet de ses flancs est pareil
À des neiges d'avril qui croulent au soleil ;
Mais, ferme et d'un blanc mat, vibrant sous le
[zéphire,
Sa grande aile l'entraîne ainsi qu'un lent navire.
Il dresse son beau col au-dessus des roseaux,
Le plonge, le promène allongé sur les eaux,
Le courbe gracieux comme un profil d'acanthe,
Et cache son bec noir dans sa gorge éclatante.
Tantôt le long des pins, séjour d'ombre et de paix,
Il serpente, et, laissant les herbages épais
Traîner derrière lui comme une chevelure,
Il va d'une tardive et languissante allure.
La grotte où le poète écoute ce qu'il sent,
Et la source qui pleure un éternel absent,
Lui plaisent ; il y rôde ; une feuille de saule
En silence tombée effleure son épaule.
Tantôt il pousse au large, et, loin du bois obscur,
Superbe, gouvernant du côté de l'azur,
Il choisit, pour fêter sa blancheur qu'il admire,

La place éblouissante où le soleil se mire.
Puis, quand les bords de l'eau ne se distinguent plus,
À l'heure où toute forme est un spectre confus,
Où l'horizon brunit rayé d'un long trait rouge,
Alors que pas un jonc, pas un glaïeul ne bouge,
Que les rainettes font dans l'air serein leur bruit,
Et que la luciole au clair de lune luit,
L'oiseau, dans le lac sombre où sous lui se reflète
La splendeur d'une nuit lactée et violette,
Comme un vase d'argent parmi les diamants,
Dort, la tête sous l'aile, entre deux firmaments.

rococo japonais

Joris-Karl Huysmans

Ô toi dont l'œil est noir, les tresses noires, les chairs blondes, écoute-moi, ô ma folâtre louve !

J'aime tes yeux fantasques, tes yeux qui se retroussent sur les tempes ; j'aime ta bouche rouge comme une baie de sorbier, tes joues rondes et jaunes ; j'aime tes pieds tors, ta gorge roide, tes grands ongles lancéolés, brillants comme des valves de nacre.

J'aime, ô mignarde louve, ton énervant nonchaloir, ton sourire alangui, ton attitude indolente, tes gestes mièvres.

J'aime, ô louve caline, les miaulements de ta voix, j'aime ses tons ululants et rauques, mais j'aime par-dessus tout, j'aime à en mourir, ton nez, ton petit nez qui s'échappe des vagues de ta chevelure, comme une rose jaune éclose dans un feuillage noir.

le potier

Charles Guérin

Si tu veux voir un vase aux belles formes naître,
Suis-moi dans l'atelier jusqu'à cette fenêtre
Où l'ébaucheur travaille assis devant le jour
Il jette un pain de terre onctueux sur son tour,
Le mouille, et, résistant à l'effort du mobile,
Élève entre ses mains la frissonnante argile.
D'un pouce impérieux il l'attaque en plein cœur,
La creuse et la façonne au gré de sa vigueur,
Regarde, sous l'active étreinte qui la guide,
Le vase épanouir sa grâce encor liquide.
Tandis qu'il l'arrondit de la paume au dehors,
Ses doigts joints et courbés en polissent les bords.
L'argile cependant, sans relâche arrosée,
Comme un miroir voilé reflète la croisée.
Souple et svelte, le col jaillit des flancs égaux ;
Il chemine en faisant onduler ses anneaux.
Menée au plus haut point déjà, sa tige molle
Expire, et le potier la renverse en corolle.
Le tour s'arrête. Alors, et prenant un répit,
L'humble maître, content de son œuvre, sourit.

les conquérants

José-Maria de Hérédia

Comme un vol de gerfauts hors du charnier natal,
Fatigués de porter leurs misères hautaines,
De Palos, de Moguer, routiers et capitaines,
Partaient, ivres d'un rêve héroïque et brutal.

Ils allaient conquérir le fabuleux métal
Que Cipango mûrit dans ses mines lointaines,
Et les vents alizés inclinaient leurs antennes
Aux bords mystérieux du monde Occidental.

Chaque soir, espérant des lendemains épiques,
L'azur phosphorescent de la mer des Tropiques
Enchantait leur sommeil d'un mirage doré ;

Ou penchés à l'avant des blanches caravelles,
Ils regardaient monter en un ciel ignoré
Du fond de l'Océan des étoiles nouvelles.

soleil couchant

José-Maria de Hérédia

Les ajoncs éclatants, parure du granit ;
Dorent l'âpre sommet que le couchant allume ;
Au loin, brillante encor par sa barre d'écume,
La mer sans fin commence où la terre finit.

À mes pieds c'est la nuit, le silence. Le nid
Se tait, l'homme est rentré sous le chaume qui fume.
Seul, l'Angélus du soir, ébranlé dans la brume,
À la vaste rumeur de l'Océan s'unit.

Alors, comme du fond d'un abîme, des traînes,
Des landes, des ravins, montent des voix lointaines
De pâtres attardés ramenant le bétail.

L'horizon tout entier s'enveloppe dans l'ombre,
Et le soleil mourant, sur un ciel riche et sombre,
Ferme les branches d'or de son rouge éventail.

antoine et cléopâtre

José-Maria de Hérédia

Tous deux ils regardaient, de la haute terrasse,
L'Égypte s'endormir sous un ciel étouffant,
Et le fleuve, à travers le Delta noir qu'il fend,
Vers Bubaste ou Saïs rouler son onde grasse.

Et le Romain sentait sous la lourde cuirasse,
Soldat captif berçant le sommeil d'un enfant,
Ployer et défaillir sur son cœur triomphant
Le corps voluptueux que son étreinte embrasse.

Tournant sa tête pâle entre ses cheveux bruns
Vers celui qu'enivraient d'invincibles parfums,
Elle tendit sa bouche et ses prunelles claires ;

Et sur elle courbé, l'ardent Impérator
Vit dans ses larges yeux étoilés de points d'or
Toute une mer immense où fuyaient des galères.

brise marine

José-Maria de Hérédia

L'hiver a défleuri la lande et le courtil.
Tout est mort. Sur la roche uniformément grise
Où la lame sans fin de l'Atlantique brise,
Le pétale fané pend au dernier pistil.

Et pourtant je ne sais quel arôme subtil
Exhalé de la mer jusqu'à moi par la brise,
D'un effluve si tiède emplit mon cœur qu'il grise ;
Ce souffle étrangement parfumé, d'où vient-il ?

Ah ! Je le reconnais. C'est de trois mille lieues
Qu'il vient, de l'Ouest, là-bas où les Antilles bleues
Se pâment sous l'ardeur de l'astre occidental ;

Et j'ai, de ce récif battu du flot kymrique,
Respiré dans le vent qu'embauma l'air natal
La fleur jadis éclose au jardin d'Amérique.

chapitre VI

vingtième

Siècle

madrigal

Alfred Jarry

Ma fille — ma, car vous êtes à tous,
Donc aucun d'eux ne fut valable maître,
Dormez enfin, et fermons la fenêtre :
La vie est close, et nous sommes chez nous.

C'est un peu haut, le monde s'y termine
Et l'absolu ne peut plus nier ;
Il est si grand de venir le dernier
Puisque ce jour a lassé Messaline.

Vous voici seule et d'oreilles et d'yeux,
Tomber souvent désapprend de descendre.
Le bruit terrestre est loin, comme la cendre
Gît inconnue à l'encens bleu des dieux.

Tel le clapotis des carpes nourries
À Fontainebleau
À des voix meurtries
De baisers dans l'eau.

Comment s'unit la double destinée ?
Tant que je n'eus point pris votre trottoir
Vous étiez vierge et vous n'étiez point née,
Comme un passé se noie en un miroir.

La boue à peine a baisé la chaussure
De votre pied infinitésimal,
Et c'est d'avoir mordu dans tout le mal
Qui vous a fait une bouche si pure.

le bain du roi

Alfred Jarry

Rampant d'argent sur champ de sinople, dragon
Fluide, au soleil de la Vistule se boursoufle.
Or le roi de Pologne, ancien roi d'Aragon,
Se hâte vers son bain, très nu, puissant maroufle.

Les pairs étaient douzaine : il est sans parangon.
Son lard tremble à sa marche et la terre à son souffle ;
Pour chacun de ses pas son orteil patagon
Lui taille au creux du sable une neuve pantoufle.

Et couvert de son ventre ainsi que d'un écu
Il va. La redondance illustre de son cul
Affirme insuffisant le caleçon vulgaire

Où sont portraicturés en or, au naturel,
Par derrière, un Peau-Rouge au sentier de la guerre
Sur un cheval, et par devant, la Tour Eiffel.

la chanson du décervelage

Alfred Jarry

Je fus pendant longtemps ouvrier ébéniste,
Dans la ru'du Champ d'Mars, d'la paroiss'de
[Toussaints.
Mon épouse exerçait la profession d'modiste,
Et nous n'avions jamais manqué de rien.

Quand le dimanch's'annonçait sans nuage,
Nous exhibions nos beaux accoutrements
Et nous allions voir le décervelage
Ru'd'l'Echaudé, passer un bon moment.
Voyez, voyez la machin'tourner,
Voyez, voyez la cervell'sauter,
Voyez, voyez les Rentiers trembler ;

(Chœur) Hourra, cornes-au-cul, vive le Père Ubu !

vingtième siècle

Nos deux marmots chéris, barbouillés d'confitures,
Brandissant avec joi'des poupins en papier,
Avec nous s'installaient sur le haut d'la voiture
Et nous roulions gaiement vers l'Échaudé.
On s'précipite en foule à la barrière,
On s'fich'des coups pour être au premier rang,
Moi je m'mettais toujours sur un tas d'pierres
Pour pas salir mes godillots dans l'sang.
Voyez, voyez la machin'tourner,
Voyez, voyez la cervell'sauter,
Voyez, voyez les Rentiers trembler ;

(Chœur) Hourra, cornes-au-cul, vive le père Ubu !

Bientôt ma femme et moi nous somm's tout blancs
                                    [d'cervelle,
Les marmot en boulott'nt et tous nous trépignons
En voyant l'Palotin qui brandit sa jumelle,
Et les blessur's, et les numéros d'plomb.
Soudain j'perçois dans l'coin, près d'la machine
La gueul'd'un bonz'qui n'm'revient qu'à moitié.
Mon vieux, que j'dis, je r'connais ta bobine,
Tu m'as volé, c'est pas moi qui t'plaindrai.
Voyez, voyez la machin'tourner,
Voyez, voyez la cervell'sauter,
Voyez, voyez les Rentiers trembler ;

(Chœur) Hourra, cornes-au-cul, vive le père Ubu !

Soudain, j'me sens tirer la manch'par mon épouse :
Espèc'd'andouill', qu'ell'm'dit, v'là l'moment d'te
                                    [montrer :
Flanque-lui par la gueule un bon gros paquet
                                    [d'bouse,
V'là l'Palotin qu'a just'le dos tourné.

alfred jarry

En entendant ce raisonn'ment superbe,
J'attrap'sus l'coup mon courage à deux mains :
J'flanque au rentier une gigantesque merde
Qui s'aplatit sur l'nez du Palotin,
Voyez, voyez la machin'tourner,
Voyez, voyez la cervell'sauter,
Voyez, voyez les Rentiers trembler ;

(Chœur) Hourra, cornes-au-cul, vive le père Ubu !

Aussitôt j'suis lancé par-dessus la barrière,
Par la foule en fureur je me vois bousculé
Et j'suis précipité la tête la première
Dans l'grand trou noir d'ous qu'on n'revient jamais.
Voilà c'que c'est qu'd'aller s'prom'ner l'dimanche
Ru'd'l'Echaudé pour voir décerveler,
Marcher l'Pinc'Porc ou bien l'Démanch'Commanche.
On part vivant et l'on revient tudé.

Voyez, voyez la machin'tourner,
Voyez, voyez la cervell'sauter,
Voyez, voyez les Rentiers trembler ;

(Chœur) Hourra, cornes-au-cul, vive le père Ubu !

(extrait)

locusta

Renée Vivien

Nul n'a mêlé ses pleurs au souffle de ma bouche,
Nul sanglot n'a troublé l'ivresse de ma couche,
J'épargne à mes amants les rancœurs de l'amour.

J'écarte de leur front la brûlure du jour,
J'éloigne le matin de leurs paupières closes,
Ils ne contemplent pas l'accablement des roses.

Seule je sais donner des nuits sans lendemains.

Je sais les strophes d'or sur le mode saphique,
J'enivre de regards pervers et de musique
La langueur qui sommeille à l'ombre de mes mains.

Je distille les chants, l'énervante caresse
Et les mots d'impudeur murmurés dans la nuit,
J'estompe les rayons, les senteurs et le bruit.

Je suis la tendre et la pitoyable Maîtresse.

Car je possède l'art des merveilleux poisons,
Insinuants et doux comme les trahisons
Et plus voluptueux que l'éloquent mensonge.

Lorsque, au fond de la nuit, un râle se prolonge
Et se mêle à la fuite heureuse d'un accord,
J'effeuille une couronne et souris à la Mort.

Je l'ai domptée ainsi qu'une amoureuse esclave.
Elle me suit, passive, impénétrable et grave,
Et je sais la mêler aux effluves des fleurs.

Et la verser dans l'or des coupes des Bacchantes.

J'éteins le souvenir importun du soleil
Dans les yeux alourdis qui craignent le réveil
Sous le regard perfide et cruel des amantes.

J'apporte le sommeil dans le creux de mes mains.
Seule je sais donner des nuits sans lendemains.

la fourrure

Renée Vivien

Je hume en frémissant la tiédeur animale
D'une fourrure aux bleus d'argent, aux bleus
[d'opale ;
J'en goûte le parfum plus fort qu'une saveur,
Plus large qu'une voix de rut et de blasphème,
Et je respire avec une égale ferveur,
La Femme que je crains et les Fauves que j'aime.

sommeil

Renée Vivien

Ô Sommeil, ô Mort tiède, ô musique muette!
Ton visage s'incline éternellement las,
Et le songe fleurit à l'ombre de tes pas,
Ainsi qu'une nocturne et sombre violette.

Les parfums affaiblis et les astres décrus
Revivent dans tes mains aux pâles transparences,
Évocateur d'espoirs et vainqueur de souffrances
Qui nous rends la beauté des êtres disparus.

ève

Charles Péguy

… Jésus parle :
— Ô Mère ensevelie hors du premier jardin,
Vous n'avez plus connu ce climat de la grâce,
Et la vasque et la source et la haute terrasse,
Et le premier soleil sur le premier matin.

Et les bondissements de la biche et du daim
Nouant et dénouant leur course fraternelle
Et courant et sautant et s'arrêtant soudain
Pour mieux commémorer leur vigueur éternelle,

Et pour bien mesurer leur force originelle
Et pour poser leurs pas sur ces mœlleux tapis,
Et ces deux beaux coureurs sur soi-même tapis
Afin de saluer leur lenteur solennelle,

Et les ravissements de la jeune gazelle
Laçant et délaçant sa course vagabonde,
Galopant et trottant et suspendant sa ronde,
Afin de saluer sa race intemporelle.

Et les dépassements du bouc et du chevreuil
Mêlant et démêlant leur course audacieuse
Et dressés tout à coup sur quelque immense seuil
Afin de saluer la terre spacieuse.

Et tous ces filatours et toutes ces fileuses
Mêlant et démêlant l'écheveau de leur course,
Et dans le sable d'or des vagues nébuleuses…
Sept clous articulés découpaient la Grande Ourse…

(extrait)

…Et moi je vous salue ô la première femme
Et la plus malheureuse et la plus décevante
Et la plus immobile et la plus émouvante,
Aïeule aux longs cheveux, mère de Notre-Dame.

Et moi je vous salue ô pleine d'épouvante
Et pleine de terreur au seuil des nouveaux jours
Et pleine de retraite au fond des nouveaux bourgs
Et moi je vous salue ô vainement fervente.

Et moi je vous salue ô première servante,
Aïeule des bergers et des bons serviteurs,
Aïeule des bouviers et des premiers pasteurs,
Et moi je vous salue ô première suivante…

(extrait)

l'horizon chimérique

Jean de La Ville de Mirmont

I

Je suis né dans un port et depuis mon enfance
J'ai vu passer par là des pays bien divers.
Attentif à la brise et toujours en partance,
Mon cœur n'a jamais pris le chemin de la mer.

Je connais tous les noms des agrès et des mâts,
La nostalgie et les jurons des capitaines,
Le tonnage et le fret des vaisseaux qui reviennent
Et le sort des vaisseaux qui ne reviendront pas.

Je présume le temps qu'il fera dès l'aurore,
La vitesse du vent et l'orage certain,
Car mon âme est un peu celle des sémaphores,
Des balises, leurs sœurs, et des phares éteints.

Les ports ont un parfum dangereux pour les hommes
Et si mon cœur est faible et las devant l'effort,
S'il préfère dormir dans de lointains arômes,
Mon Dieu, vous le vouliez, je suis né dans un port.

jean de la ville de mirmont

VI

Vaisseaux des ports, steamers à l'ancre, j'ai compris
Le cri plaintif de vos sirènes dans les rades.
Sur votre proue et dans mes yeux il est écrit
Que l'ennui restera notre vieux camarade.

Vous le porterez loin sous de plus beaux soleils
Et vous le bercerez de l'équateur au pôle.
Il sera près de moi, toujours. Dès mon réveil,
Je sentirai peser sa main sur mon épaule.

Assis à votre bord, éternel passager,
Il se réfléchira sur les mers transparentes,
Dans le déroulement d'une fumée errante,
Parmi les pavillons et les oiseaux légers,

L'ennui, seul confident de nos âmes parentes.

VII

Vous pouvez lire, au tome trois de mes Mémoires,
Comment, pendant quinze ans captif chez les Papous,
J'eus pour maître un monarque exigeant après boire
Qu'au son des instruments on lui cherchât des poux.

Mais j'omis à dessein, en narrant cette histoire,
Plusieurs détails touchant l'Infante Laïtou,
Fille royale au sein d'ébène, aux dents d'ivoire
Dont la grâce rendit mon servage plus doux.

Depuis que les échos des Nouvelles-Hébrides
Qui répétaient les cris de nos amours hybrides,
Terrifiant, la nuit, les marins naufragés,

563

S'éteignirent au creux des rivages sonores,
Laïtou, Laïtou, te souvient-il encore
Du seul de tes amants que tu n'aies point mangé?

III

ATTITUDES

II

Dire qu'il nous faudra vivre parmi ces gens,
Toujours! Et pas moyen de rester solitaires!
— Pourtant, ils ont leur façon d'être intelligents,
Lorsqu'ils ne disent rien ou bien parlent d'affaires.

Nous étions nés, je crois, pour toute autre planète;
Mais nul ne l'a compris. Et Dieu, qu'y pouvait-il?
La terre sans amour de ces hommes honnêtes
Donne fort peu de joie à notre cœur subtil.

Ô cafés, bridge à trois! Lorsque nous serons morts,
Ce sera bien plus grave et pour de bon, nous autres!
En attendant, vivons et semblons jusqu'alors
Ridicules, avec nos manières d'apôtres.

Allons! Faisons les fous, car c'est notre sagesse.
Notre raison ne peut ressembler à la leur,
Et notre âme, si vers leur âme elle s'abaisse,
Dans leurs pauvres plaisirs ne trouve que des pleurs.

(extraits)

chansons

sentimentales

Jean de La Ville de Mirmont

IV

Depuis tant de jours il a plu !
Pourtant, voilà que recommence
Un printemps comme on n'en voit plus,
Chère, sinon dans tes romances.

Adieu rhumes et fluxions !
Adieu l'hiver, saison brutale !
C'est, ou jamais, l'occasion
D'avoir l'âme sentimentale.

Que ne puis-je, traînant les pieds,
Et mâchonnant ma cigarette,
Cueillir pour toi, sur les sentiers,
De gros bouquets de pâquerettes !

(extrait)

les heures du soir

Émile Verhaeren

Lorsque tu fermeras mes yeux à la lumière,
Baise-les longuement, car ils t'auront donné
Tout ce qui peut tenir d'amour passionné
Dans le dernier regard de leur ferveur dernière.

Sous l'immobile éclat du funèbre flambeau,
Penche vers leur adieu ton triste et beau visage
Pour que s'imprime et dure en eux la seule image
Qu'ils garderont dans le tombeau.

Et que je sente, avant que le cercueil se cloue,
Sur le lit pur et blanc se rejoindre nos mains
Et que près de mon front sur les pâles coussins
Une suprême fois se repose ta joue.

Et qu'après je m'en aille au loin avec mon cœur,
Qui te conservera une flamme si forte
Que même à travers la terre compacte et morte
Les autres morts en sentiront l'ardeur !

les heures de l'après-midi

Émile Verhaeren

Vous m'avez dit, tel soir, des paroles si belles
Que sans doute les fleurs, qui se penchaient vers
                                                    [nous,
Soudain nous ont aimés et que l'une d'entre elles,
Pour nous toucher tous deux, tomba sur nos genoux.

Vous me parliez des temps prochains où nos années,
Comme des fruits trop mûrs, se laisseraient cueillir ;
Comment éclaterait le glas des destinées,
Comment on s'aimerait, en se sentant vieillir.

Votre voix m'enlaçait comme une chère étreinte,
Et votre cœur brûlait si tranquillement beau
Qu'en ce moment, j'aurais pu voir s'ouvrir sans
                                                    [crainte
Les tortueux chemins qui vont vers le tombeau.

les hôtes

Émile Verhaeren

— Ouvrez, les gens, ouvrez la porte,
je frappe au seuil et à l'auvent,
ouvrez, les gens, je suis le vent
qui s'habille de feuilles mortes.

Entrez, monsieur, entrez le vent,
voici pour vous la cheminée
et sa niche badigeonnée;
entrez chez nous, monsieur le vent.

— Ouvrez, les gens, je suis la pluie,
je suis la veuve en robe grise
dont la trame s'indéfinise,
dans un brouillard couleur de suie.

— Entrez, la veuve, entrez chez nous,
entrez la froide et la livide,
les lézardes du mur humide
s'ouvrent pour vous loger chez nous.

— Levez, les gens, la barre en fer,
ouvrez, les gens, je suis la neige ;
mon manteau blanc se désagrège
sur les routes du vieil hiver.

— Entrez, la neige, entrez, la dame,
avec vos pétales de lys,
et semez-les par le taudis
jusque dans l'âtre où vit la flamme.

Car nous sommes les gens inquiétants
qui habitons le nord des régions désertes,
qui vous aimons — dites, depuis quels temps ?
pour les peines que nous avons par vous souffertes.

la mort

Émile Verhaeren

La Mort a bu du sang
Au cabaret des trois cercueils.

La Mort a mis sur le comptoir
Un écu noir,
Et puis s'en est allée.

« C'est pour les cierges et pour les deuils. »
Et puis s'en est allée.

La mort s'en est allée
Tout lentement
Chercher le sacrement.

On a vu cheminer le prêtre
Et les enfants de chœur,
Trop tard,
Vers la maison
Dont étaient closes les fenêtres.

La mort a bu du sang
Elle en est soûle.

tirade des nez

Edmond Rostand

Ah! non! c'est un peu court, jeune homme!
On pouvait dire… Oh! Dieu!… bien des choses en
[somme…
En variant le ton, — par exemple, tenez :
Agressif : « Moi, monsieur, si j'avais un tel nez,
Il faudrait sur le champ que je me l'amputasse! »
Amical : « Mais il doit tremper dans votre tasse!
Pour boire, faites vous fabriquer un hanap! »
Descriptif : « C'est un roc!… c'est un pic!… c'est un
[cap!
Que dis-je, c'est un cap?… C'est une péninsule! »
Curieux : « De quoi sert cette oblongue capsule?
D'écritoire, monsieur, ou de boîte à ciseaux? »
Gracieux : « Aimez-vous à ce point les oiseaux
Que paternellement vous vous préoccupâtes
De tendre ce perchoir à leurs petites pattes? »
Truculent : « Ça, monsieur, lorsque vous pétunez,
La vapeur du tabac vous sort-elle du nez
Sans qu'un voisin ne crie au feu de cheminée? »
Prévenant : « Gardez-vous, votre tête entraînée
Par ce poids, de tomber en avant sur le sol! »
Tendre : « Faites-lui faire un petit parasol
De peur que sa couleur au soleil ne se fane! »
Pédant : « L'animal seul, monsieur, qu'Aristophane

571

Appelle Hippocampéléphantocamélos
Dut avoir sur le front tant de chair sur tant d'os! »
Cavalier : « Quoi, l'ami, ce croc est à la mode?
Pour pendre son chapeau, c'est vraiment très
                      [commode! »
Emphatique : « Aucun vent ne peut, nez magistral,
T'enrhumer tout entier, excepté le mistral! »
Dramatique : « C'est la Mer Rouge quand il saigne! »
Admiratif : « Pour un parfumeur, quelle enseigne! »
Lyrique : « Est-ce une conque? êtes-vous un triton? »
Naïf : « Ce monument, quand le visite-t-on? »
Respectueux : « Souffrez, monsieur, qu'on vous
                      [salue;
C'est là ce qui s'appelle avoir pignon sur rue! »
Campagnard : « Hé, ardé! C'est-y un nez? Nanain!
C'est queuqu'navet géant ou ben queuqu'melon
                      [nain! »
Militaire : « Pointez contre cavalerie! »
Pratique : « Voulez-vous le mettre en loterie?
Assurément, monsieur, ce sera le gros lot! »
Enfin, parodiant Pyrame en un sanglot :
« Le voilà donc ce nez qui des traits de son maître
A détruit l'harmonie! Il en rougit, le traître! »
— Voilà ce qu'à peu près, mon cher, vous m'auriez dit
Si vous aviez un peu de lettres et d'esprit :
Mais d'esprit, ô le plus lamentable des êtres,
Vous n'en eûtes jamais un atome, et de lettres
Vous n'avez que les trois qui forment le mot : sot!
Eussiez-vous eu, d'ailleurs, l'invention qu'il faut
Pour pouvoir là, devant ces nobles galeries,
Me servir toutes ces folles plaisanteries,
Que vous n'en eussiez pas articulé le quart
De la moitié du commencement d'une, car
Je me les sers moi-même avec assez de verve,
Mais je ne permets pas qu'un autre me les serve.

le pont mirabeau

Guillaume Apollinaire

Sous le pont Mirabeau coule la Seine
    Et nos amours
Faut-il qu'il m'en souvienne
La joie venait toujours après la peine

    Vienne la nuit sonne l'heure
    Les jours s'en vont je demeure

Les mains dans les mains restons face à face
    Tandis que sous
Le pont de nos bras passe
Des éternels regards l'onde si lasse

    Vienne la nuit sonne l'heure
    Les jours s'en vont je demeure

vingtième siècle

L'amour s'en va comme cette eau courante
    L'amour s'en va
Comme la vie est lente
Et comme l'Espérance est violente

    Vienne la nuit sonne l'heure
    Les jours s'en vont je demeure

Passent les jours et passent les semaines
    Ni temps passé
Ni les amours reviennent
Sous le pont Mirabeau coule la Seine

    Vienne la nuit sonne l'heure
    Les jours s'en vont je demeure

marie

Guillaume Apollinaire

Vous y dansiez petite fille
Y danserez-vous mère-grand
C'est la maclotte qui sautille
Toutes les cloches sonneront
Quand donc reviendrez-vous Marie

Des masques sont silencieux
Et la musique est si lointaine
Qu'elle semble venir des cieux
Oui je veux vous aimer mais vous aimer à peine
Et mon mal est délicieux

Les brebis s'en vont dans la neige
Flocons de laine et ceux d'argent
Des soldat passent et que n'ai-je
Un cœur à moi ce cœur changeant
Changeant et puis encor que sais-je

vingtième siècle

Sais-je où s'en iront tes cheveux
Crépus comme mer qui moutonne
Sais-je où s'en iront tes cheveux
Et tes mains feuilles de l'automne
Que jonchent aussi nos aveux

Je passais au bord de la Seine
Un livre ancien sous le bras
Le fleuve est pareil à ma peine
Il s'écoule et ne tarit pas
Quand donc finira la semaine

l'adieu

Guillaume Apollinaire

J'ai cueilli ce brin de bruyère
L'automne est morte souviens-t'en
Nous ne nous verrons plus sur terre
Odeur du temps brin de bruyère
Et souviens toi que je t'attends

les sapins

Guillaume Apollinaire

Les sapins en bonnets pointus
De longues robes revêtus
    Comme des astrologues
Saluent leurs frères abattus
Les bateaux qui sur le Rhin voguent

Dans les sept arts endoctrinés
Par les vieux sapins leurs aînés
    Qui sont de grands poètes
Ils se savent prédestinés
À briller plus que des planètes

À briller doucement changés
En étoiles et enneigés
    Aux Noëls bienheureuses
Fêtes des sapins ensongés
Aux longues branches langoureuses

guillaume apollinaire

Les sapins beaux musiciens
Chantent des noëls anciens
    Au vent des soirs d'automne
Ou bien graves magiciens
Incantent le ciel quand il tonne

Des rangées de blancs chérubins
Remplacent l'hiver les sapins
    Et balancent leurs ailes
L'été ce sont de grands rabbins
Ou bien de vieilles demoiselles…

fumées

Guillaume Apollinaire

Et tandis que la guerre
Ensanglante la terre
Je hausse les odeurs
Près des couleurs-saveurs

Et je fu
m
e
du
ta
bac
de **NE**
Zo

Des fleurs à ras du sol regardent par bouffées
Les boucles des odeurs par tes mains décoiffées
Mais je connais aussi les grottes parfumées
Où gravite l'azur unique des fumées
Où plus doux que la nuit et plus pur que le jour
Tu t'étends comme un dieu fatigué par l'amour
Tu fascines les flammes
Elles rampent à tes pieds
Ces nonchalantes femmes
Tes feuilles de papier

la colombe poignardée et le jet d'eau

Guillaume Apollinaire

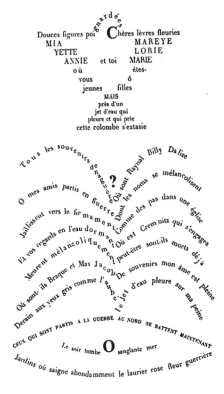

Douces figures poignardées Chères lèvres fleuries
MIA   MAREYE
YETTE   LORIE
ANNIE   et toi   MARIE
où   êtes-
vous   ô
jeunes   filles
MAIS
près d'un
jet d'eau qui
pleure et qui prie
cette colombe s'extasie

Tous les souvenirs de naguère Où sont Raynal Billy Dalize
?
O mes amis partis en guerre Où sont les noms se mélancolisent
Jaillissent vers le firmament Comme des pas dans une église
Et vos regards en l'eau dormant Où est Cremnitz qui s'engagea
Meurent mélancoliquement Peut-être sont-ils morts déjà
Où sont-ils Braque et Max Jacob De souvenirs mon âme est pleine
Derain aux yeux gris comme l'aube Le jet d'eau pleure sur ma peine
CEUX QUI SONT PARTIS A LA GUERRE AU NORD SE BATTENT MAINTENANT
Le soir tombe O sanglante mer
Jardins où saigne abondamment le laurier rose fleur guerrière

mendiants

Germain Nouveau

Pendant qu'hésite encor ton pas sur la prairie,
Le pays s'est de ciel houleux enveloppé.
Tu cèdes, l'œil levé vers la nuagerie,
À ce doux midi blême et plein d'osier coupé.

Nous avons tant suivi le mur de mousse grise
Qu'à la fin, à nos flancs qu'une douleur emplit,
Non moins bon que ton sein, tiède comme l'église,
Ce fossé s'est ouvert aussi sûr que le lit.

Dédoublement sans fin d'un typique fantôme,
Que l'or de ta prunelle était peuplé de rois!
Est-ce moi qui riais à travers ce royaume?
Je tenais le martyre, ayant les bras en croix.

Le fleuve au loin, le ciel en deuil, l'eau de tes lèvres
Immense trilogie amère aux cœurs noyés.
Un goût m'est revenu de nos plus forts genièvres,
Lorsque ta joue a lui, près des yeux dévoyés!

Et pourtant, oh! pourtant, des seins de l'innocente
Et de nos doigts, sonnant, vers notre rêve éclos
Sur le ventre gentil comme un tambour qui chante,
Diane aux désirs, et charger aux sanglots,

De ton attifement de boucles et de ganses,
Vieux Bébé, de tes cils essuyés simplement,
Et de vos piétés, et de vos manigances
Qui m'auraient bien pu rendre aussi chien que
[l'amant,

Il ne devait rester qu'une ironie immonde,
Une langueur des yeux détournés sans effort.
Quel bras, impitoyable aux Échappés du monde,
Te pousse à l'Ouest, pendant que je me sauve au
[Nord!

la fête chez toto

Germain Nouveau

À la fête qu'après-demain je donnerai,
Il y aura beaucoup de monde. Toi, curé,
J'exige que l'on vienne et le diable ait ton âme !
S'il y aura des gens de l'Olympe ? Oui, madame,
Quant à vous, je ne vous invite pas, Zari.
On entrera, dès que le maître aura souri,
À l'heure par exemple où se couchent les villes.
À la porte on vendra des éventails des Îles
Du temps qu'Athénasie était reine en riant.
Un diplomate russe, un nonce d'Orient
Viendront gris sans que l'on trouve ça regrettable.
Le dîner, viande et fruits, écrasera la table.
Je ne sais pas les noms de ce qu'on mangera,
Ni quels vins couleront ni quels airs l'on jouera,
Mais les glaces seront de Venise et des pôles.
Des plats d'or voleront par-dessus les épaules,
Sous de fiers lustres à cent mètres du plafond
Qui sera comme un ciel d'indulgence sans fond,
Où trembleront des seins, des lyres et des astres.
Des rires crouleront comme de gros désastres.
On entendra des cris d'oiseaux dans les hauteurs ;

Il y aura des chefs d'offices, des auteurs,
Des voyageurs parlant comme ceux-là du conte ;
Nag la pâle y sera, répondant au vieux comte :
« Change en or ton argent, ton or en perles, cher… »
Et les femmes seront des anges bien en chair,
Nourris de moelles de boxeurs et de cervelles
D'acrobates, disant des bêtises entre elles.
Il y aura des gens sérieux quoiqu'en deuil,
Quelque immense poète en un petit fauteuil,
Et puis, sur une estrade en feutre, une féerie
De musiciens blonds venus de Barbarie,
En gilets frais ainsi que des pois de senteur.
Autour de la maison, obscur comme le cœur,
Le parc sera pompeux et la lune mignonne.
Ah ! nous aurons aussi le monsieur dont personne
Ne sait le petit nom ni le nom, croyez-vous,
Et ce sera le plus délicieux de tous.
Il y aura le diable : une humble enfant qui souffre
Dira le reconnaître à son odeur de soufre.
Certes il y aura l'ami qu'on croyait mort,
Le chien qui mord, et la bonne femme qui dort,
Et plus d'un mendiant au bras de quelque dame,
Mis avec toute la distinction de l'âme ;
Et la musique aura tant d'influence, vrai,
À la fête qu'après-demain je donnerai,
Que l'on croira jouir d'une mort indicible,
Et mourir plus longtemps qu'il ne semble possible,
Dans une sorte d'aise et de grâce, humblement.
Quant au bal, qui sera rose admirablement,
Il entraînera tout nous tous : danseurs sceptiques,
Filles graves roulant des prunelles mystiques,
Et chacune — je vous inviterai, Zari, —
Trouvera son valseur, son ange et son mari.
Bref, tout ce monde, armé de ses plus jolis vices,
De salle en salle ira tournant avec délices,

vingtième siècle

Dans un vase froufrou de cœurs et de chiffons,
Dans mon château, mon bon vieux château des
                                        [Bouffons
Qu'avoisine une mer verte et gaie au possible,
Suivre vers la folie une pente insensible,
Ou vers le crime qui, ce soir-là, sera roi,
Jusqu'à ce qu'apparaisse, après le souper froid,
Le matin bête dans la cohue étonnée.
Hélas ! personne à la fête que j'ai donnée !

le nom

Je porte un nom assez… bizarre,
Tu diras : « Ton cas n'est pas rare. »
Oh!… je ne pose pas pour ça,
Du tout… mais… permettez, Madame,
Je découvre en son anagramme :
Amour ingénue, et puis : Va!

Si… comme un régiment qu'on place
Sous le feu… je change la face…
De ce nom… drôlement venu,
Dans le feu sacré qui le dore,
Tiens! regarde… je lis encore :
Amour ignée, et puis : Va, nu!

Pas une lettre de perdue!
Il avait la tête entendue,
Le parrain qui me le trouva!
Mais ce n'est pas là tout, écoute!
Je lis encor, pour Toi, sans doute :
Amour ingénu, puis : Éva!

587

vingtième siècle

Tu sais… nous ne sommes… peut-être
Les seuls amours… qu'on ait vus naître ;
Il en naît… et meurt tous les jours ;
On en voit sous toutes les formes ;
Et petits, grands… ou même énormes,
Tous les hommes sont des amours.

Pourtant… ce nom me prédestine…
À t'aimer, ô ma Valentine !
Ingénument, avec mon corps,
Avec mon cœur, avec mon âme,
À n'adorer que Vous, Madame,
Naturellement, sans efforts.

Il m'invite à brûler sans trêve,
Comme le cierge qui s'élève
D'un feu très doux à ressentir,
Comme le Cierge dans l'Église ;
À ne pas garder ma chemise
Et surtout… à ne pas mentir.

Et si c'est la mode qu'on nomme
La compagne du nom de l'homme,
J'appellerai ma femme : Éva.
J'ôte É, je mets lent, j'ajoute ine,
Et cela nous fait : Valentine !
C'est un nom chic ! et qui me va !

Tu vois comme cela s'arrange.
Ce nom, au fond, est moins étrange
Que de prime abord il n'a l'air.
Ses deux majuscules G. N.
Qui font songer à la Géhenne
Semblent les Portes de l'Enfer !

Eh, bien !... mes mains ne sont pas fortes,
Mais moi, je fermerai ces Portes,
Qui ne laisseront plus filtrer
Le moindre rayon de lumière,
Je les fermerai de manière
Qu'on ne puisse jamais entrer.

En jouant sur le mot Géhenne,
J'ai, semble-t-il dire, la Haine,
Et je ne l'ai pas à moitié,
Je l'ai, je la tiens, la Maudite !
Je la tiens bien, et toute, et vite,
Je veux l'étrangler sans pitié !

Puisque c'est par Elle qu'on souffre,
Qu'elle est la Bête aux yeux de soufre,
Qu'elle n'écoute... rien du tout,
Qu'elle ment, la sale mâtine !
Et pour qu'on s'aime en Valentine
D'un bout du monde à l'autre bout.

le baiser

Germain Nouveau

« Tout fait l'amour. » Et moi, j'ajoute,
Lorsque tu dis : « Tout fait l'amour » :
Même le pas avec la route,
La baguette avec le tambour.

Même le doigt avec la bague,
Même la rime et la raison,
Même le vent avec la vague,
Le regard avec l'horizon.

Même le rire avec la bouche,
Même l'osier et le couteau,
Même le corps avec la couche,
Et l'enclume sous le marteau.

Même le fil avec la toile,
Même la terre avec le ver,
Le bâtiment avec l'étoile,
Et le soleil avec la mer.

Comme la fleur et comme l'arbre,
Même la cédille et le c,
Même l'épitaphe et le marbre,
La mémoire avec le passé.

madame, il se peut que j'oublie

Marcel Proust

Madame il se peut que j'oublie
Votre divin profil d'oiseau
Et que je crève ma folie
Comme on saute dans un cerceau
Mais vos yeux au plafond de ma tête
Luiront comme des lustres clairs.

à Jean Cocteau

Afin de me couvrir de fourrure et de moire
Sans de ses larges yeux renverser l'encre noire
Tel un sylphe au plafond, tel sur la neige un ski
Jean sauta sur la table auprès de Nijinsky.
C'était dans un salon purpurin de Larue
Dont l'or, d'un goût douteux, jamais ne se voila.
La barbe d'un docteur blanditieuse et drue
Déclarait : « Ma présence est peut-être incongrue
Mais s'il n'en reste qu'un je serai celui-là. »
Et mon cœur succombait aux coups d'Indiana.

591

pourquoi j'aime tant les chèvrefeuilles?...

Marcel Proust

Pourquoi j'aime tant les chèvrefeuilles? C'est parce que mon bien-aimé a planté un chèvrefeuille sous la fenêtre de ma chambre afin qu'à mon réveil la grisante odeur de ses fleurs me dise : « Toute la nuit les pensées de ton bien-aimé n'ont cessé d'exhaler vers toi leur plus doux parfum d'amour. »

Pourquoi j'aime tant les colchiques d'automne? C'est parce que mon bien-aimé, afin d'en mettre une à mon corsage, s'est, une nuit, jeté dans l'eau. Depuis j'ai toujours gardé la fleur qui me rappelle la nuit où, pour la première fois, j'ai compris que pour un de mes regards mon bien-aimé se jetterait dans la rivière.

Pourquoi j'aime tant la blancheur des lys? C'est parce que mon bien-aimé m'a donné une fleur pure de lys blanc, un soir qu'après m'avoir désirée de tous les désirs de sa vie, il comprit que le seul bien ici-bas est la pureté du corps comme la pureté de l'âme, et, revenant de son erreur : « Le désir que j'aurai désormais, m'a-t-il dit, est le seul qui ne changera jamais en désillusion une fois réalisé : c'est le désir de souffrir et de mourir pour mon amour. »

Pourquoi j'aime tant la fleur triste des clématites? C'est parce que mon bien-aimé s'est tué pour n'avoir pas pu me faire accepter une fleur de clématite. J'ai refusé la fleur qu'il m'offrait car en échange de sa fleur j'aurais dû lui donner mon cœur et j'aime mieux voir mon bien-aimé mort que de voir mon cœur lui appartenir.

volupté

Pierre Louÿs

Sur une terrasse blanche, la nuit, ils nous laissèrent évanouies dans les roses… La sueur chaude coulait comme des larmes, de nos aisselles sur nos seins. Une volupté accablante empourprait nos têtes renversées.

Quatre colombes captives, baignées dans quatre parfums, voletèrent au-dessus de nous en silence. De leurs ailes, sur les femmes nues, ruisselaient des gouttes de senteur. Je fus inondée d'essence d'iris.

Ô lassitude! je reposai ma joue sur le ventre d'une jeune fille qui s'enveloppa de fraîcheur avec ma chevelure humide. L'odeur de sa peau safranée enivrait ma bouche ouverte. Elle ferma sa cuisse sur ma nuque.

Je dormis, mais un rêve épuisant m'éveilla : l'iynx, oiseau des désirs nocturnes, chantait éperdument au loin. Je toussai avec un frisson. Un bras languissant comme une fleur s'élevait peu à peu vers la lune, dans l'air.

l'étreinte éperdue

Pierre Louÿs

Aime moi, non pas avec des sourires, des flûtes ou des fleurs tressées, mais avec ton cœur et tes larmes, comme je t'aime avec ma poitrine et mes gémissements.

Quand tes seins s'alternent à mes seins, quand je sens ta vie toucher ma vie, quand tes genoux se dressent derrière moi, alors ma bouche haletante ne sait même plus joindre la tienne.

Étreins-moi comme je t'étreins! Vois, la lampe vient de mourir, nous roulons dans la nuit; mais je presse ton corps mouvant et j'entends ta plainte perpétuelle...

Gémis! gémis! gémis! ô femme! Erôs nous traîne dans la douleur. Tu souffrirais moins sur ce lit pour mettre un enfant au monde que pour accoucher de ton amour.

anna de noailles

le jardin et la maison

Anna de Noailles

Voici l'heure où le pré, les arbres et les fleurs
Dans l'air dolent et doux soupirent leurs odeurs.

Les baies du lierre obscur où l'ombre se recueille
Sentant venir le soir se couchent dans leurs feuilles.

Le jet d'eau du jardin, qui monte et redescend,
Fait dans le bassin clair son bruit rafraîchissant ;

La paisible maison respire au jour qui baisse
Les petits orangers fleurissent dans leurs caisses.

Le feuillage qui boit les vapeurs de l'étang
Lassé des feux du jour s'apaise et se détend.

— Peu à peu la maison entr'ouvre ses fenêtres
Où tout le soir vivant et parfumé pénètre,

Et comme elle, penché sur l'horizon, mon cœur
S'emplit d'ombre, de paix, de rêver et de fraîcheur…

voyages

Anna de Noailles

Un train siffle et s'en va, bousculant l'air, les routes,
L'espace, la nuit bleue et l'odeur des chemins;
Alors, ivre, hagard, il tombera demain
Au cœur d'un beau pays en sifflant sous les voûtes.

Ah! la claire arrivée au lever du matin!
Les gares, leur odeur de soleil et d'orange,
Tout ce qui, sur les quais, s'emmêle et se dérange,
Ce merveilleux effort d'instable et de lointain!

— Voir le bel univers, goûter l'Espagne ocreuse,
Son tintement, sa rage et sa dévotion;
Voir, riche de lumière et d'adoration,
Byzance consolée, inerte et bienheureuse.

Voir la Grèce debout au bleu de l'air salin.
Le Japon en vernis et la Perse en faïence.
L'Égypte au front bandé d'orgueil et de science,
Tunis, ronde, et flambant d'un blanc de kaolin.

Voir la Chine buvant aux belles porcelaines,
L'Inde jaune, accroupie et fumant ses poisons,
La Suède d'argent avec ses deux saisons,
Le Maroc, en arceaux, sa mosquée et ses laines...

quand verrai-je les îles...

Francis Jammes

Quand verrai-je les îles où furent des parents?
Le soir, devant la porte et devant l'océan
on fumait des cigares en habit bleu barbeau.
Une guitare de nègre ronflait, et l'eau
de pluie dormait dans les cuves de la cour.
L'océan était comme des bouquets en tulle
et le soir triste comme l'Été et une flûte.
On fumait des cigares noirs et leurs points rouges
s'allumaient comme ces oiseaux aux nids de mousse
dont parlent certains poètes de grand talent.
Ô Père de mon Père, tu étais là, devant
mon âme qui n'était pas née, et sous le vent
les avisos glissaient dans la nuit coloniale.
Quand tu pensais en fumant ton cigare,
et qu'un nègre jouait d'une triste guitare,
mon âme qui n'était pas née existait-elle?
Était-elle la guitare ou l'aile de l'aviso?
Était-elle le mouvement d'une tête d'oiseau
caché alors au fond des plantations,
ou le vol d'un insecte lourd dans la maison?

599

la salle à manger

Francis Jammes

Il y a une armoire à peine luisante
qui a entendu les voix de mes grand'tantes,
qui a entendu la voix de mon grand-père,
qui a entendu la voix de mon père.
À ces souvenirs l'armoire est fidèle.
On a tort de croire qu'elle ne sait que se taire,
car je cause avec elle.

Il y a aussi un coucou en bois.
Je ne sais pourquoi il n'a plus de voix.
Je ne veux pas le lui demander.
Peut-être bien qu'elle est cassée,
la voix qui était dans son ressort,
tout bonnement comme celle des morts.

Il y a aussi un vieux buffet
qui sent la cire, la confiture,
la viande, le pain et les poires mûres.
C'est un serviteur fidèle qui sait
qu'il ne doit rien nous voler.

francis jammes

Il est venu chez moi des hommes et des femmes
qui n'ont pas cru à ces petites âmes.
Et je souris que l'on me pense seul vivant
quand un visiteur me dit en entrant :
— Comment allez-vous, monsieur Jammes ?

le village à midi

Francis Jammes

Le village à midi. La mouche d'or bourdonne
        entre les cornes des bœufs.
        Nous irons, si tu le veux,
si tu le veux, dans la campagne monotone.

Entends le coq… Entends la cloche… Entends le
                      [paon…
        Entends là-bas, là-bas, l'âne…
        L'hirondelle noire plane.
Les peupliers au loin s'en vont comme un ruban.
Le puits rongé de mousse ! Écoute sa poulie
        qui grince, qui grince encor,
        car la fille aux cheveux d'or,
tient le vieux seau tout noir d'où l'argent tombe en
                     [pluie.

La fillette s'en va d'un pas qui fait pencher
        sur sa tête d'or la cruche,
        sa tête comme une ruche,
qui se mêle au soleil sous les fleurs du pêcher.

Et dans le bourg voici que les toits noircis lancent
        au ciel bleu des flocons bleus :
        et les arbres paresseux
à l'horizon qui vibre à peine se balancent.

le cimetière marin

Paul Valéry

Ce toit tranquille, où marchent des colombes,
Entre les pins palpite, entre les tombes;
Midi le juste y compose de feux
La mer, la mer, toujours recommencée!
Ô récompense après une pensée
Qu'un long regard sur le calme des dieux!

Quel pur travail de fins éclairs consume
Maint diamant d'imperceptible écume,
Et quelle paix semble se concevoir!
Quand sur l'abîme un soleil se repose,
Ouvrages purs d'une éternelle cause,
Le Temps scintille et le Songe est savoir.

Stable trésor, temple simple à Minerve,
Masse de calme, et visible réserve,
Eau sourcilleuse, Œil qui gardes en toi
Tant de sommeil sous un voile de flamme,
Ô mon silence!... Édifice dans l'âme,
Mais comble d'or aux mille tuiles, Toit!

vingtième siècle

Temple du Temps, qu'un seul soupir résume,
À ce point pur je monte et m'accoutume,
Tout entouré de mon regard marin ;
Et comme aux dieux mon offrande suprême,
La scintillation sereine sème
Sur l'altitude un dédain souverain.

Comme le fruit se fond en jouissance,
Comme en délice il change son absence
Dans une bouche où sa forme se meurt,
Je hume ici ma future fumée,
Et le ciel chante à l'âme consumée
Le changement des rives en rumeur.

Beau ciel, vrai ciel, regarde-moi qui change !
Après tant d'orgueil, après tant d'étrange
Oisiveté, mais pleine de pouvoir,
Je m'abandonne à ce brillant espace,
Sur les maisons des morts mon ombre passe
Qui m'apprivoise à son frêle mouvoir.

L'âme exposée aux torches du solstice,
Je te soutiens, admirable justice
De la lumière aux armes sans pitié !
Je te rends pure à ta place première :
Regarde-toi !... Mais rendre la lumière
Suppose d'ombre une morne moitié.

Ô pour moi seul, à moi seul, en moi-même,
Auprès d'un cœur, aux sources du poème,
Entre le vide et l'événement pur,
J'attends l'écho de ma grandeur interne,
Amère, sombre et sonore citerne,
Sonnant dans l'âme un creux toujours futur !

Sais-tu, fausse captive des feuillages,
Golfe mangeur de ces maigres grillages,
Sur mes yeux clos, secrets éblouissants,
Quel corps me traîne à sa fin paresseuse,
Quel front l'attire à cette terre osseuse?
Une étincelle y pense à mes absents.

Fermé, sacré, plein d'un feu sans matière,
Fragment terrestre offert à la lumière,
Ce lieu me plaît, dominé de flambeaux,
Composé d'or, de pierre et d'arbres sombres,
Où tant de marbre est tremblant sur tant d'ombres;
La mer fidèle y dort sur mes tombeaux!

Chienne splendide, écarte l'idolâtre!
Quand solitaire au sourire de pâtre,
Je pais longtemps, moutons mystérieux,
Le blanc troupeau de mes tranquilles tombes,
Éloignes-en les prudentes colombes,
Les songes vains, les anges curieux!

Ici venu, l'avenir est paresse.
L'insecte net gratte la sécheresse;
Tout est brûlé, défait, reçu dans l'air
À je ne sais quelle sévère essence...
La vie est vaste, étant ivre d'absence,
Et l'amertume est douce, et l'esprit clair.

Les morts cachés sont bien dans cette terre
Qui les réchauffe et sèche leur mystère.
Midi là-haut, Midi sans mouvement
En soi se pense et convient à soi-même...
Tête complète et parfait diadème,
Je suis en toi le secret changement.

vingtième siècle

Tu n'as que moi pour contenir tes craintes !
Mes repentirs, mes doutes, mes contraintes
Sont le défaut de ton grand diamant…
Mais dans leur nuit toute lourde de marbres,
Un peuple vague aux racines des arbres
A pris déjà ton parti lentement.

Ils ont fondu dans une absence épaisse,
L'argile rouge a bu la blanche espèce,
Le don de vivre a passé dans les fleurs !
Où sont des morts les phrases familières,
L'art personnel, les âmes singulières ?
La larve file où se formaient des pleurs.

Les cris aigus des filles chatouillées,
Les yeux, les dents, les paupières mouillées,
Le sein charmant qui joue avec le feu,
Le sang qui brille aux lèvres qui se rendent,
Les derniers dons, les doigts qui les défendent,
Tout va sous terre et rentre dans le jeu !

Et vous, grande âme, espérez-vous un songe
Qui n'aura plus ces couleurs de mensonge
Qu'aux yeux de chair l'onde et l'or font ici ?
Chanterez-vous quand serez vaporeuse ?
Allez ! Tout fuit ! Ma présence est poreuse,
La sainte impatience meurt aussi !

Maigre immortalité noire et dorée,
Consolatrice affreusement laurée,
Qui de la mort fais un sein maternel,
Le beau mensonge et la pieuse ruse !
Qui ne connaît, et qui ne les refuse,
Ce crâne vide et ce rire éternel !

Pères profonds, têtes inhabitées,
Qui sous le poids de tant de pelletées,
Êtes la terre et confondez nos pas,
Le vrai rongeur, le ver irréfutable
N'est point pour vous qui dormez sous la table,
Il vit de vie, il ne me quitte pas!

Amour, peut-être, ou de moi-même haine?
Sa dent secrète est de moi si prochaine
Que tous les noms lui peuvent convenir!
Qu'importe! Il voit, il veut, il songe, il touche!
Ma chair lui plaît, et jusque sur ma couche,
À ce vivant je vis d'appartenir!

Zénon! Cruel Zénon! Zénon d'Elée!
M'as-tu percé de cette flèche ailée
Qui vibre, vole, et qui ne vole pas!
Le son m'enfante et la flèche me tue!
Ah! le soleil... Quelle ombre de tortue
Pour l'âme, Achille immobile à grands pas!

Non, non!... Debout! Dans l'ère successive!
Brisez, mon corps, cette forme pensive!
Buvez, mon sein, la naissance du vent!
Une fraîcheur, de la mer exhalée,
Me rend mon âme... ô puissance salée!
Courons à l'onde en rejaillir vivant!

Oui! Grande mer de délires douée,
Peau de panthère et chlamyde trouée
De mille et mille idoles du soleil,
Hydre absolue, ivre de ta chair bleue,
Qui te remords l'étincelante queue
Dans un tumulte au silence pareil,

607

vingtième siècle

Le vent se lève!... Il faut tenter de vivre!
L'air immense ouvre et referme mon livre,
La vague en poudre ose jaillir des rocs!
Envolez-vous, pages tout éblouies!
Rompez, vagues! Rompez d'eaux réjouies
Ce toit tranquille où picoraient des focs!

poète noir

Poète noir, un sein de pucelle
te hante,
poète aigri, la vie bout
et la ville brûle,
et le ciel se résorbe en pluie,
ta plume gratte au cœur de la vie.

Forêt, forêt, des yeux fourmillent
sur les pignons multipliés ;
cheveux d'orage, les poètes
enfourchent des chevaux, des chiens.

Les yeux ragent, les langues tournent
le ciel afflue dans les narines
comme un lait nourricier et bleu ;
je suis suspendu à vos bouches
femmes, cœurs de vinaigre durs.

liberté

Paul Éluard

Sur mes cahiers d'écolier
Sur mon pupitre et les arbres
Sur le sable sur la neige
J'écris ton nom

Sur toutes les pages lues
Sur toutes les pages blanches
Pierre sang papier ou cendre
J'écris ton nom

Sur les images dorées
Sur les armes des guerriers
Sur la couronne des rois
J'écris ton nom

Sur la jungle et le désert
Sur les nids sur les genêts
Sur l'écho de mon enfance
J'écris ton nom

Sur les merveilles des nuits
Sur le plan blanc des journées
Sur les saisons fiancées
J'écris ton nom

Sur tous mes chiffons d'azur
Sur l'étang soleil moisi
Sur le lac lune vivante
J'écris ton nom

Sur les champs sur l'horizon
Sur les ailes des oiseaux
Et sur le moulin des ombres
J'écris ton nom

Sur chaque bouffée d'aurore
Sur la mer sur les bateaux
Sur la montagne démente
J'écris ton nom

Sur la mousse des nuages
Sur les sueurs de l'orage
Sur la pluie épaisse et fade
J'écris ton nom

Sur les formes scintillantes
Sur les cloches des couleurs
Sur la vérité physique
J'écris ton nom

vingtième siècle

Sur les sentiers éveillés
Sur les routes déployées
Sur les places qui débordent
J'écris ton nom

Sur la lampe qui s'allume
Sur la lampe qui s'éteint
Sur mes maisons réunies
J'écris ton nom

Sur le fruit coupé en deux
Du miroir et de ma chambre
Sur mon lit coquille vide
J'écris ton nom

Sur mon chien gourmand et tendre
Sur ses oreilles dressées
Sur sa patte maladroite
J'écris ton nom

Sur le tremplin de ma porte
Sur les objets familiers
Sur le flot du feu béni
J'écris ton nom

Sur toute chair accordée
Sur le front de mes amis
Sur chaque main qui se tend
J'écris ton nom

paul éluard

Sur la vitre des surprises
Sur les lèvres attentives
Bien au-dessus du silence
J'écris ton nom

Sur mes refuges détruits
Sur mes phares écroulés
Sur les murs de mon ennui
J'écris ton nom

Sur l'absence sans désirs
Sur la solitude nue
Sur les marches de la mort
J'écris ton nom

Sur la santé revenue
Sur le risque disparu
Sur l'espoir sans souvenirs
J'écris ton nom

Et par le pouvoir d'un mot
Je recommence ma vie
Je suis né pour te connaître
Pour te nommer.

Liberté.

la terre est bleue comme une orange

Paul Éluard

La terre est bleue comme une orange
Jamais une erreur les mots ne mentent pas
Ils ne vous donnent plus à chanter
Au tour des baisers de s'entendre
Les fous et les amours
Elle sa bouche d'alliance
Tous les secrets tous les sourires
Et quels vêtements d'indulgence
À la croire toute nue.

Les guêpes fleurissent vert
L'aube se passe autour du cou
Un collier de fenêtres
Des ailes couvrent les feuilles
Tu as toutes les joies solaires
Tout le soleil sur la terre
Sur les chemins de ta beauté.

l'union libre

André Breton

Ma femme à la chevelure de feu de bois
Aux pensées d'éclairs de chaleur
À la taille de sablier
Ma femme à la taille de loutre entre les dents du tigre
Ma femme à la bouche de cocarde et de bouquet
      [d'étoiles de dernière grandeur
Aux dents d'empreintes de souris blanche sur la
        [terre blanche
À la langue d'ambre et de verre frotté
Ma femme à la langue d'hostie poignardée
À la langue de poupée qui ouvre et ferme les yeux
À la langue de pierre incroyable
Ma femme aux cils de bâtons d'écriture d'enfant
Aux sourcils de bord de nid d'hirondelle
Ma femme aux tempes d'ardoise de toit de serre
Et de buée aux vitres
Ma femme aux épaules de champagne
Et de fontaine à têtes de dauphins sous la glace
Ma femme aux poignets d'allumettes

615

Ma femme aux doigts de hasard et d'as de cœur
Aux doigts de foin coupé
Ma femme aux aisselles de martre et de fênes
De nuit de la Saint-Jean
De troène et de nid de scalares
Aux bras d'écume de mer et d'écluse
Et de mélange du blé et du moulin
Ma femme aux jambes de fusée
Aux mouvements d'horlogerie et de désespoir
Ma femme aux mollets de moelle de sureau
Ma femme aux pieds d'initiales
Aux pieds de trousseaux de clés aux pieds de calfats
                                             [qui boivent

Ma femme au cou d'orge imperlé
Ma femme à la gorge de Val d'or
De rendez-vous dans le lit même du torrent
Aux seins de nuit
Ma femme aux seins de taupinière marine
Ma femme aux seins de creuset du rubis
Aux seins de spectre de la rose sous la rosée
Ma femme au ventre de dépliement d'éventail des
                                             [jours

Au ventre de griffe géante
Ma femme au dos d'oiseau qui fuit vertical
Au dos de vif-argent
Au dos de lumière
À la nuque de pierre roulée et de craie mouillée
Et de chute d'un verre dans lequel on vient de boire
Ma femme aux hanches de nacelle
Aux hanches de lustre et de pennes de flèche
Et de tiges de plumes de paon blanc
De balance insensible
Ma femme aux fesses de grès et d'amiante
Ma femme aux fesses de dos de cygne
Ma femme aux fesses de printemps

Au sexe de glaïeul
Ma femme au sexe de placer et d'ornithorynque
Ma femme au sexe d'algue et de bonbons anciens
Ma femme au sexe de miroir
Ma femme aux yeux pleins de larmes
Aux yeux de panoplie violette et d'aiguille aimantée
Ma femme aux yeux de savane
Ma femme aux yeux d'eau pour boire en prison
Ma femme aux yeux de bois toujours sous la hache
Aux yeux de niveau d'eau de niveau d'air de terre et
                                   [de feu

à présent laissez-moi...

Saint-John Perse

À présent laissez-moi je vais seul.

Je sortirai, car j'ai affaire : un insecte m'attend
pour traiter. Je me fais joie

du gros œil à facettes : anguleux, imprévu,
comme le fruit du cyprès.

Ou bien j'ai une alliance avec les pierres veinées-
bleu : et vous me laissez également,

assis, dans l'amitié de mes genoux.

pour faire un poème dadaïste

Tristan Tzara

Prenez un journal.
Prenez des ciseaux.
Choisissez dans ce journal un article faisant la lon-
gueur que vous comptez donner à votre poème.
Découpez l'article.
Découpez ensuite avec soin chacun des mots qui
forment cet article et mettez-les dans un sac.
Agitez doucement.
Sortez ensuite chaque coupure l'une après l'autre
dans l'ordre où elles ont quitté le sac.
Copiez consciencieusement
Le poème vous ressemblera
Et vous voilà « un écrivain infiniment original et
d'une sensibilité charmante, encore qu'incomprise
du vulgaire ».

un oiseau, lorsqu'il va, sur la mer...

Roger Giroux

Un oiseau, lorsqu'il va, sur la mer,
Porter mémoire de la terre à la limite de ce jour
De lumière et d'amour, un oiseau...

Comment dire cela sans défaire l'ouvrage
Des yeux, des mains, et de tout le visage,
Et sans briser en nous l'oiseau et le langage...
Comment dire cela sans rougir, et se taire ?

Tout œuvre est étrangère, toute parole absente,
Et le poème rit et me défie de vivre
Ce désir d'un espace où le temps serait nul.
Et c'est don du néant, ce pouvoir de nommer

roger giroux

Un oiseau, lorsqu'il va, sur la mer, comme on respire,
Cet instant qui ne dure que pour mourir, là-bas,
Depuis le commencement du monde jusqu'au
                                    [dernier naufrage,
Et peut-être plus loin, vers la dernière étoile,
La première parole, ô comment dire cela...

prise à partie

André Frénaud

Porc, que fais-tu ?
Je m'essuie à ma bauge.

Porc, que fais-tu ?
Je rêve aux dieux qui m'aiment.

Porc, ne mens pas.
Hé ! Je pense à la truie.

Porc, dis encore.
Je veux mourir ailleurs.

Porc, tu te moques.
Hélas, je plaisantais.

Porc, c'est assez. Avoue
Je manque d'un je ne sais quoi, j'avale.

le tremblay

André Hardellet

Si tu reviens jamais danser
Chez Temporel, un jour ou l'autre,
Pense à ceux qui tous ont laissé
Leurs nom gravés auprès des nôtres.

Souviens-toi : quand tu l'as choisie
Pour tourner la valse en mineur,
La bonne chance enfin saisie,
Deux initiales dans un cœur.

Pense à ta jeunesse gâchée,
Sans t'en douter, au fil de des jours,
Pense à l'image tant cherchée
Qui garderait son vrai contour.

Des robes aux couleurs de valse
Il n'est demeuré qu'un reflet
Sur le tain écaillé des glaces,
Des chansons — à peine un couplet

vingtième siècle

Mais c'est assez pour que renaisse
Ce qu'alors nous avons aimé
Et pour que tu te reconnaisses
Dans ce petit bal mal famé

Avec d'autres qui sont partis
Vers le meilleur ou vers le pire,
Avec celle qui t'a souri
Et dit les mots qu'il fallait dire.

Oui, si tu retournes danser
Chez Temporel, un jour ou l'autre,
Pense aux bonheurs qui sont passés
Là, simplement, comme les nôtres.

fiche de police

André Hardellet

Pour Pierre Seghers.

Il y avait ton cœur fermé
ton cœur ouvert
ton cœur de feu couvert
tes cheveux pour filer entre les doigts
pour verser leur sable sur mon sommeil
et pour enchanter la fatigue
tes cheveux comme un treillage entre le regard et les
                          [vignes qui flambent
tes cheveux de luisant et de sorgue
tes yeux avec la halte à l'ombre
et la colonne de froid sur le puits
tes yeux les anémones ouvertes dans la mer
tes yeux pour plonger droit dans les vaucluses
et dérober leurs paillettes aux fontaines
tes yeux sur les averses qui volent sur les ardoises
tes bras pour les bras tendus
pour le geste cueillant le linge qui sèche
pour tenir la moisson de toile contre ta poitrine
pour maintenir la maison de souvenirs contre le vent
tes bras pour touiller les bassines de confiture
tes seins les dunes d'un beau soir
tes seins pour les paumes calleuses au retour du
                          [travail
— mais sais-tu les meules qui se prêtent se creusent
           [quand il faut le repos

625

vingtième siècle

— sais-tu le nez dans les sources d'herbe
quand la marinière trempe de buée sa chanson —
tes seins pour bander
tes mains — pavots qui apprivoisent l'insomnie
tes mains pour les mains nouées et les promesses
                                              [scellées
tes mains pour tendre les tartines
tes mains pour toucher ton amour
tes hanches comme la péniche pleine
comme l'amphore épousée par les doigts de haut en bas
ton ventre pour les tabliers bleus du matin
et les gaines soyeuses des minuits de luxe
ton ventre la pleine joie de la pleine mer
ton ventre de houle
tes cuisses de flandre
ton sillage de carène heureuse et de menthe volée
ton odeur de servante jeune et de pain bis
ton odeur de vachère et de jachère en avril
ton odeur de renoir et d'auberge calme
ta peau de santé le slalom nègre sur la pente des étés
tes robes de flotte au large et de voile enceinte
tes robes de bouquets aux crayons de couleurs
sur un vieux cahier d'école
tes robes en dimanche tes robes de bonjour
tes matinées au lit comme une nage facile par la grande
                                              [baie des fougères
ton envie comme une salve qui salue la rade ou brûlent
                                              [mille rochelles
et l'argent des avirons
— et te voici dressée, plantée sur ton plaisir et qui
                                              [délires —
ton envie le suc qui éclate de la figue mûre
ta voix venue des châteaux en Bavière
ta voix qui étonne les légendes dissimulées
ta bouche pour dire oui

626

ta salive à boire
ton sourire d'enfance retrouvée.

      Il y avait ce plus secret de toi
ce blond de toi épanouie
l'étoile de mer encore humide entre deux désirs.

      Il y avait ton attente la première permission
               du soldat à la guerre
ton souvenir — et c'est la pluie qui bat tiède
contre les volets clos de la mémoire
ton souvenir à inventer
— mais jamais toi tenue certaine
au midi du bonheur
et pourtant quelques-uns t'ont vue en plein jour
ont laissé ton portrait *à travers* leurs toiles
ou *derrière* leurs poèmes
tu es plus vieille que la peine du monde
et plus neuve que la joie de vivre
c'est toi que les hommes ont toujours voulue
dans leur faim de tendresse
au bout des jours au bout des routes
celle qu'ils ont appelée la veille de la chaise électrique
ou du peloton d'exécution
pour qui tous ont trahi leur plus franche parole
et tenu leurs plus dérisoires serments
celle qui embrassait trop tard les gars punis
avant la fosse commune ou les croix de bois.

      Il me reste à te donner un nom
      à te donner vie
      il me reste surtout à te rencontrer
      comme les mains émerveillées de l'aveugle
      trouvent la présence du soleil
      sur un pan de mur.

grand ciel de mots

Pierre Bourgeade

Hommage au Marquis de Sade

Rêveur poudré bavard considérable
Homme de mots harangueur effréné
Puissant hâbleur scripteur intarissable
Créateur fou de mondes jamais nés

Ô perroquet ô parleur mémorable
Répétiteur de récits calcinés
Diseur de cendres faiseur de faux miracles
Qui donnent chair à l'esprit étonné

Père fouettard ô fêtard formidable
S'il se fait tard dans ce monde haïssable
Nos cerveaux mous et nos corps décharnés

Fais resplendir dans le ciel ineffable
Où tournoient morts ces astres innombrables
Les dieux d'hier ta lumière Damné !

*

L'automne les vignes rouges
Le ciel bas le soleil gris
Le sombre éclat de ta bouche
L'octuple étoile aujourd'hui !

Marquis de Sade et de sable
Et de terre si je dis
Qu'il recherche l'ineffable
Dans ce passage engourdi.

Jeune fille célébrons
Le digne homme sans manières
Sois femme par le fronton
Et garçon par le derrière !

Notre bon maître disait
En tout homme gît la femme
Mais en toute femme osait
Trouver l'homme qui s'y cache.

(extrait)

annexes

index des noms d'auteurs

index des noms d'auteurs

index des noms d'auteurs

index des noms d'auteurs

index des noms d'auteurs

index des textes

index des textes

639

index des textes

index des textes

index des textes

index des textes

index des textes

index des textes

index des textes

index des textes

repères

APOLLINAIRE Guillaume. *Alcools*, 1913.

APOLLINAIRE Guillaume. *Calligrammes*, 1918.

ARTAUD Antonin. *L'Ombilic des limbes*, 1925.

AUBIGNÉ Agrippa d'. *Les Tragiques*, 1616.

BAUDELAIRE Charles. *Les Fleurs du mal*, 1840-1857.

BAUDELAIRE Charles. *Le Spleen de Paris*, 1855-1862.

BERTRAND Aloysius. *Gaspard de la nuit*, 1842.

BOILEAU Nicolas. *Satires*, 1660-1711.

BOURGEADE Pierre. « Grand Ciel de mots », in *Digraphe*, 1992.

BRETON André. *Clair de terre*, 1923.

CHATEAUBRIAND René de. *Le Dernier des Abencérages*, 1826.

CHÉNIER André. *Ïambes*, 1819.

CHÉNIER André. *Élégies*, 1819.

CHÉNIER André. *Bucoliques*, 1819.

CHÉNIER Marie-Joseph. *Le Chant du départ*, 1794.

CHRÉTIEN DE TROYES. *Perceval le Gallois*, vers 1175.

CORBIÈRE Tristan. *Les Amours jaunes*, 1873.

CORNEILLE Pierre. *Le Cid*, 1636.

CROS Charles. *Le Coffret de santal*, 1873.

CROS Charles. *Le Collier de griffes*, 1908.

DELILLE Jacques. *Les Trois Règnes de la nature*, 1809.

repères

DESBORDES-VALMORE Marceline. *Les Roses de Saadi*, 1839.

DESBORDES-VALMORE Marceline. *Élégies et poésies nouvelles*, 1825.

DESBORDES-VALMORE Marceline. *Élégies et romances*, 1819.

DU BELLAY Joachim. *Les Regrets*, 1557.

DU BELLAY Joachim. *L'Olive*, 1549.

ÉLUARD Paul. *L'Amour la poésie*, 1929.

FLORIAN. *Fables*, 1792.

FRÉNAUD André. *La Sainte Face*, 1968

GAUTIER Théophile. *Émaux et Camées*, 1852.

GIROUX Roger. *L'Arbre le temps*, 1979.

HARDELLET André. *La Cité Montgol*, 1952.

HÉRÉDIA José-Maria de. *Les Trophées*, 1893.

HUGO Victor. *Chansons des rues et des bois*, 1865.

HUGO Victor. *Les Contemplations*, 1856.

HUGO Victor. *Les Rayons et les Ombres*, 1840.

JAMMES Francis. *De l'angélus de l'aube à l'angélus du soir*, 1898.

JARRY Alfred. *Poésies*, 1945.

LABÉ Louise. *Le Débat de folie et d'amour*, 1555.

LABÉ Louise. *Sonnets*, 1556.

LABÉ Louise. *Élégies*, 1556.

LA FONTAINE Jean de. *Les Fables*, 1668-1694.

LAFORGUES Jules. *Poésies*, 1902-1903.

LAMARTINE Alphonse de. *Harmonies poétiques et religieuses*, 1830.

LAMARTINE Alphonse de. *Méditations poétiques*, 1820.

LAMARTINE Alphonse de. *Nouvelles méditations poétiques*, 1823.

LAMARTINE Alphonse de. *Recueillements poétiques*, 1839.

LATTAIGNANT Charles-Gabriel de. *Poésies*, 1757.

LAUTRÉAMONT. *Les Chants de Maldoror*, 1868-1869.

repères

LA VILLE DE MIRMONT Jean de. *L'Horizon chimérique*, 1920.

LECONTE DE LISLE Charles-Marie René. *Poèmes antiques*, 1852.

LECONTE DE LISLE Charles-Marie René. *Poèmes barbares*, 1862.

L'HERMITE Tristan. *Le Promenoir des deux amants*, 1638.

LOUŸS Pierre. *Les Chansons de Bilitis*, 1894.

MALLARMÉ Stéphane. *L'Après-midi d'un faune*, 1876.

MALLARMÉ Stéphane. *Poésies*, 1898.

MAROT Clément. *Poésies*, 1532.

MAUPASSANT Guy de. *Des vers*, 1880.

MIKHAËL Ephraïm. *L'Automne*, 1886.

MOLIÈRE. *Le Tartuffe*, 1664.

MOLIÈRE. *Le Misanthrope*, 1666.

MOLIÈRE. *Les Femmes savantes*, 1672.

MUSSET Alfred de. *Premières poésies*, 1852.

MUSSET Alfred de. *Poésies*, 1828-1852.

NERVAL Gérard de. *Les Chimères*, 1854

NERVAL Gérard de. *Les Filles du feu*, 1854.

NOAILLES Anna de. *L'Ombre des jours*, 1902.

NOAILLES Anna de. *Le Cœur innombrable*, 1901.

NOUVEAU Germain. *Œuvres poétiques*, 1953.

PARNY Évariste. *Élégies*, 1778.

PÉGUY Charles. *Ève*, 1913.

RABELAIS François. *Pantagruel*, 1532-1564.

RACINE Jean. *Athalie*, 1691.

RIMBAUD Arthur. *Le Bateau ivre*, 1883.

RIMBAUD Arthur. *Les Illuminations*, 1886.

RIMBAUD Arthur. *Poésies*, 1891.

RIMBAUD Arthur. *Une saison en enfer*, 1873.

RODENBACH Georges. *Œuvres*, 1978.

RONSARD Pierre. *Sonnets pour Hélène*, 1574.

RONSARD Pierre. *Les Amours*, 1552-1553.

RONSARD Pierre. *Les Hymnes*, 1555-1556.

RONSARD Pierre. *Les Odes*, 1550-1556.

ROUGET DE LISLE. *La Marseillaise*, 1792.

ROUSSEAU Jean-Baptiste. *Odes et poésies diverses*, 1712-1723.

ROSTAND Edmond. *Cyrano de Bergerac*, 1897.

SAINT-AMANT. *Poésies*, 1629-1658.

SAINT-JOHN PERSE. *Éloges*, 1911.

SAMAIN Albert. *Au jardin de l'infante*, 1883.

SAMAIN Albert. *Le Chariot d'or*, 1901.

SAMAIN Albert. *Aux flancs du vase*, 1898.

VALÉRY Paul. *Charmes*, 1922.

VERHAEREN Émile. *Les Heures claires*, 1896-1911.

VERLAINE Paul. *Fête galante*, 1869.

VERLAINE Paul. *Jadis et naguère*, 1884.

VERLAINE Paul. *Poèmes saturniens*, 1866.

VERLAINE Paul. *Romances sans paroles*, 1874.

VERLAINE Paul. *Sagesse*, 1880.

VIGNY Alfred de. *Le Cor*, 1837.

VIGNY Alfred de. *La Mort du loup*, 1843.

VIGNY Alfred de. *Le Mont des oliviers*, 1862.

VILLON François. *La Ballade des pendus*, 1489.

VILLON François. *Ballades*, 1489.

VILLON François. *Testaments*, 1489.

VIVIEN Renée. *Poésies*, 1923-1924.

VOLTAIRE. *Œuvres complètes*, 1784-1790.

table des matières